CW01044016

Виктор Пелевин

Тайные виды на гору Фудзи

Москва
2018

УДК 821.161.1-31
ББК 84(2Рос=Рус)6-44
П24

Оформление серии и дизайн переплета *Андрея Саукова*

В оформлении книги использована гравюра № 18
«Тридцать шесть видов Фудзи» *К. Хокусая*

Пелевин, Виктор Олегович.

П24 Тайные виды на гору Фудзи / Виктор Пелевин. — Москва : Эксмо, 2018. — 416 с. — (Единственный и неповторимый. Виктор Пелевин).

ISBN 978-5-04-098435-0

Готовы ли вы ощутить реальность так, как переживали ее аскеты и маги древней Индии две с половиной тысячи лет назад? И если да, хватит ли у вас на это денег?

Стартап «Fuji experiences» действует не в Силиконовой долине, а в российских реалиях, где требования к новому бизнесу гораздо жестче. Люди, способные профинансировать новый проект, наперечет...

Но эта книга — не только о проблемах российских стартапов. Это своего рода современная «Илиада», повествующая о долгом и мучительно трудном возвращении российских олигархов домой. А еще это берущая за сердце история подлинного женского успеха.

Впервые в мировой литературе раскрываются эзотерические тайны мезоамериканского феминизма с подробным описанием его энергетических практик. Речь также идет о некоторых интересных аспектах классической буддийской медитации.

Герои книги — наши динамичные современники: социально ответственные бизнесмены, алхимические трансгендеры, одинокие усталые люди, из которых капитализм высасывает последнюю кровь, стартаперы-авантюристы из Сколково, буддийские монахи-медитаторы, черные лесбиянки.

В ком-то читатель, возможно, узнает и себя...

#многоВПолеТропинок #skolkovoSailingTeam #большеНеОлигархия #brainPorn #一茶#jhanas #samatha #vipassana #lasNuevasCazadoras #pussyhook #санкции #amandaLizard #згыын #empowerWomen #embraceDiversity #толькоПравдаОдна

УДК 821.161.1-31
ББК 84(2Рос=Рус)6-44

ISBN 978-5-04-098435-0

Somebody's shouting up at a mountain...

Pictures of Home

Там, на вершине Фудзи...

Рама Второй

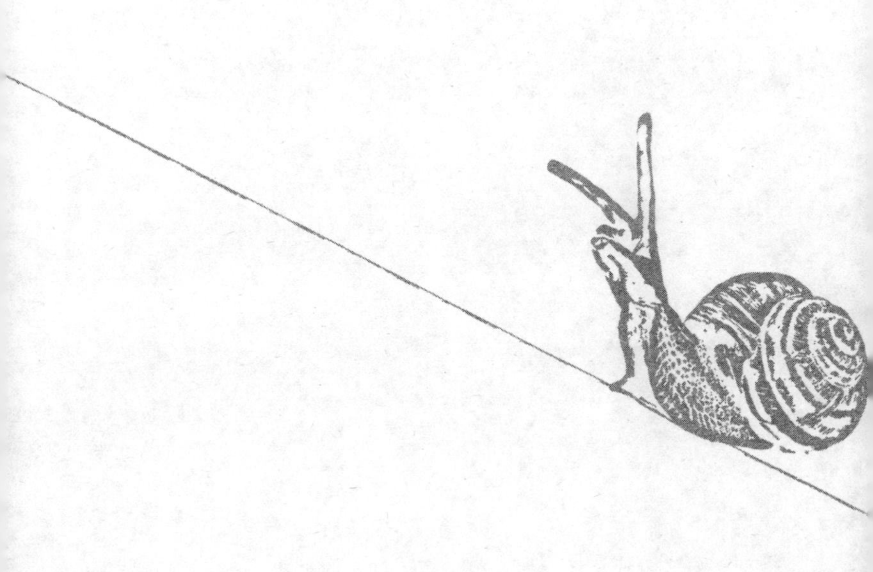

ЧАСТЬ I. FUJI ⓔ

*Федор Семенович (Федя)
Ринат Мусаевич
*Дамиан Ильич
Таня
Игорь Андреевич

1.1. FUJI© СТАРТАП

Глотнув бондовского мартини (коктейль «Над Схваткой», как называло его внутреннее меню яхты), Федор Семенович откинулся на спинку шезлонга и стал следить за ползущим по синему простору катером, на котором уплыл Ринат.

Когда катер слился с белой тушей чужой мегаяхты, Федор Семенович наконец поднял глаза и разрешил себе заметить молодого человека в тертых джинсах, белой бейсболке и такого же цвета майке с синим принтом на груди. Рядом с ним на палубе стоял вместительный акушерский саквояж из желтой кожи.

– Добрый день, – сказал Федор Семенович и сделал такое движение, словно совсем уже собрался встать, но в последний момент не нашел достаточно сил. – Извините, загляделся на море. Вы из того стартапа, про который говорил Ринат Мусаевич?

– Да, – ответил молодой человек. – Он меня, собственно, и привез. Так вот и прыгаю с яхты на яхту.

– Присаживайтесь тогда, – сказал Федор Семенович, указывая на шезлонг напротив, – я немного отдохнуть хотел, а тут как раз тень.

Молодой человек снял бейсболку, положил ее на шезлонг таким образом, чтобы видна была надпись на ней, и деликатно присел рядом. На бейсболке было написано: «SKOLKOVO SAILING TEAM». Видимо, молодой человек давал понять, что у него тоже есть лодка, но пока еще маленькая. Федор Семенович хмыкнул.

– Вас зовут...

– Дамиан Улитин. Можно на «ты».

– Точно Дамиан? А не Демьян?

Дамиан выдержал взгляд Федора Семеновича.

– Точно. Могу паспорт показать.

Федор Семенович внимательно оглядел Дамиана.

Тому было на вид лет тридцать с небольшим. Уверенная улыбка, высокий сократовский лоб, черные волосы и бородка – то ли широкая goatee, то ли узкая шкиперская. В Дамиане чувствовалась сладкая восточная – скорее всего, среднеазиатская – кровь и такая же сладкая восточная нега.

– Интересно, – сказал Федор Семенович, – столько слышу про эти сколковские стартапы, а встречаю впервые. Ну расскажи, как вам там стартапится.

– Вас стартапы вообще интересуют? – спросил Дамиан. – Или конкретно мой?

– И вообще, и твой.

У Федора Семеновича была такая привычка – задать собеседнику какой-нибудь замысловатый сложный вопрос, требующий долгого ответа, а потом, слушая вполуха, приглядываться к его мимике и жестикуляции, как бы внюхиваясь в чужую душу. Часто удавалось многое понять еще до обсуждения конкретных вопросов.

– Ну, если вообще...

Дамиан нарочито комическим жестом почесал затылок.

– Если вообще, – сказал он решительно, – то девяносто процентов всех стартапов – это чистой воды кидалово.

– Ух ты. Прямо-таки кидалово?

– Ну не в прямом уголовном смысле. Просто их начинают с одной целью – создать видимость движухи, чего-то такого многообещающего и рвущегося в небо, и сразу, пока никто не разобрался, эту видимость продать. Продают в таких случаях, по сути, презентацию с картинками, файл программы «power point», а деньги берут настоящие.

– Серьезно? – опечалился Федор Семенович.

Дамиан кивнул.

– То есть люди с самого начала думают не над тем, как перевернуть рынок, или хотя бы предложить людям новый продукт или там услугу, а над тем, как склеить эффектное чучело. Продемонстрировать рост, сделать отчетность с красивыми цифрами, заинтересовать инвестора, снять лавандос и отчалить. Работают не над идеей, а над слайдом. При этом продают, как правило, клон какого-нибудь клона, только слова подбирают другие, чтобы узнать было трудно...

Говорил Дамиан быстро, горячо и как бы очень искренне – такое ощущение возникало из-за того, что его слова налезали друг на друга, словно им было тесно во рту. Почему-то это вызывало доверие.

– То есть осваивают средства? – понимающе спросил Федор Семенович.

– Вот именно. Можно бюджет пилить, а можно на стартапах поднимать. Суть одна и та же.

Жестикуляция у Дамиана была энергичная и изящная – он как бы помогал руками своим словам и смыслам, разбивая перед ними невидимую преграду. Это тоже скорее вызывало доверие, чем наоборот.

– Да... Грустно, – сказал Федор Семенович. – Что же это, наше национальное свойство?

Дамиан отрицательно помотал головой.

– Да нет, не думаю. В Америке в точности то же самое. Но там стартаперу на порядок проще. Там идею можно продать. А у нас – как правило, только реализацию.

– Почему?

– А то вы не знаете. Американцы же деньги печатают. Сколько им в голову придет, без тормозов. Вытирают ими задницу, прикуривают от них и так далее – и нам потом кидают, чтобы мы за них у обменника дрались... Но до нас все равно одни брызги долетают. А у них там Ниагара из бабла. Источник всех земных смыслов. Американские стартапы на этой Ниагаре мельницы. Большинство – пустышки, разводка. Но Ниагара такая, что ей все равно. Зато, если хоть одна мельница что-то такое начнет реально производить, об этом весь мир узнает. Поэтому Америка может покупать идеи. А у нас...

– Нет Ниагары?

– Да какое там, – вздохнул Дамиан. – Вот в Сколково как? Сразу спрашивают – а продукт у тебя есть? Продажи? Клиенты? Покажи. Хотят, значит, чтобы наши юноши и девушки, затянув пояса, в условиях санкций с нуля раскрутились на вечной мерзлоте аж до продаж и клиентов – и только потом отечественный инвестор, экономя на футбольных клубах и баскетбольных командах, понесет им свои кровные. Которые на залоговом аукционе заработал... Какая норма прибыли интересует отечественного инвестора, вы знаете. И требуют, чтобы у стартапа был мировой уровень, не меньше. Желательно сразу новая фирма «Эппл»... Кровососы.

– Откровенный ты парень, – улыбнулся Федор Семенович. – Мне это симпатично. И направление работы у тебя хорошее – список «Форбс» обслуживать. Когда придумал-то?

– Еще в институте. Когда курсовую писал по социальному партнерству.

– Клиентов много?

Дамиан вынул из кармана сложенный вдвое лист тонкой бумаги и протянул его Федору Семеновичу.

– Вот список.

Федор Семенович поглядел в бумажку, усмехнулся и уважительно поднял бровь.

– Впечатляет, – сказал он, возвращая листок Дамиану. – Даже Юру развел. А почему на бумаге показываешь?

– Потому что... – Дамиан вынул из кармана зажигалку, поднес к листку и поджег его, – говорить вслух о таких предметах неразумно. Это может быть записано подслушивающим устройством и использовано. А сейчас никаких следов уже нет. Прайвеси клиента – святыня номер один.

Он пустил по ветру быстро дотлевающие остатки бумажки.

– Хорошо, – сказал Федор Семенович. – Про клиентуру понятно. Ринат Мусаевич за тебя тоже ручается, что для меня самое важное. Так что ты хочешь мне продать? Если коротко?

– Счастье, – сказал Дамиан.

– Да? – развеселился Федор Семенович. – А откуда ты его завозить будешь? Там его вообще много? А то давай я оптом все возьму.

– Это не так просто. Счастье – это психический эффект. Ваше, так сказать, субъективное состояние в конце определенной процедуры. Продать и купить можно только процедуру. То есть технологию достижения счастья.

– И много у тебя процедур?

– Сейчас около десяти.

– А какой ценовой диапазон?

– Три таера, – ответил Дамиан. – Некоторые варианты недорогие. Другие значительно дороже. Есть, не побоюсь сказать, совершенно революционные подходы и решения. Вы инвестируете не столько в сам стартап, сколько в конкретную технологию. Иногда даже становитесь ее первым пользователем. Поверьте, Федор Семенович, я предлагаю уникальный опыт. Если уж тратить деньги, то на это. К сожалению, очень мало людей на Земле имеет такую возможность.

Федор Семенович вздохнул.

– Название-то у твоего стартапа уже есть?

– Есть. «Фуджи И». Пишется так – большими буквами FUJI и «е» в кружочке. Вот как у меня на майке. Расшифровывается – «Fuji Experiences».

Федор Семенович поглядел еще раз на синий простор за бортом, потом на далекую яхту Рината и решительно сказал:

– Ну хорошо, Дамиан. Считай, что я подписался на твой экспириенс. Какие-то деньги в тебя вложу. Сперва небольшие. А дальше увидим...

Дамиан просиял.

– Спасибо за доверие.

– А теперь объясни – почему «Фуджи»?

– Потому что я Улитин.

– Не понял, – сказал Федор Семенович.

– С вашего позволения, у меня есть маленький ритуал, который я совершаю в начале сотрудничества. Эта процедура нужна, чтобы дать процессу формальный старт – и в ней же содержится ответ на ваш вопрос. Можно?

– Не возражаю.

– Тогда я хотел бы переодеться, – сказал Дамиан и подхватил с палубы свой саквояж. – Реквизит у меня с собой.

Пока Дамиан отсутствовал, Федор Семенович допил свой мартини и ощутил наконец приятное расслабление всех мышц.

Когда Дамиан опять появился на палубе, узнать его было трудно. Он был наряжен в самое настоящее японское кимоно – белое в мелких васильках.

Не дойдя до шезлонга с Федором Семеновичем нескольких метров, он остановился, топнул ногой и пропел тихим, но дрожащим от напряжения голосом:

Катацумури!
Соро-соро ноборе
Фуджи-но ямá!

Федор Семенович хотел было пошутить, но что-то его остановило.

Кимоно на Дамиане было не особо новое, немного мятое – и все равно тот выглядел очень аутентично. Настолько, что его южная смуглота даже стала казаться дальневосточной.

– Маленькая улитка! Медленно-медленно взбирайся по Фудзияме! Таков примерный перевод этих строк. Это одно из самых известных японских хайку в истории. Его написал великий Кобаяси Исса, один из четырех главных мастеров этой формы. Стих этот многократно переводился и цитировался – его упоминает Сэлинджер в повести «Фрэнни и Зуи», а братья Стругацкие даже взяли из него название своей повести «Улитка на склоне». Название моего стартапа содержит в себе ту же референцию. Моя фамилия, как вы догадываетесь, в самом центре этого смыслового облака – что еще делать Улитину в нашем мире?

– Теперь понял, – кивнул Федор Семенович.

– Смысл этих стихов настолько бесконечен, настолько многогранен, что о нем можно написать тома, и все равно не удастся его исчерпать. Это и крохотный человек, затерянный во Вселенной, и тот единственный способ, каким только и можно браться за действительно великие дела, и равенство мельчайшего с огромным... Продолжать можно бесконечно. Но нас здесь будет интересовать лишь один частный смысл, ни разу, насколько мне известно, не упомянутый ни одним из традиционных комментаторов. Вы ведь уже догадались, о чем я сейчас скажу?

Федор Семенович пожал плечами.

– Смотрите, – продолжал Дамиан, – вершина Фудзиямы – несомненный символ высочайшего достижения. Настолько в реальности невозможного, что его используют сугубо фигурально. Мол, ползи, улитка, вверх, к чуду, и не надейся даже, что доползешь, а пребывай в здесь и сейчас, пока не сдохнешь от стресса... Важна не цель, а движение, работа, возвращение кредита и все такое прочее. Это очевидные обыденные смыслы – ими граждан страны Ямато программируют на романтический конформизм, на котором, если разобраться, и держится вся японская экономика. Но как быть, если улитка все-таки добралась до вершины Фудзи? Или, вернее, каким-то чудом там оказалась – потому что, между нами говоря, честно доползти туда по склону нельзя? Эта тема, между прочим, великолепно разобрана в современной отечественной литературе. Если хотите, я вам процитирую нашего замечательного...

– Не хочу, – сказал Федор Семенович, поднимая руку, – это лишнее.

Дамиан улыбнулся.

– Я тогда своими словами объясню. Климат на вершине горы Фудзи примерно соответствует нашей тундре. Самая низкая зафиксированная температура – минус тридцать восемь по Цельсию. Самая высокая – плюс семнадцать. Мало того, что там снег круглый год, вершина Фудзи вдобавок еще и вулканический кратер. А сама гора Фудзи – это активный вулкан, извержение которого может начаться в любой момент. Те улитки, которые слушают Кобаяси Иссу где-то там на склоне, ничего не знают. Но улитки на вершине помнят про это каждую секунду... Попробуй забыть, что живешь на действующем вулкане. Представляете, каково у них на душе?

– Представляю, – сказал Федор Семенович. – Очень хорошо представляю без твоих японских стихов. И что дальше?

– Как вы догадываетесь, все вышеописанное – холодное одиночество в тундре, помноженное на риск в любой момент сгореть в потоке магмы – есть просто иносказательное описание внутреннего мира человека на самом верху социальной пирамиды. Вернуть ему обычное человеческое счастье кажется невозможным делом. Но я считаю, и мой опыт это доказывает, что такая задача хоть и трудна, но выполнима. Просто для ее решения нужны экстраординарные, часто даже экстравагантные меры, ибо обычные рецепты счастья теряют на вершине всякий смысл. Уже долгое время я размышляю над этими вопросами, Федор Семенович. И вы можете не сомневаться, что весь свой огромный опыт я поставлю вам на службу, как беззаветный самурай вашего счастья...

Дамиан сделал сосредоточенное серьезное лицо, закрыл глаза и отвесил Федору Семеновичу формальный поклон.

– Ну ты меня прямо даже растрогал, – сказал Федор Семенович. – Беззаветный самурай моего счастья. Звучит.

Дамиан поклонился опять.

– С чего начнем? – спросил Федор Семенович.

– Как я уже сказал, вы инвестируете не в сам стартап, а в конкретные технологии. Есть направления разной стоимости, начиная...

– Слушай, – перебил Федор Семенович, – я вот вспомнил только что. Ринат рассказывал, что Баргашов на твоих процедурах таблетки какие-то жрал, чтобы эффект усилить, и что-то смешное приключилось. Это он про что?

Дамиан некоторое время думал. Потом он улыбнулся.

– Вы, видимо, хотите меня проверить – стану ли я

разглашать личную информацию, касающуюся клиента? Конечно не стану. Ничего не могу сказать о Баргашове. И Баргашову ничего и никогда не скажу о вас, даже если утюгом пытать будут. Можете быть уверены, что и содержание, и спектр оплаченных вами консультаций и услуг останутся абсолютно конфиденциальными.

– В этом я не сомневаюсь, – сказал Федор Семенович. – Ну так что у тебя за душой?

– «Фуджи И» предлагает много разных технологий, – ответил Дамиан. – Как обычно, все зависит от того, сколько вы хотите потратить.

– Самое недорогое, – сказал Федор Семенович. – Для начала. Дальше посмотрим.

Дамиан сделал вид, что задумался.

– Самое недорогое? Это, наверно, будет «Помпейский поцелуй».

– Да-да. Ринат как раз упоминал, что ты его на какие-то Помпеи подписал. Что это?

– Одна из моих технологий глубокой гратификации.

– Почему именно глубокой, а не широкой?

Дамиан улыбнулся.

– Я могу коротко объяснить теоретическую, так сказать, базу. Вы слышали про Стэнфордский зефирный эксперимент?

– Нет. И не хочу. Не надо мне про зефир, у меня времени мало. Ты самую суть изложи, очень коротко. Общую идею.

– Общая идея примерно следующая – человек, если рассмотреть его трансформацию во времени, похож на... Вот, знаете, есть такая расхожая картинка, изображающая эволюцию – сначала согнутая обезьяна, потом человекообразная обезьяна, потом прямой человек с дубиной, потом согнутый человек с папочкой и совсем уже скрюченный у компьютера...

– Знаю.

– Примерно так же мы эволюционируем и в рамках отдельной жизни. Наша личность в своем развитии проходит через множество стадий. И трагизм... ну, не трагизм, а своеобразие нашей судьбы в том, что самые сильные и мучительные желания посещают нас, когда мы еще не распрямили спину до конца. А когда у нас в руках появляется наконец папочка с деньгами и мы действительно можем себе кое-что позволить, нам...

– Ничего уже не хочется, – вздохнул Федор Семенович. – Было нечего надеть, стало некуда носить.

– Замечательно, – сказал Дамиан. – За вами записывать надо.

– Это не я, – ответил Федор Семенович. – Это поэт Вознесенский. Ты, наверно, про такого и не слышал. И что ты собираешься с этой проблемой делать? Построить машину времени?

– Нет, – сказал Дамиан. – То есть в некотором роде да. Я предлагаю работать с помпейскими пустотами.

– То есть?

– Вы, наверно, слышали, что в вулканическом пепле Помпей остались полости в форме человеческих тел – от погибших во время извержения римлян. Тела истлели, а пустота осталась. Ее заполняют жидким гипсом и получают точные копии погибших. Вот точно так же в подсознательных слоях нашей психики остались отпечатки неудовлетворенных субъектов счастья – тех наших ранних «я», которым мучительно и безответно чего-то хотелось.

– И что? Какой мне толк от этих субъектов?

Дамиан сладко улыбнулся и поднял палец.

– «Субъект счастья» – это метафора. Речь на самом деле идет о вас. Конечно, невозможно воскресить вас юного и полного желаний. Но можно, так сказать, пробурить глубокую скважину к той зоне вашей психики, где остался отпечаток неисполненной мечты, и под большим давлением закачать туда концентрированный раствор счастья. В этом и заключается технология. Это будет не просто очень приятное переживание, а еще и крайне полезный для вашего внутреннего здоровья опыт.

– Х-м-м-м-м, – протянул Федор Семенович, – излагаешь ты красиво. Но верится мне что-то не слишком. Мало ли чего мне в детстве хотелось. Знаешь, как говорят – фарш назад не провернешь.

– Не провернешь, – ответил Дамиан. – Но запросто можно купить такой же точно кусок мяса, каким фарш когда-то был, и положить его сверху на мясорубку. И чем это будет отличаться от фарша, провернутого назад? Только вашими расходами на мясо.

– Это будет самообман.

– Федор Семенович... Японские самураи в свое время говорили, что правда в мире одна – смерть. Все остальное враки. Счастье – всегда самообман. И этот самообман требует нежного креативного подхода. Готовности обманывать и обманываться. Знаете песню – «много в поле тропинок, только правда одна...» О чем эти слова? Вот о чем: когда у вас есть средства, имеет смысл сосредоточиться на мудром выборе эксклюзивной тропинки... А правда в свое время найдет нас сама без всяких инвестиций.

– Да, – согласился Федор Семенович. – Есть такое. Ну что ж, Дамиан, давай попробуем твою тропинку. Даже интересно.

– Как вы догадываетесь, чтобы перейти к конкретным процедурам, нам необходимо будет составить подробную карту вашей психики...

– Карту психики?

Дамиан махнул рукой.

– Не обращайте внимания. Наш профессиональный жаргон. Грубо говоря, нужно понять, где именно у нас эти самые помпейские пустоты. Куда бурить и закачивать.

– А-а, – протянул Федор Семенович. – И как мы будем это выяснять?

– Самым простым и надежным дедовским методом, – улыбнулся Дамиан. – Завтра к вам на яхту прилетит наш штатный психоаналитик. Он на подписке о неразглашении, так что говорить с ним можно не стесняясь. Процедура организована так – клиент лежит на кушетке, а аналитик задает разные вопросы. И постепенно у него складывается общая картина... Та самая карта психики. Мы начинаем понимать, где остались ваши неутоленные желания, гейзеры ненависти, засорившиеся колодцы любви...

Дамиан сходил к бассейну за пластиковой табуреткой, поставил ее за изголовьем шезлонга, где возлежал Федор Семенович, и сел на нее.

– Он сядет вот так. Чтобы вы его не видели и могли полностью сосредоточиться на воспоминаниях.

– О чем? – спросил Федор Семенович.

– Начинать всегда надо с эроса. Особенно важны именно смутные, полуоформленные, ребяческие мечты.

Детский сад, школа. Ни в коем случае не стесняйтесь. Рассказывать аналитику нужно все без утайки, иначе в процедуре нет никакого смысла... Он обязательно спросит – была ли у вас странная, неудобная, смешная детская любовь? Эротические мечты? Позывы?

Федор Семенович почувствовал приятную сонливость, не мешавшую, однако, думать и говорить.

– Была, – сказал он и вздохнул. – Была такая любовь. Таня... Танек...

– Ни слова больше, – сказал Дамиан. – Я же не аналитик. Я просто организатор производства. Все остальное расскажете специалисту.

1.2. ТАНЯ

Таня догадалась, что она красавица, уже к третьему классу школы. Это помог понять сосед по даче, отставной майор внутренних войск Герасим Степанович (она звала его «дядя Герасим») – грузный седой мужчина с красными глазами, казавшийся ей похожим на царя кроликов.

Дядя Герасим часто зазывал к себе Таню через символическую дыру в заборе – сперва на участок, где он любил подолгу ковыряться с тяпкой, а потом в дом, где угощал ее пряниками с чаем.

Во время чая, стыдясь и краснея, словно он делал что-то очень нехорошее, царь кроликов надевал ей на голову кокошник в пластмассовых жемчужинах – головной убор советской снегурочки. После этого он складывал руки на груди и начинал немузыкально напевать песню из мультфильма про волка и зайца:

– Расскажи, снегурочка, где была! Расскажи-ка, милая, как дела!

Иногда он просил ее надеть такое же серое в жемчужинах платьице, хранившееся у него вместе с кокошником с непонятной целью. Оно было велико Тане и пахло нафталином, но она соглашалась. Бывало и так, что он заводил музыку и просил ее потанцевать.

Таня танцевать почти не умела, но Герасим Степанович всего-то хотел, чтобы она прошлась взад-вперед по комнате с белым платком в поднятой над головой руке.

Таня в те годы даже не подозревала о возможной опасности таких посиделок с пожилыми мужчинами, и ее родители, в общем, тоже. Дядя Герасим был другом дома и часто выпивал с отцом на праздники, так что Таня его не боялась.

Ничем недостойным или хотя бы двусмысленным эти игры с переодеваниями омрачены ни разу не были. Но глаза дяди Герасима временами начинали так странно блестеть, что Таня понимала – от нее исходит какая-то еще неясная ей самой сила, и сила эта смешно действует на людей.

Постепенно она стала догадываться, что все окружающие, кроме родителей, ценят ее на самом деле только за это непонятное качество, нестойкое и изменчивое, зависящее от множества обстоятельств. Словно бы она, Таня, была монетой, номинал которой мог меняться самым причудливым образом: без кокошника она была пятаком, а в кокошнике червонцем.

Эта же тема волновала всех остальных девочек. Ее иногда поднимали и на уроках.

Классная руководительница говорила о душевной красоте, невидимой глазу и значительно превосходящей привлекательность физическую, которая не так уж и важна («с лица воду не пить»).

Но при этом пить воду с ее собственного лица было опасно для жизни. Выщипанные в ниточку брови учительницы, жуткие лиловые тени на веках, карминовая помада на губах и прочие трогательно-беспомощные протезы этой самой физической привлекательности сообщали чуткому детскому уму, что взрослые опять врут.

Люди – это было ясно Тане еще с детского сада – имели товарную ценность, и даже в самых бескорыстных на первый взгляд дружеских отношениях как бы взаимно арендовали друг друга. Иногда они рассчитывались чем-то полезным, иногда собою.

Внутренняя красота, о которой говорила учительница, имела хождение, но спрос на нее был примерно такой же, как на елки после Нового года. Будь это иначе, на месте косметических кабинетов открывали бы салоны духа. А вот красоту внешнюю брали везде и сразу. Таня очень хорошо поняла, что нет ничего важнее этого загадочного невидимого кокошника, превращающего ее в снегурочку.

Опыт приходил быстро и часто бывал печален.

Сделать себя «красивее» было почти невозможно – чего не понимали не только безнадежные взрослые тетки, но и вполне вменяемые сверстницы.

Это доказывали собственные эксперименты с материнской косметикой. Раскрашенное и напудренное детское лицо вызывало смех и у взрослых, и у одноклассников. Зато в самые свои растрепанные и перепачканные минуты Таня нередко ловила на себе чужие глаза, полные памятного по дяде Герасиму кроличьего блеска, от которого так сладко и жутко делалось на душе...

Нет, красоту непросто было понять. Хотя каким-то таинственным законам она все же подчинялась.

Летом после шестого класса Таня наконец разгадала тайну. В потрепанной переводной книге, которую она читала на берегу моря, ей встретился древний афоризм: «красота в глазах смотрящего».

Ну конечно.

Это было так очевидно – и так невозможно понять самой! Красота была неуправляема просто потому, что не была ее собственным атрибутом или свойством – таким как загар, возраст, рост или цвет глаз. Нет, ее красота, как ни странно это звучало, была свойством тех людей, которым она нравилась.

Это не она, Таня, сама по себе была пятаком или червонцем. У нее не было никакого фиксированного номинала вообще. Но коллекционеры монет, населявшие мир, готовы были обменивать ее на разные суммы по непонятным для нее причинам. Повлиять на их выбор было трудно. Но на тех, кто принимал ее за червонец, она могла твердо рассчитывать.

К счастью, таких оказалось много: к монете «Таня» проявляли устойчивый интерес. В неформальном забеге школьных красавиц она год за годом приходила одной из первых.

Успех у сверстников, конечно, мало чего стоил – они были просто закомплексованные дурни. Но было много тайного, кредитоспособного и одновременно пугливого взрослого интереса.

Таня потеряла девственность после девятого класса, в том же приморском поселке, где когда-то прочла про глаза смотрящего и зарождающуюся в них красоту.

Это случилось после выпитой на двоих бутылки сухого – и было довольно нелепо, хоть и познавательно. Еще это было больно. Ее бойфренд (местный парень с темными усами, напоминавший ей мавра) непременно хотел воплотить в жизнь все порнографические клише и шаблоны, и Таня не особенно возражала, поскольку много раз видела на разных экранах тот же самый набор процедур. То, что в жизни все немного по-другому, понять она еще не успела.

Роман с *юсатым ужанином*, как она один раз смешно оговорилась, продолжался месяц. Таня выяснила много нового о вселенной Дж. Р. Р. Толкиена и хорошо ознакомилась наконец с живущим в вечной тьме ужом, о котором столько шептались девчонки.

Мавр катал ее по морю на ветхой моторной лодке – Таня все время боялась пораниться о лежащий на ее днище якорь, похожий на обоюдоострый пыточный крюк с боковыми цеплялками для кишок. Этот жуткий сверкающий инструмент все время напоминал ей о первом любовном опыте, поэтому морские прогулки выходили очень сексуальными.

Тетка, у которой она жила, догадывалась о происходящем, но вела себя деликатно и в чужие дела не лезла.

– Твой первый тать, – сказала она с ухмылкой.

– Почему тать? – не поняла Таня.

– Ну ты же Татьяна. Значит, твой ухажер – тать.

Слово «тать», как Таня выяснила, означало банальное «вор». Она, значит, была воровская девчонка. А че...

После возвращения в Москву Таня стерла южный телефон – мавр сделал свое дело около сорока раз, и этого было довольно. Усатик, увы, был лузером в силу простого географического детерминизма. Как говорили в те годы по телевизору, «в провинции нормальных социальных трамплинов сегодня нет».

Мавр-толкиенист забылся сразу. Впереди у жизни была «только даль» – как пели в старой советской песне, которую еще крутили изредка на курортах.

Таня уезжала на юг золушкой, а вернулась инициированной принцессой, и колеса ее невидимой кареты весело застучали по московской мостовой.

Она, как все говорили, расцвела – в ней началась та неостановимая химическая реакция, которая сводит мужчин с ума и поддерживает жизнь на Земле: неуправляемый и быстротечный процесс, похожий на горение бенгальского огня.

Этот огонь бьет своими искрами во все стороны днем и ночью, зимой и летом, пока не догорит до конца. Ему не важно, что в стране кризис, ему наплевать, что у родителей нет денег, он не понимает, что через два года было бы лучше. Его нельзя заморозить – можно только погасить раньше срока.

Таня много читала. Чем пошлее были описания «мимолетного цветка красоты» в программирующей патриархальной прозе (почему-то звавшейся «женскими романами»), чем отвратительнее казалась безответная покорность, привитая их героиням в качестве «вечной женской мудрости», тем яснее было, что ничего со всем этим поделать нельзя. Во всяком случае, в обозримой перспективе.

Поезд, на который брали только красивых, был реальностью; можно было ехать на нем – или нет. Строить новую железнодорожную ветку в ледяной русской пустыне было благородно, но как-то зябко. Природа спешила, и приходилось спешить следом.

Все Танины сюжеты, где происходило что-то серьезное («мокрые дела», как говорила подруга), завязывались и кончались за пределами школы. Мальчики в классе засматривались на нее, но понимали, что им ничего не светит: Таню дожидались у школы такие иномарки, которым не стоило царапать бампер даже взглядом. Страна переходила на рыночные рельсы, и Таня, в отличие от болтунов-взрослых, действительно готова была на них лечь.

Хоть в классе к ней не приставали, у Тани, как у каждой серьезной школьной красавицы, был личный рыцарь печального образа, свой Пьеро, тайно истекающий клюквенным соком в своей каморке. В третьем классе он целый год сидел с ней за одной партой и никак не мог этого забыть.

Этого Пьеро звали Федя. В число школьных альф он не входил. Совсем уж последней омегой тоже не был – его место было в конце греческого алфавита, где-то между презрительным «фи», издевательским «хи» и чокнутым «пси».

Федя был долговязым худым очкариком. Он рано вытянулся, но израсходовал на этот подвиг все ресурсы и поэтому не отличался силой, несмотря на рост. Учился он средне – успевал по математике и английскому, но прогуливал биологию и химию. Любил читать книги про физиков, но по самой физике имел трояк.

Ни с кем в школе он особо не дружил, если не считать воскресного преферанса с такими же подрастающими фи-самцами. Преферанс сопровождался винопитием.

Ухаживания Феди были странными и болезненными и могли бы много раз стоить ему всех передних зубов, если бы Таня принимала их всерьез.

Несколько раз он, напившись, звонил ей домой и заплетающимся языком выяснял, что задали по английскому и чему-то там еще. Однажды на перемене он грубо и очень конкретно облапал ее во время шутливой борьбы за пластиковую тарелку-фрисби. Таня предпочла сделать вид, что ничего не заметила. Иногда он сидел на лавке возле школы, дожидаясь, когда она выйдет, и шел следом, не подходя слишком близко.

Как-то раз на овощной базе, куда весь класс вывезли для сортировочных работ, он даже попытался ее поцеловать – был осенний мокрый вечер, перед этим хорошо выпили, и это было похоже на шутку. Таня, смеясь, отбилась.

При этом Федя не делал никаких попыток всерьез подружиться или сблизиться с ней нормальным человеческим образом – что совсем не казалось Тане удивительным.

Она хорошо знала, что у большинства сверстников рот и мозги все еще склеены пубертатными швами, превращающими их в глупых хамов и задир. Девочки уже давно были большими, а мальчики все еще оставались маленькими.

Таня догадывалась, что это своего рода защитная скорлупа, внутри которой они продолжают развиваться – «мужчина» вылуплялся из куколки значительно позже, часто уже после армии (большинству ее новых друзей было уже нормально за двадцать).

Хоть Федя не делал (и очень правильно) попыток серьезно за ней приударить, Таня постоянно чувствовала горячий луч его внимания, упертый в ее спину. Когда дела на личном фронте складывались кисло, это тепло даже грело, напоминая, какой у ее червонца высокий обменный курс.

Были, конечно, в этих полуотношениях и неприятные моменты. Если не считать пьяных Фединых звонков, самый неловкий, двусмысленный и смешной случай произошел в десятом классе на картошке.

В совхозе («музей гулага», как его называли в уже вдохнувшем свободы классе) было весело. Картофельные работы походили на чуть подпорченные каникулы, продленные в бабье лето: умеренно выпивали, слушали музыку, играли в карты. Несколько часов грядко-майнинга в поле утомляли не слишком.

Правда, иногда на сутки или двое отключали воду (шутили, что у водопроводчиков своя картошка), и тогда приходилось мыться по одному в перегороженной бане, где на каждой половине стояло по огромному баку с водой – для мальчиков и для девочек. Чтобы не одеваться и не раздеваться лишний раз, в баню ходили налегке, иногда просто заворачиваясь в полотенце.

Таня предпочитала надевать на эту короткую прогулку модный купальник, для которого той осенью все равно не нашлось другого применения – и уже поверх него оборачивалась в тропическое желтое полотенце с пальмами.

Однажды, отправившись в баню, она встретила у входа Федю. Тот выглядел смешно: на нем был дурацкий слесарный халат синего цвета (совхоз получал их по бартеру – такие выдали всем мальчикам) и красные тапки на босу ногу. Халат был застегнут на одну пуговицу, и под ним была видна бледная грудь. Словно стараясь сделать себя еще более жалким, Федя быстро курил. Заметив ее, он сразу отвернулся.

Таня вошла в баню и стала мыться. Она уже почти заканчивала, когда на мальчиковой стороне за сделанной из старых теннисных столов перегородкой раздался звонкий грохот тазов и шаек, рушащихся на пол.

Таня поняла, что Федя подглядывал за ней сквозь щель между столами – и повалился со своих подпорок.

Эта мысль ее и рассмешила, и напугала. А вдруг он сейчас возьмет и... Вряд ли, конечно, но девки говорят, что когда у них спермотоксикоз, они совсем безумные.

Когда Таня вышла из бани, уже начинало темнеть. Федя околачивался на том же месте, где курил полчаса назад. Он явно ее ждал, это Таня ощутила сразу.

Он глядел на нее с выражением торжества и счастья на лице – и это было так странно, что от неожиданности и шока Таня остановилась. Тогда написанное на Федином лице торжество превратилось в какое-то мучительное умиление, и он, все еще глядя ей в глаза, поднял руки, сжал в них лацканы своего халата – и потянул их в стороны, словно борясь с желанием сорвать с себя эту синюю тряпку и сделать что-то невероятное, небывалое...

Этот незавершенный жест был немного похож на классическое «стреляй, фашистская курва» из фильмов про войну, но вместо «стреляй» просился другой глагол.

Таня пришла в себя – и пулей помчалась к спальному бараку. У дверей она остановилась. Страх прошел, и ее теперь разбирал смех. Что-то случилось, но непонятно было, что именно и как про это рассказать девкам.

Федя сделал что-то? Вроде нет. Руками не трогал. Ни ее, ни себя. Просто стоял у бани, держась за слесарные лацканы.

Но в том и дело, что он не просто так стоял. Очень не просто... Это было очевидно, но как такое объяснишь? Да и на что жаловаться? Борьба космических сил в душе уголовным кодексом не преследуется. Даже когда отчетливо отражается на лице. Смешной мальчик, да. Вид у него был такой, словно он удерживает скакуна.

Решив никому ничего не говорить, Таня легла спать.

Вроде бы плюнуть и забыть – но почему-то это событие сильно повлияло на Федю, и эффект ощущался еще несколько месяцев. Он стал краснеть всякий раз, когда она смотрела в его сторону. Избегал встречаться с ней даже взглядом. Постепенно неловкость затерлась, но после этого они ни разу, кажется, толком не поговорили.

А потом школа кончилась, и началась совсем другая жизнь.

Личная.

*

Три года прошли как во сне. Снег, музыка, разбавленный аптечной дрянью кокаин, далекие выстрелы ночью (от этого звука всегда хмурились ее сильные взрослые друзья).

Таня сменила нескольких бандитов. Они горели так же неостановимо и ярко, как бенгальский огонь ее собственной красоты. Страшно и весело было катить вместе с ними по жизни в золотых тачанках.

Бандюки были по-звериному – не в эстетическом, а в гормональном смысле – красивы. В них было что-то настоящее, жмущее на все женские клапаны и пружины сразу. Крутой мужик убивает других мужиков. Крутая телка с ним после этого спит: древний женский способ соучастия в убийстве. И две тысячи лет война, война без особых причин, звезда по имени солнце и группа крови на рукаве.

Когда кукушка оформила ее третьего быка, Таня немного протрезвела. Беднягу сожгли в машине без всякой самурайской романтики – в багажнике, как старую покрышку. Она вполне могла оказаться рядом. Другие девки попадали.

Времена быстро менялись, и кукушку лучше было не провоцировать. Пора было думать о карьере и наводиться на более высокую социальную страту.

Через несколько месяцев, после пары унизительных кастингов, Таня оказалась в одном из гаремов Отари Квантришвили. Солярий, бассейн, неприятные восточные люди, веселое ментовское начальство, рожи из телевизора, кабинеты, сауны, салон, массаж, Бали, опять сауны, человек, похожий на... (сразу забыть, понятно?), много валюты. Даже норковая шуба.

На фоне палаток со спиртом «Рояль» это казалось успехом, но постепенно Таня стала понимать, что даже самое интимное общение с богатыми высокопоставленными мужчинами не обязательно поднимает женщину в социальном плане. Скорее наоборот.

Как-то раз жена одного из клиентов лично приехала в гостиницу «Советская» за упившимся до синевы мужем, и в процессе передачи тела Таня услышала от нее не только подробный анализ своей общественной роли, но и бизнес-прогноз на ближайшие годы. Некоторых замысловатых бранных эпитетов она никогда раньше не слышала. Но обидным было другое – прогноз начал сбываться немедленно после произнесения, словно был на самом деле проклятием.

Отари Квантришвили застрелили. На выходе из символической бани, как грустно отметила Таня, вспомнив школьного дурачка Федю.

На лице Отари Витальевича было много веселых морщин, похожих на русла рек; при большом увеличении можно было разглядеть выстроенные на их берегах поселки коттеджного типа. В одном из них и жила Таня. Но когда Отари Витальевич умер, морщины разгладились, волшебная страна исчезла, и сразу много одалисок в норковых шубах оказались на холодной московской улице.

Тане опять повезло. Ее взял на содержание один из богатых клиентов – муниципальный чиновник, связанный с какими-то строительными разрешениями. У него была жена с детьми, и он ужасно боялся скандалов, потому что для бюрократа его ранга такие вещи были смертельны: московское начальство воровало крестясь, жертвовало на храмы, и нарушения венчальных обетов Лужков мог не понять.

Чиновника звали Игорь Андреевич. Таня так его и называла – из-за разницы в возрасте, и еще для того, чтобы появлялась возможность перейти иногда на страстное и задыхающееся «Игорь» (за которое Игорю Андреевичу, чтобы не расслаблялся, в следующий раз приходилось биться вновь).

Игорь Андреевич организовал Тане приличную квартиру в центре, обставил ее по последнему слову пошлости и даже прикрепил к Тане домработницу, следившую за едой в холодильнике и чистотой постельного белья.

Следующие четыре года Таня прожила почти счастливо. Во всяком случае, комфортабельно и спокойно. Игорь Андреевич не напрягал. Она не напрягала его тоже, без сцен и слез сделав два аборта.

Он не был ее единственным клиентом – у Тани были и другие контакты, оставшиеся со времен Отари Витальевича. Но в снятую для нее квартиру она никого, конечно, не водила.

На выходные Игорь Андреевич был занят с семьей. Он приезжал обычно в будни, часов в девять-десять утра, выкроив время между домашним завтраком и дневным совещанием в мэрии (он называл такую утреннюю встречу «переходом через Альпы»).

В полуосвещенной спальне его ждала кровать под балдахином с геральдикой, фальшивый мушкет на стене, электрокамин с мигающими красными огоньками и глухая штора на окне – все это почти превращало зимнее московское утро в условный альпийский вечерок.

– Кто я для тебя? – спросил он как-то.

Таня вспомнила черноморскую тетку – и нашлась.

– Ты тать.

Игорь Андреевич сделал круглые глаза.

– Почему?

– Ну я же Татьяна. Значит, ты тать.

– Хорошо, ты не Лена, – сказал Игорь Андреевич. – Меня бы тогда в мавзолее потрошили.

Но ответ ему, похоже, понравился.

Игорь Андреевич переходил через Альпы каждую неделю два раза, почти всегда с трудностями. Проблему вполне можно было решить гуманитарными методами – но Таня инстинктом чувствовала, что быть с Игорем Андреевичем чересчур уступчивой и ласковой не следует, потому что ему в этом спорте важнее всего именно Альпы, то есть победа над враждебной стихией, которую олицетворяло молодое женское тело.

Тать платил вовсе не за нежность.

Он платил за то, чтобы с кудахтаньем топтать младое незнакомое племя, ждущее перемен – и она, Таня, была просто послом этого племени. Единственным, что могло как-то примирить Игоря Андреевича со старостью, была символическая победа над чужой юностью, поэтому, чтобы правильно подыграть ему, следовало всячески поднимать цену и престиж этого подвига.

Недостаточно было требовать дорогих подарков – кидать монеты в щелку киски-копилки любому клиенту надоедает быстро, Таня помнила это по «Советской». Важно было постоянно модифицировать сам «переход через Альпы», поддерживая изумление Игоря Андреевича, а для этого нужна была поистине суворовская смекалка.

Таня хмурилась, сопротивлялась, постанывала, недовольно морщилась, как бы вырывалась из его рук на свободу – но, разумеется, только после того, как войска Игоря Андреевича уже кое-как проникали в долину, и конфузия его знаменам не грозила. Игорь Андреевич не на шутку заводился, начинал шумно дышать и одерживал очередной блицкриг.

Объяснить кому-нибудь принципы высокогорного боя Таня вряд ли смогла бы, потому что не формулировала их даже для себя. Единственным приближением к такой формулировке была одна часто мелькавшая у нее мысль:

«Вот кошка. Живет с человеком всю долгую кошачью жизнь – и ухитряется сохранить его интерес до самого последнего дня. А почему? Красивая, загадочная, очень мало говорит, много царапает, и, самое главное, безошибочно знает, когда царапнуть, а когда прыгнуть на колени...»

Таня понимала мужскую сексуальность образно. Ей иногда вспоминалась картинка из книги про динозров: бугристый кружок земли, где стоят мальчик и девочка, а под ними – разрез земной толщи со скелетами мастодонтов и ящеров.

У каждого мужика под землей были свои скелеты, и часто они выпирали из почвы. Пытаться понять, что именно там зарыто, было себе дороже – важно было выяснить, куда нельзя ставить ногу.

Игорь Андреевич в геологическом смысле был ровным и малоинтересным плато: под Таниной туфлей были меловые отложения, миллиарды окаменевших улиток. Ему важно было знать, что у него молодая, дорогая и красивая любовница из таинственного поколения перемен. Других костей там не было.

Таня сделала в хорошем салоне несколько абстрактных татуировок на руках и плече. Когда Игорь Андреевич попросил объяснить их смысл, она ответила так:

– Ну это молодежное. Мировоззренческое. Кто в теме, втыкается сразу.

Она телепатически чувствовала, что требуется стареющему сожителю. У нее появилась косуха с острыми шипами на вороте и плечах. Она сделала себе панковскую стрижку под мальчика-зомби. Стала заводить Игорю Андреевичу противную экспериментальную музыку – он это даже приветствовал, если та играла тихо. Купила себе японскую шелковую пижаму в виде школьной матроски с отложным воротником. Делала на огурцах и бананах упражнения для языка и щек. В общем, на альпийском фронте шли бои, и Игорь Андреевич молодел с каждым днем.

Бросил он ее неожиданно, сославшись на проблемы с семьей и здоровьем. Он оказался неплохим человеком: квартиру, где Таня так уютно прижилась, он ей просто подарил, но с условием никогда больше не всплывать в его жизни.

Таня через некоторое время выяснила, что у него новая любовница. Моложе ее на четыре года.

Это был, конечно, удар, хоть и смягченный трофейными метрами. Таня долго пьянствовала – сначала с подругами, потом одна. Ей даже казалось несколько дней, что она его любит и страдает от разлуки. Придя в себя и отоспавшись, она заметила, что у нее непорядок с бровями.

На самом деле началось это давно.

Что-то с бровями случилось еще два года назад, но все время казалось, что если чуть подправить их по контуру, проблема уйдет. Она вроде бы и уходила – особенно после хорошего салона. Затем появлялась опять, и снова исчезала.

В салон с распухшей рожей идти было стыдно, и Таня решила подправить брови сама. Потом ей снова захотелось выпить.

Поглядев в зеркало на следующее утро, она отшатнулась.

Оттуда смотрела усталая испитая тетка с тонкими ниточками выщипанных бровей – какие бывают у проблемных женщин среднего возраста (ищут способа сделать себе больно, объяснил в журнале один психолог, но не решаются на пирсинг). Такие же брови, вспомнила Таня, были у училки с карминовыми губами и лиловыми веками, которая говорила про внутреннюю красоту...

Существо в зеркале даже не казалось особенно молодым. Нет, понятно было, что ему двадцать с чем-то – но это не были юные двадцать. Они были, как выражался классик, второй свежести.

Бенгальский огонь погас.

Ну или почти погас – можно было, конечно, отоспаться и отдохнуть, постепенно привести себя в порядок, дождаться, когда брови отрастут, сбросить три кило и запалить огрызок снова. При правильном питании искр и треска могло хватить еще лет на пять, а то и на все десять.

Но сейчас Таня отчетливо видела в зеркале будущее. Загадочная точка «Б», про которую столько говорили на уроках физики, впервые показалась из тумана и перестала быть абстракцией.

У нее было припрятано несколько амстердамских таблеток с пронзенным стрелой сердечком – на случай, если Игорю Андреевичу захочется окончательной бури. Она съела сразу три, нацепила наушники с музыкой и легла в ванну, собираясь то ли умереть, то ли уехать к маме (с которой, после особенно мучительного скандала, не говорила уже три года). Умереть не удалось, но Таня посетила много разных мест у себя внутри, и кое-что открылось ей в видении.

Ей вспомнилось то школьное лето, когда она, бросив в волны своего первого мавра, возвращалась в Москву, чуточку нервничая, что чары вот-вот рассеются и все окажется по-прежнему. Она была молодой, невозможно молодой – и такой красивой...

Ах, великое чудо красоты!

У красавицы есть волшебная карета, несущая ее по недоступным для остальных маршрутам. Карета везет ее от одного праздника к другому, вокруг льется шампанское и лопаются звезды фейерверков – а к подножке склоняются господа этого мира, часто готовые расстаться ради красавицы не только с деньгами, но и...

ну, не с жизнью, положим, но с очень большими деньгами тоже.

Без всяких усилий красавица взмывает по крутейшему подъему в одно пространство с королями, миллиардерами и мировыми звездами – и смело катит по нему в своем магическом экипаже, зная, что она тут по праву: ландшафтные парки, сказочные фонтаны и заколдованные дворцы существуют именно для нее.

Но у волшебной кареты есть один мрачный секрет. С каждым ударом часов она становится чуть больше похожа на тыкву. Сперва про это знает только сама красавица, но постепенно постыдную трансформацию начинают замечать другие. И чем больше людей это видит, тем меньше шлагбаумов поднимается перед каретой.

И в какой-то момент они перестают подниматься совсем. Карета становится тем, чем была с самого начала – тыквой, катящейся по земле к утилизационному рву в компании других несвежих и побитых жизнью овощей.

И происходит это всего за несколько лет. Путешественница успевает увидеть, как пожилые принцы в белых рейтузах начинают свой порочный танец вокруг свежих тыкв, которым еще очень далеко – как им пока кажется – до рва. А потом все скрывает кривизна земли.

И никто, никто не спасет красавицу от этой судьбы – просто потому, что после завершения бенгальской реакции уже не останется красавицы, которую можно спасти.

Это было бы поистине страшно, если бы в тыкве все еще сидело то трепетное и гордое существо, что въезжало когда-то в сказку на волшебной карете. Но природа милосердна: душа меняется вместе с тыквой. И, докатившись до рва, тыква уже не будет ни жалеть, ни роптать, а только радоваться, если удалось сберечь несколько медяков.

Слезы капали в ванну, но Таня не роптала. У нее хотя бы осталась квартира... Она подняла с пола женский журнал, положила на мокрые колени и проглядела его словно бы впервые протрезвевшими глазами.

Сахар прекрасно отшелушивает кожу. Смешайте в равных количествах белый и коричневый сахар с небольшим количеством воды. Аккуратно проскрабируйте этой смесью лицо в течение 3–4 минут и смойте теплой водой. Этот способ не только отшелушивает кожу, но и делает ее светящейся и молодой.

Ага, спасибо. Какие советы этот мир дает молодой женщине? К чему склоняет ее пылкий романтичный ум? К цинизму, думала Таня, к бесстыдной торговле. Мир дает советы, как перед продажей подкрасить кобылу купленной в лавке тушью... Причем цыган давно расстреляли фашисты, и кобыле приходится продавать себя самой.

За каждым успешным мужчиной стоит любовь женщины. За каждой успешной женщиной стоит предательство мужчины.

Наткнувшись на эту мудрость, Таня заплакала и позволила журналу сползти в уже прохладную воду. Вот только это и имело, пожалуй, смысл – стать вопреки всему успешной женщиной. Не через чей-то морщинистый елдак, а с нуля, самой.

На самом деле было не очень понятно, что такое «успешная женщина». Успешная в каком смысле? И кто вообще выносит вердикт о женском успехе?

Таня думала об этом несколько дней. В ее голове дрожало и переливалось смысловое зарево: как бы центральный клип в окружении множества других клипов.

Центральный клип был про нее. Она видела себя в образе бизнесвумен в строгом темном жакете (с узкими лацканами, низким вырезом, одной серебряной пуговицей в районе пупка и без бюстгальтера – так что грудь была одновременно скрыта лацканами и наполовину обнажена, и еще приятно приплющена, что визуально увеличивало ее упругость и объем).

Сюжеты, разворачивавшиеся вокруг центрального клипа, были банальны вечной глянцевой банальностью. Морские виллы, яхты, умные молодые референты...

Пошлость собственной мечты была так заметна, что Таня понимала: даже мечтать и горевать ей приходится закачанными в голову штампами, и по-другому не может быть, потому что через все женские головы на планете давно проложена ржавая узкоколейка, и эти мысли – вовсе не ее собственные надежды, а просто грохочущий у нее в мозгу коммерческий товарняк.

Словно бы на самом деле думала и мечтала не она, а в пустом осеннем сквере горела на стене дома огромная панель, показывая равнодушным жирным воронам рекламу бюджетной косметики.

Это неожиданное направление в мыслях было похоже на лаз, уходящий далеко в темноту – но Таня даже не представляла, куда он ведет. Она уснула.

С утра она уже не помнила ничего о своих пьяных прозрениях. Она решила поступать на юридический.

*

Поступить удалось через пять лет, и то на вечерний.

К этому времени Таня успела сменить три работы и двух татей. Теперь она трудилась в оптическом салоне и носила модные очки с простыми стеклами – они чуть молодили лицо, поднимая скулы (не то чтобы это было очень нужно, но все-таки).

Институт, даже вечерний, оказался чрезвычайно полезным для личностного роста. Дело было не в изучаемом материале, конечно, а в общении с людьми. Через людей дули свежие смысловые сквозняки.

Таня поняла наконец, чего ей не хватало все эти годы. Не «ума» (бог его знает, что это вообще такое) и не «образования» (еще непонятней), а того заветного набора правильных слов, которые делают человека «продвинутым» и превращают лоховатую кису в светскую львицу.

Если бы этот набор со всеми его вспомогательными стразами, крючками и шпильками установили ей в голову лет в восемнадцать-двадцать, все могло бы сложиться иначе. Из «Советской» можно было выписаться с совсем другим уловом. И Игорь Андреевич ее не бросил бы – это она, уходя на повышение, олимпийски метнула бы его, как древний грек прыжковые гантели. И вместо квартиры сейчас был бы трехэтажный дом на Рублевке.

Теперь Таня знала, что красоте нужна не только оправа, но и легенда. И если оправа – это просто одежда, макияж и bling[1], то легенда – это способность создавать вокруг себя романтическое загадочное облако.

---

[1] Цацки.

Ну нельзя в двадцать первом веке быть простушкой и дурочкой, нельзя. Косметика в наше время бывает внешняя и внутренняя – первая продается в любом торговом центре, вторую нужно годами добывать самой: невозможно предугадать, что из услышанного и усвоенного пригодится, отразится, засверкает и ослепит.

Словом, институт развивал личность – хотя, возможно, не совсем так, как планировали в министерстве. Даже учебный материал мог быть иногда полезен: он приятно заполнял пустую после работы голову и поднимал общую эрудицию. Преподаватели скучнейших гуманитарных дисциплин иногда выдавали такое, что Таня обмирала.

– Можно понять римлян первого века, этих усталых и гордых стоиков, – говорил бородач на семинаре по истории религий. – Вот представьте – вы всю жизнь приучаете себя достойно жить среди безобразного абсурда и умирать не ропща, с равнодушным презрением к судьбе... Примериваетесь понемногу, как будете вскрывать жилы в ванне... И тут к вам в околоток приводят еврейского дебошира, который говорит – а Бог-то это я, я... Это я все так придумал и устроил, я за все отвечаю...

И он обводил пространство дирижерским жестом рук, в конце разводя их как для распятия.

Таню такие эскапады смешили, но не радовали. Не то чтобы она слишком уж трепетно относилась к христианству. Но, как она смутно чувствовала, в старой России – даже и в советской – можно было попытаться разжалобить убийцу или вора, напомнив ему про крест на груди. Ну снимем мы этот крест, допустим.

И про что тогда будем напоминать мучителю? Про либеральные ценности?

А на следующей паре старушка-лекторша, перешедшая с истории КПСС на культуроведение, уже объясняла культурную ситуацию в США:

– Вы должны понимать, друзья мои, что в современной Америке всем заведуют неоконы, то есть бывшие троцкисты. Все, что говорил и думал Лейба Бронштейн – для них как евангелие, и они неукоснительно воплощают это в жизнь. Вот, например, знаменитая максима Троцкого времен Брестского мира: «Ни мира, ни войны, а армию распустить...» С войной и миром неоконы уже разобрались. Сегодня, как вы знаете, ни того, ни другого нет. Есть мир с элементами войны и война с элементами мира. А вот насчет «армию распустить», – старушка ласково поднимала палец, – вышла неувязочка. Нынешние неоконы по-русски не говорят и Троцкого изучают в переводе. Им, видимо, неправильно перевели, и они решили, что «распустить» означает «растлить». Отсюда и мужеложество, постепенно внедряемое в войсках. Трудно, конечно, но при серьезном финансовом ресурсе осуществимо...

Образование – во всяком случае, его социально полезная часть – состояло вовсе не из профессиональных знаний, а из подобных двусмысленных и ярких блесток, прилипающих к стенкам души.

Их и нужно было скармливать в свое время Игорю Андреевичу вместо «мировоззренческих татуировок». Это и было современным девичьим приданым – модными перинами и наволочками духа, тем самым, чем сосущая за хабаровск дуреха отличается от... нет, даже не просто дорогой женщины, а такой, с которой разговор о цене вообще неуместен, потому что вести его будет через много лет специальный лондонский адвокат.

Ну почему, почему мы все понимаем так поздно?

«Мужика надо брать мерцанием, – думала Таня, – а не силиконовыми буферами. И еще, конечно, женщина должна быть не ворчащей подстилкой, а психологом и другом – понимать мужские проблемы и каждый раз приходить на помощь...»

На текущего татя, впрочем, эти высокие инсайты не распространялись – он таких пилотажей не заслуживал. Он был вялой омегой: зарабатывал меньше, жил у нее, то есть уступал по всем социальным параметрам. Но в него приятно было иногда погружать когти, ворчливо напоминая об этих обстоятельствах, а он покорно молчал – и если это не женский успех, то что тогда?

Летом ездили отдыхать в Турцию, зимой катались на горных лыжах, и было уже ясно, что лучше не станет. Один раз из Турции вернулись порознь.

Жизнь проходила мимо, быстро и безжалостно.

Кризис среднего возраста, поняла Таня, это когда тебе сороковник, а ты живешь одна, ездишь в метро и работаешь дипломированным счетоводом – даже если платежная ведомость называет это по-другому... И зачем теперь духовно расти, если этого уже никому не впарить?

Она завязала с женскими романами и взялась за психологический научпоп. Особенно ее утешали пассажи про относительность таких понятий как «успех» и «неудача» – их она перечитывала по два раза.

О прочитанном в метро (почти два часа каждый день) она вспоминала, расслабляясь в вечерней ванне. Теплый соляной раствор наводил сны почти как от амстердамских таблеток, только не такие тревожные: когда она засыпала, в ней просыпался какой-то другой ум, большой, спокойный и ясный. Патентованная мудрость успокаивала.

...психологи доказали, что «успех» как непосредственное внутреннее переживание редок и длится всего несколько секунд... (но можно нехитрыми домашними средствами создать его устойчивый образ, додумывала во сне Таня, чтобы соседям по вагону казалось, будто жизнь прошла мимо них и прямо через тебя).

...разве может жизнь пройти мимо или не мимо? Глупо даже ставить таким образом вопрос.

Да, соглашалась Таня, просыпаясь – это не жизнь проходит, это мы просачиваемся сквозь нее, как капельки пота сквозь ромашковую маску, и стекаем в таинственный резервуар, который столько веков пытаются приватизировать разные люди в прикольных шапочках.

Говорят, в нас продолжают жить наши предки. Но почему тогда нам так одиноко? Эх, предки, предки... Let's be alone together[1], как пел басовитый канадский коэн.

*

Почти все одноклассники оставили в интернете какой-то след. Большинство до сих пор искало ежика в тумане, двое умерло, несколько уехало.

Задрот-троечник Миша Дросов ежемесячно постил свои загорелые фотки на фоне калифорнийских холмов. Надя Рыжикова стала балериной – выступала од-

---

[1] Давай будем одиноки вместе.

но время на подтанцовке у квартета «Летящие», потом снялась в хореографическом хорроре «Плохой Мазок», а дальше ее, кажется, взяли замуж богатые турецкие люди.

Серьезно из класса поднялся только один человек – из-за него, собственно, у Тани и возник интерес к остальным.

Но про Федю слухи доходили уже давно.

Теперь он был Федором Семеновичем, носил очки и галстук, и на ушлепка не походил совершенно. В бизнес-периодике его называли «правой рукой Рината Сулейманова», одного из серьезных форбсовских богачей.

Когда Таня впервые наткнулась на такую формулировку, ей представилось, что этот Ринат – какое-то грозное демоническое существо, у которого каждая рука и нога обладают отдельным сознанием и собственной алчной волей.

Правая рука Рината загребла уже многое. У Феди были доли в торговых сетях, агропроме, гостиничном бизнесе и даже в паре банков (один, правда, уже санировали). Последней его инвестицией была сеть охотничьих ресторанов «Вино и колбаса». Своего миллиарда у него не было (хоть оставалось немного), но в нижнюю часть разных списков и рейтингов он входил.

Сайты с компроматом приписывали ему судимость и даже короткую отсидку. Сажали его, как Таня поняла, по двусмысленной экономической статье, и на его месте мог оказаться любой первоначальный накопленец. Дело было быстро пересмотрено, обвинения сняты, и после этого начался неудержимый Федин взлет.

Фактической информации на этих сайтах было мало – зато со слухами был полный порядок. По этим слухам, возвышению Феди способствовала довольно комичная история.

Давным-давно, еще во времена залоговых аукционов, его нынешний партнер Ринат спешил однажды вечером на самую важную в России дачу, где за шашлыком должна была решаться его финансовая судьба.

Штатный шашлычник семьи был в это время в Лондоне – но Ринат обещал собравшимся, что привезет все необходимое и сделает такой шашлычок, которого никто из них прежде даже не нюхал.

Ему самолетом доставили с гор нежнейшее мясо юного барашка, замаринованное очень особым образом. Он взял с собой специальные дрова для костра, особую угольную смесь, бутылочку настоянного на можжевельнике спирта для растопки, чтобы конечный продукт не портила даже тень, даже эхо какого-нибудь неблагородного запаха. Предусмотрено было все.

Кроме одного – он забыл шампуры. Stupid fucking people[1], как говорил доктор Фрейд.

На бизнес-инструменты штатного шашлычника надежды не было, потому что тот хранил их дома и каждый раз привозил с собой, именно с той целью, чтобы шашлычок мало-помалу не начали делать без него.

Было уже десять часов вечера. До заветной дачи оставалось пятнадцать минут езды, а встреча была назначена на десять тридцать. Рвануть в какое-нибудь ночное сельпо физически не было времени. Ринат запаниковал – но тут же взял себя в руки, взвесил шансы и решил не сдаваться без боя.

---

[1] Глупые бедные люди.

Он выставил аварийный знак, вышел на дорогу и стал спрашивать притормаживающих водителей, нет ли у них с собой шампуров. Шанс был ничтожен: за пятнадцать минут остановилось только трое, остальных возбужденно прыгающий на дороге Ринат, видимо, пугал. Он уже почти попрощался со своей мечтой – и тут рядом затормозил Федор Семенович на своей копейке.

Выслушав странную просьбу, он вылез из машины, подошел к багажнику и молча протянул Ринату комплект завернутых в брезент шампуров. Ринат успел лишь коротко поблагодарить своего спасителя и сунуть ему бумажку со своим номером – пора было мчаться на дачу.

Он приехал вовремя, и все прошло феерично. Шашлык понравился, Ринат тоже – и волновая функция была схлопнута самым благоприятным для него образом. Но таинственный спаситель все не звонил и не звонил, и неспособность воздать ему добром за добро долго мучила Рината на пути к сияющим вершинам.

Потом Ринат все же напал на след своего благодетеля, и, когда Федя вышел, взял его в дело, подняв за пару лет сразу до партнера.

Неизвестно было, конечно, правда это или нет – про кого из героев девяностых годов не рассказывали подобных сказок? Но Федина яхта называлась «Skewer», то есть «Шампур».

Дело, конечно, могло обстоять с точностью до наоборот: вся эта легенда могла появиться именно из-за названия «Skewer», которым яхта была обязана своему стремительному тонкому силуэту. В общем, непонятки.

Женат Федя все еще не был и регулярно появлялся в списках лучших женихов России, что вызывало в Тане противные спазмы ревности.

Постепенно она собрала целую коллекцию его фотографий. На одной Федя был похож на себя в детстве – наверно, из-за ракурса, скрывшего морщины. Он был снят на той самой яхте «Skewer» (положим, не самой большой в мире, но самой настоящей океанской лодке), в белой капитанской фуражке. Улыбка показывала, что он иронизирует – немного над собой, немного над фуражкой, немного над зрителем.

Таня распечатывала найденные в сети снимки на цветном принтере в офисе – и вешала их дома на пробковую доску, иногда пришпиливая рядом записку с коротким комментарием. Такая доска, символизирующая поставленную цель, называлась в психологической литературе vision board: Таня знала из какого-то журнала, что очень полезно все время иметь ее перед глазами и помнить о главном.

Она помнила – и на доске все время появлялись новые фото. Ее квартира постепенно стала напоминать штаб киллерского синдиката: казалось, из кухни вот-вот выйдет татуированная Анджелина Джоли, поправит «глок» на худой ляжке, похвастается тремястами трупами и заговорит о проблемах меньшинств.

Девочки в молодости глупые, усмехалась Таня с высоты своего жизненного опыта. Вернее, глупы не они – глупа природа и ее инструменты отбора, устаревшие минимум десять тысяч лет назад (для эволюции это доля секунды, но от этого ведь не легче).

Юные красавицы подчиняются древнейшим зонам мозга. Они честно выбирают молодого самца с самыми длинными рогами, самым алым задом или самыми голубыми чешуйками на гребне, а потом выясняется, что генетический суфлер был полный мудак и девушке достался бык из спального района, сын уволенного прокурора на папином поршаке или непризнанный гений стиля с личным каналом на ютубе.

Все метки и знаки были на месте, все инстинкты сказали «да» – и вот... Но как было заглянуть в будущее сквозь галлюцинации и дурманы юности? Таких технологий природа, увы, не успела создать: второсигнальная эра еще слишком коротка, чтобы хоть как-то отпечататься в эволюционной механике.

Кроме Фединых фотографий, Таня зачем-то собирала снимки олигархов с женами, и скоро под них потребовалась вторая vision board. Фотографии были очень разными, но во всем своем многообразии четко делились на два типа.

Жены на них были либо трофейными, либо кармическими.

Трофейные жены были молоды, имели, как правило, большую грудь (не зря ведь олигархическое измерение начинается при переходе от «лимонов» к «арбузам») – но на вкус Тани совсем не были красивы.

Вернее, их красота была фальшивой и претенциозно-формальной, как у пошлых стихов с идеальными рифмами. По отдельности все эти носы, голени, плечи, глаза, животы и уши выглядели безукоризненно, но соединение частей в целое не давало нового качества. Фотографии показывали ухоженное женское тело с высокой капитализацией, соответствующее строжайшим стандартам патриархального сексизма, и больше сказать было нечего.

Олигархи на этих снимках имели такой вид, словно позировали рядом с суперкаром или бизнес-джетом – что, собственно, и расставляло последние точки над «ё»: ситуация была понятной и по-своему честной. Таня тоже имела когда-то шанс, но время было мерзкое и пришлось сыграть по-мелкому.

А вот кармические жены... Это было другое.

Они выходили не за олигарха, они в свое время поверили в своего ушлепка Федю, сделали ставку на голимое «зеро», и им прикатила удача.

Кармические жены были старыми, толстыми, непривлекательными, дорого и нелепо одетыми – но внушали уважение. Ясно было, что их мужья катаются на нанятых суперкарах, но этим ухмыляющимся загорелым теткам не надо было бояться за место под солнцем. Они его заслужили.

На снимках, где они стояли рядом со своими форбсовскими кавалерами, почти проступали линии судьбы, соединяющие их с мужьями – надежные и прочные узы, любая попытка порвать которые вела прямо в высокий лондонский суд. Ибо, как было сказано, *за каждым успешным мужчиной стоит любовь женщины,* и британские юристы отлично умеют переводить эту максиму на язык конкретных цифр.

Журнал «Женские секреты», как и обещало название, приподнимал покровы: кармические жены часто уже не жили с мужьями, закрывали глаза на их шалости, зато управляли собственными империями... А вот трофейных жен чаще всего связывал брачный контракт, низводящий их почти до прислуги.

Но в журнале обнаружился еще один возможный сценарий – третий. Таня по душевной робости ни за что не решилась бы подумать о таком сама.

Да. Бывало и так, что предназначенные друг другу сердца, не узнав друг друга на школьной скамье, встречались через много лет опять и соединялись. Подобное случалось с богачами не так уж редко – Таня выделила для этих историй верхнюю часть одной из досок. Понятно, что бывшие одноклассницы, какими бы красивыми они ни были в детстве, не могли конкурировать с чужой молодостью. Значит, дело было не в физических данных, а в неизвестной черте мужского сердца.

В «Женских секретах» ничего об этом не было, но Таня догадалась сама. Наверно, думала она, эти люди в принципе не умеют проигрывать. И даже если вся их жизнь стала одним бесконечным успехом, поражение, оставшееся в прошлом, тяготит и тревожит их.

К тому же в юности у событий совсем другой масштаб, они отбрасывают тень на всю судьбу, и шрамы несчастной детской любви остаются с мужчиной навсегда. А когда у человека появляются большие деньги, он может почти все – и вот мужчина, как в фантастическом фильме, возвращается в прошлое и исправляет ошибку...

Из этого следовали такие перспективы, что Таня даже боялась о них думать.

Потом она все же решилась, и мысли за пару секунд превратились из тоненького ручейка в клокочущий водопад. А еще через день просто думать было уже мало.

Ей захотелось увидеть все на своей vision board. Она не владела «фотошопом», но у нее были ножницы и клей – и в блоке кармических жен появилась новая фотография. Федя в темном двубортном пиджаке и она в своем зеленом платье от Gucci.

Оно было куплено на распродаже, но это было реальное платье от Gucci, и такое вполне могла как-нибудь надеть жена настоящего мультимиллионера. Это превращало грубую фотосклейку в одну из возможных версий реальности.

Отойдя от пробковой доски, Таня почувствовала легкий спазм в матке. Ей показалось, что она сделала что-то серьезное, почти колдовское. И даже не почти, а на самом деле.

В научно-популярной литературе такое называлось «симпатической магией». Таня отчетливейшим образом ощутила то, что джедаи называли «содроганием силы». Что-то в мире пришло в движение, и причиной была она.

Таня села в кресло у телевизора и стала щелкать пультом. На пятом или шестом канале ее встретил грустно-веселый крокодил Гена из древнего советского мультика. Гена, в пророческом малиновом пиджаке и каком-то очень правильном пацанском кепарике, играл на гармошке и пел:

– Прилетит вдруг волшебник в голубом вертолете...

Дослушав песню, Таня выключила телевизор. Было самой смешно – дурехе сороковник, а она у себя в голове в песочек играет. С другой стороны, пока мы играем, мы молоды...

*

Когда утром на следующий день телефон заиграл, она сразу поняла, что звонок как-то связан со вчерашним магическим действием.

– Алло...

– Татьяна Осиповна? – сказал в трубке быстрый голос. – Здравствуйте. Меня зовут Дамиан Улитин, и я хотел бы встретиться с вами для важного разговора.

– По какому вопросу? – обмирая, спросила Таня.

– По поводу... вернее, поручению одного вашего одноклассника, – ответил Дамиан. – Вы помните, наверное – Федор Семенович.

Воздух вдруг сделался чем-то вроде пенопласта – стал твердым и неприятно скрипучим. Кое-как Таня выдохнула и вдохнула.

– Помню, конечно.

– Я его... Как бы сказать, помощник. И у меня к вам будет одно дело. Но не по телефону. В центре вам удобно?

– Когда? – спросила Таня.

– Сегодня было бы идеально. Заодно и поужинаем, да? Как вам индийская кухня?

Таня пару раз куснула пенопласт – и сказала:

– Да.

Дамиан показался ей похожим на пирата.

Не на голодного сомалийского афроафриканца, понятно, и не на московского задрота-кинолюба, а на топового представителя касты, который – пока его бриг бороздит соленый карибский простор – судится с пятью голливудскими стервами, зовет фейсбук к импичменту, качает бугристый пресс, и все это с открытой мальчишеской улыбкой на молодом еще лице.

Лицо его было не просто свежим – на нем, помимо капитанской бородки, присутствовала та особая патина, какой покрывается человеческая кожа от близости к большим деньгам и океанической свободе: как бы загар от особого солнца богатых, делающий человека моложе лет на десять.

На нем был идеально сидящий светлый пиджак, расстегнутая на горле голубая рубашка и красиво порванные джинсы. С собой у него была папка делового вида и глянцевый пластиковый пакет, заклеенный скотчем – словно он мимоходом затарился в каком-то бутике. В общем, выглядел он эпично.

Посланник не выше пославшего, вспомнила Таня евангельское... Так каков же тогда пославший... Полно, да и тот ли это Федя вообще?

Ах, как волнительно сжимается грудь.

– Сначала об одном неприятном и довольно скользком моменте, – заговорил Дамиан, демократично макая самосу в карри. – Мой клиент – очень заметный человек, вызывающий повышенный интерес самых разных СМИ. На нем многие пытаются заработать. Особенно, прошу меня извинить за прямоту, женщины. Вы, думаю, знаете, как это бывает.

Таня кивнула.

– Мы, собственно, не обязательно против, – продолжал Дамиан, – но стараемся упорядочить этот процесс. Сделать так, чтобы подобный заработок был предметом нашего договора, а не последующего вымогательства. Поэтому перед общением с Федором Семеновичем мы просим всех женщин, встречающихся с ним по личному делу, подписать несколько бумаг. Если вы согласитесь, это придется сделать и вам тоже.

– Что за бумаги?

– В них вы официально отказываетесь практически от всех возможных претензий в адрес моего клиента и берете на себя определенные обязательства. Это стандартное правило. Одновременно мы гарантируем вам за эту встречу разовое вознаграждение в семь тысяч долларов.

– То есть вы как бы меня нанимаете? В качестве гетеры?

– Обидно такое слышать. Мне ни в коем случае не хотелось бы, чтобы вы видели ситуацию в подобном свете. Скажу по секрету – только прошу ни в коем случае не повторять со ссылкой на меня – мой клиент настроен романтически. Я бы даже сказал, трогательно ностальгически.

– Вот как?

Дамиан кивнул.

– Наверно, уже такой возраст, когда человек окидывает взглядом жизнь с высоты и видит, какие чувства были важными, какие не слишком, что удалось на личном фронте, а что сорвалось. Что пока еще достижимо, что можно исправить, а что уже нет...

Таня вздохнула и чуть прикусила щеку, чтобы на глазах не выступили слезы.

– Но это, – быстро продолжил Дамиан, – всего лишь мои догадки. Я здесь сильно рискую, поскольку выхожу за пределы своей компетенции.

– Зачем же вы тогда предлагаете деньги за встречу?

– Я уже говорил, что богатых людей в наше время часто пытаются шантажировать. Я ни в коем случае не обвиняю вас в таких планах, но правила есть правила. Для этого мы и подписываем NDA.

– Что это?

– Non-disclosure agreement. Договор о неразглашении. И еще пару других бумаг. Если вы их внимательно прочтете, вам может показаться, что вы даете Федору Семеновичу консент на любые действия за полученную вами материальную компенсацию в семь тысяч долларов. Юридически все так и обстоит – вы как бы работаете по разовому контракту.

Таня брезгливо нахмурилась, и Дамиан поднял руки.

– Но это, разумеется, просто страховка. Исключительно для того, чтобы вы не могли обратиться в суд с каким-нибудь вздорным обвинением. Или не подумали нанять книггеров, чтобы издать скандальную и пустую книжонку о вашей встрече. Без этой формальности – а это, повторяю еще раз, чистая формальность – Федор Семенович не сможет с вами встретиться. Не допустят его юристы. В том числе я.

Дамиан вынул из портфеля папку с бумагами. Бумаги были помечены желтыми полосками липких закладок.

– Вот, – сказал он, – и еще это...

На стол перед Таней лег конверт.

– Я подпишу, – сказала она. – Но денег брать не буду.

– Увы, так нельзя.

– Почему? – оскорбленно спросила Таня.

– Потому что... Господи, да не ведитесь вы так. Потому что вы должны подписать в том числе и расписку в их получении. А если вы подпишете, но не возьмете, я окажусь жуликом. Сумма небольшая, но все равно бумагооборот требует аккуратности. Несколько раз сходите, в конце концов, в хороший ресторан. На эти деньги можно сходить в очень даже приличный.

– Но какое...

– Повторяю в третий раз, Татьяна Осиповна, документы нужны лишь для того, чтобы сформировать, как говорят адвокаты, внятное юридическое поле, где будут происходить все дальнейшие события. Но формальности должны быть соблюдены строго. Или вы хотите, чтобы меня вышвырнули на улицу?

Мысль о том, что Дамиану могут дать пинка и сбросить в бездну, где его благородный загар испарится и он снова обернется Демьяном, конечно, грела. Но все же не настолько, чтобы упорствовать ради этого в показной душевной красоте. Особенно себе во вред.

– Хорошо. Если вы настаиваете...

– Настаиваю.

Таня взяла конверт и спрятала его в сумочку.

– Подписывать там, где желтые метки, – сказал Дамиан. – Можете прочитать, если хотите.

Таня взяла наугад одну из бумаг, принялась читать – и запуталась в первом же абзаце. Особо вчитываться смысла не было: понятно, что при желании юристы обдурят ее пять раз в одном предложении.

– Зачем читать. Я Феде доверяю.

– И правильно. Поверьте, из квартиры он вас обманом не выселит.

У Тани вдруг екнуло в груди. Она сообразила, что именно так жулики выживают людей из квартир – рассказывают неправдоподобную историю, дают немного денег, просят подписать бумаги. Впрочем, подумала она тут же, откуда жуликам знать, что они с Федей в одном классе... Да нет, паранойя. Хотя...

Она пролистала несколько страниц, отыскивая упоминания про жилплощадь – но ничего похожего не было. Речь действительно шла об отказе от претензий всех возможных видов. И еще о разовом вознаграждении.

– Тут некоторые графы пустые.

– Я потом заполню, – сказал Дамиан. – Не переживайте.

– Ручку дайте.

Дамиан протянул ей синий гелевый маркер.

– Вот здесь, – сказал он. – Да. Здесь. И здесь.

И здесь тоже. А здесь вот два раза, пожалуйста... Спасибо.

Спрятав бумаги в папку, он улыбнулся.

– Ну вот, противная часть позади. Теперь можем с вами наконец поговорить по-человечески... Таня... Ничего, если я вас так буду называть?

– Ничего, – ответила Таня.

– Так вот, Таня... Про ваши прежние отношения с Федором Семеновичем мне ничего не известно, но я вообще много времени провожу возле богатых людей – и примерно представляю их психологию. Я знаю, чего они хотят. И, поскольку я, будете смеяться, изо всех сил стараюсь быть порядочным человеком, я выложу все начистоту.

«Понятно, – подумала Таня. – Сейчас инструктировать будет, как ноги держать».

– Только не думайте, – сказал Дамиан, словно учуяв ее мысль, – что я имею в виду какие-то конкретные пожелания моего клиента. Нет. Я ни в коем случае не пытаюсь как-то вас сориентировать или намекнуть, как вам себя вести. Федор Семенович не давал мне такого поручения. Но я знаю, зачем такие люди, как мой клиент, ныряют в свое прошлое.

– Зачем?

– Вы слышали выражение «delayed gratification»? Или «отложенная гратификация»?

– Может и слышала, – ответила Таня. – Звучит знакомо. Но я уже забыла.

– Я напомню тогда. Это понятие связано с так называемым «Stanford Marshmallow experiment», или, говоря по-русски, «Стэнфордским зефирным экспериментом». Слышали?

Таня пожала плечами.

– На самом деле это целая серия экспериментов, обширная и очень долгая. Но первоначальный концепт был простым. Детям лет шести предлагали выбор – съесть одну пастилку прямо сейчас или две пастилки через пятнадцать минут. Сладости могли быть и другими, зефир тут не важен. Важным было предложение отложить удовольствие, чтобы потом получить больше. В шесть лет на подобное решиться не так просто. Некоторые дети соглашались, другие нет. Образовалось две группы.

– Можно догадаться, – сказала Таня, – что две группы будет. Чего удивительного.

– Тут – ничего. Удивительное было дальше. Эти эксперименты ставили в шестидесятых-семидесятых годах прошлого века. А потом проследили жизненный путь участников. Вплоть до нашего времени.

– И что?

– Оказалось, – продолжал Дамиан, – что группа отложенной гратификации, то есть детки, согласившиеся подождать второй пастилки, по всем жизненным показателям обошли тех, кто выбрал одну пастилку сразу. И по образованию, и по доходу, и даже по индексу здоровья.

– Это тоже понятно, – сказала Таня. – Я так и предположила бы. И что дальше?

– А то, – ответил Дамиан, – что группу отложенной гратификации можно тоже поделить. На тех, кто заберет две пастилки через пятнадцать минут – и тех, кто согласится ждать полчаса за четыре пастилки. И так далее. В конце концов окончательными чемпионами окажутся самые терпеливые дети. Те, кто ждал не пятнадцать минут, а пятнадцать лет... Отложенная гратификация дает огромную силу тому, кто ее практикует. Без преувеличения можно сказать, что на ней зиждется вся великая протестантская цивилизация. Но...

Подняв палец, Дамиан сделал картинную паузу.

– Но теневая сторона здесь тоже есть. У окончательных чемпионов далеко не все так хорошо, как кажется. В сказках разных народов существует архетип богача в рваной одежде, который получает удовольствие только от того, что спускается в подвалы и глядит на свое золото...

– Знаю, – сказала Таня. – Скупой рыцарь у Пушкина.

– Да, именно. Такой канонический скупердяй в лохмотьях сегодня встречается редко. У настоящего скупого рыцаря будет и яхта, и шато на Лазурном берегу, и самолет. Это символы успеха, и они необходимы для бизнеса. Не будет только одного – внутренней радости от обладания ими. За годы самоограничения у него пропал вкус к сладкому, и пастилки не доставляют ему радости. Совсем. Понимаете?

– Ага, – усмехнулась Таня. – Понимаю, куда вы клоните. Копил на коронки, пока зубы не выпали.

– Примерно. Победа в битве за счастье формально одержана, но субъект счастья – малыш, решивший подождать и съесть сразу сто пастилок – стал ее жертвой. От его лица теперь действует группа юристов по доверенности. Они сдают и принимают тонны пастилок, а счастье... Где оно?

Таня тихонько вздохнула.

– И тогда, – продолжал Дамиан, – скупой рыцарь строит машину времени. Он возвращается в то время, где малыш был жив – и заваливает его пастилками... Вы улавливаете мою мысль?

Таня даже покраснела.

– Вы не поверите, – сказала она, – но я совсем недавно думала про это практически теми же словами. Вот про машину времени точно думала... И вы считаете, что Федор Семенович хочет...

– Да. Он хочет вернуться к чему-то очень для него важному. И это связано с вами.

– Но зачем ему? Ведь Федя может что угодно себе...

– Вы знаете, не все. Далеко не все в мире можно купить, нанять и так далее, если вы это имеете в виду. Человеческая сфера влечения – область хрупкая и непостижимая. Если вы надломите молоденькое деревце, оно так и вырастет кривым. Так и человек. Есть целые научные школы, целые армии дорогих аналитиков и психотерапевтов, обслуживающие богатых, но несчастных людей. Они изучают каждый чих, каждый синяк, каждую детскую обиду своих клиентов – ибо все это до сих пор релевантно и важно.

– То есть вы хотите сказать, – заволновалась Таня, – Федя меня потому увидеть хочет, что ему психотерапевты прописали?

– Нет, что вы. Я совсем не это хочу сказать. Я хочу сказать, что стремление взрослого богатого мужчины вернуться в юность или детство, чтобы подлечить свою судьбу – это не какой-то бзик, не экзотика и редкость, а очень распространенное явление, укорененное в самой природе человеческой психики. Настолько распространенное, что на нем даже паразитируют всякие дипломированные умники.

Таня вспомнила про свои пробковые vision boards – но решила о них не говорить.

– Это, – продолжал Дамиан, – последний шанс судьбы. Вспомнить несбывшееся и сделать так, чтобы оно сбылось хоть как-то. Понимаете?

Таня еле заметно кивнула.

– Не буду строить никаких конкретных предположений, но полагаю, что Федор Семенович хочет вернуться к вам за своей порцией упущенного счастья... Никто в целом мире не поможет ему в этом, кроме вас. Но здесь начинается запретная территория, и продолжать разговор с моей стороны будет нескромно. Тем более что вы, Таня, все понимаете сами...

Голос Дамиана журчал и гипнотизировал. Временами в нем звучала самая настоящая нежность, временами – обезоруживающая искренность.

– Да, – сказала Таня, – я вполне... То есть почти...

– Поэтому вас, наверно, не удивит, что Федор Семенович хочет встретиться с вами не в городе, а в одном довольно странном, с моей точки зрения, месте.

– Где?

– В совхозе, где вы работали когда-то на школьной картошке.

– А он сохранился, этот совхоз?

– Вы знаете, да. Вполне сохранился. Только не в качестве совхоза, конечно. Я ездил, проверял по фотографиям из архива Федора Семеновича.

– Вы? Ездили?

Дамиан кивнул.

– Там вообще мало что изменилось, судя по всему. Но картошка больше не растет. Запустение... Пара старушек доживает, мужики давно спились. Некоторые постройки сохранились.

Он вынул телефон и повернул его экран к Тане.

– Снимал пять дней назад. Вы что-нибудь узнаете?

– Да, – сказала Таня с веселым удивлением. – Вот тут мальчики жили... Только стены были другого цвета. А это банька, мы там мылись. Но вот этих рукомойников тогда не было. И деревья теперь совсем большие. А все остальное такое же осталось.

– В России одна Москва меняется, – философски заметил Дамиан, – и не всегда в лучшую сторону. Хорошо, что вы баньку помните.

– Почему хорошо?

– Федор Семенович хочет встретить вас именно там.

– Он прямо такое желание выразил? – удивилась Таня. – Господи, сколько лет-то прошло, а он такие вещи помнит.

– Помнит, представляете? Вот посмотрите...

Дамиан положил на стол тщательно вычерченную схему.

– Вы пойдете по этой дорожке, как раньше ходили от женского общежития. Само общежитие снесено, а дорожка осталась. Мы подвезем вас к ней на машине. Федор Семенович будет ждать прямо у баньки.

– Вы все так прямо распланировали... А вдруг местные помешают?

Дамиан улыбнулся.

– Никаких местных не будет.

– Почему?

– Мы арендуем территорию специально для этой встречи. Охрана по периметру и все прочее, так что не опасайтесь. Все будет хорошо.

– А когда? Когда мы встретимся?

– В течение недели-двух. У Федора Семеновича очень загруженный график, и точнее пока я сказать не могу. Постараюсь предупредить вас за два-три дня. Вы сможете отпроситься на работе?

– Я сейчас не работаю, – сказала Таня. – Временно.

– А, ну тогда с этим проблем нет. И вот еще...

Дамиан поднял с пола блестящий пластиковый пакет и положил его рядом с Таней.

– Это вам. Спецодежда.

– Одежда?

– Да. Примерная аппроксимация того, во что вы одевались на картошке. Ваши размеры мы выяснили, все должно подойти. Пожалуйста, сегодня проверьте – если мы ошиблись, заменим.

Таня была так поражена, что даже ничего не сказала.

– Мой телефон в конверте с деньгами, – Дамиан поглядел на часы. – Когда у меня будет точный тайм-график, я позвоню. Если появятся вопросы или проблемы, звоните сами. А сейчас нам надо бежать, потому что скоро будут пробки. Увы, как вы понимаете, не шампанские.

Он ткнул пальцем в стоящую на столе радио-пирамидку, где был нарисован официант с подносом.

– Если позволите, я вас подвезу...

*

Таня раскрыла пакет только дома.

Внутри были черные резиновые сапоги, синие шерстяные рейтузы и подбитая ватином нейлоновая куртка цвета засохшего навоза – все грубое, аляповатое и удивительно гармонирующее друг с другом: словно бы перерождения безобразных советских вещей, опознанные на прилавках нового мира специально приглашенным ламой.

Еще в сумке было желтое тропическое полотенце с пальмами. Такое же, каким она обматывалась поверх купальника. Купальника Федя не видел, а полотенце, кажется, запомнил крепко.

Но зачем сапоги, куртка и рейтузы?

Она надела все это перед зеркалом. Странно, но спецодежда сделала ее моложе и привлекательнее, будто вернув ей часть юности, размазавшейся по похожему шмоту.

Наверно, во что-то подобное на той картошке и одевались – Таня не помнила таких подробностей. Помнила только, что там не было тампонов и приходилось пользоваться *ватой гигроскопической* из упаковки, похожей на заряд к танковой пушке. И ничего – жили, надеялись, любили...

Но почему тогда полотенце? Зачем? Ведь его не будет видно под всем остальным.

С другой стороны, сейчас уже прохладно, осень. Вдруг дождь... Наверно, Федя предлагает два варианта на выбор. Или нет, нет... Все просто.

Она завернулась в полотенце, а потом надела сверху комплект спецодежды. Что у нее под курткой, не было видно. Вот так и пойдем, прошептала она, так и пойдем... Действительно, не раздеваться же перед охраной. И гармония не нарушится. А когда сниму, будет ему полотенце. Обо всем подумали.

Следующие три дня Таня провела, репетируя встречу.

Она понимала, конечно, что делать этого не стоит: в реальности все случится совсем по-другому, и ничего, кроме вреда, от подобных упражнений не будет. Но в душе играли такие увертюры и прелюдии, что слабый голос рассудка не был слышен на их фоне.

Почему-то Таня думала, что Федя набросится на нее, затащит в баню и сделает то, чего ему так хотелось тем мутным сентябрьским днем. Не зря же он взял с нее подписку.

В принципе она была не против. Ей даже начинало на полном серьезе казаться, что и тогда она была не против, и будь он чуть настойчивей, разговорчивей и веселее... Как пел тогда репродуктор: «Я не весталка, мой дорогой. Что же мне, жалко? Боже ты мой...»

Потом они будут долго приходить в себя, лежа в сене (почему-то казалось, что в бане догадаются постелить сена). Она снимет соломинку с лица Федора Семеновича (уже опять Феди) и скажет чуть грустно:

«Мы потеряли столько времени...»

Или что-нибудь похожее – нужные слова обязательно найдутся в такую минуту, обязательно.

Когда через три дня Дамиан позвонил, она совсем уже измоталась и хотела звонить ему сама.

– Завтра, – сказал он. – Я приеду в два часа тридцать минут. Пожалуйста, будьте к этому времени полностью готовы. Брать с собой ничего не надо – только оденьтесь заранее, чтобы нам не ждать. И вот еще – пожалуйста, минимум косметики. Я не говорю вообще без, потому что такого женщине не говорят, хе-хе, но постарайтесь, пожалуйста, чтобы невооруженным глазом ее не было заметно...

Таня вспомнила, что на картошке девчонки действительно почти не пользовались косметикой. Какая, однако, память у этого Феди.

Следующий день выдался солнечным. Но солнце не грело – изнанка осенней ясности была холодной, и куртка на ватине не помешала. Полотенце приятно стягивало тело, и даже непонятно было, почему мировые модельеры еще не взяли на вооружение такой дизайн.

Дамиан приехал за пятнадцать минут до срока, но она уже ждала его во дворе. За рулем сидел он сам. Больше никого в черном ленд крузере не было.

– Волнуетесь? – улыбнулся Дамиан, когда она села рядом. – Я вижу, что волнуетесь. И Федор Семенович, наверно, волнуется... Как же без этого, столько лет.

– Долго нам ехать?

– Часа полтора.

– В школе дольше было. Часа три почти. Сначала на электричке, потом на автобусе.

– Сейчас по гипотенузе поедем.

Таня сообразила, что Дамиан за секунду провел у себя в голове целый тригонометрический анализ. Это отчего-то ее поразило. Ну конечно, думала она, раньше ездили буквой «Г», поэтому так долго. Я всю жизнь по этой букве катаюсь, между прочим. А сейчас вот зато...

Да. Выходим на гипотенузу.

Это звучало гораздо круче, чем «выделенная линия» или даже «спецполоса». Гипотенузу вообще не рисуют на асфальте – сильные духом люди носят ее в себе и едут по ней незаметно для других, даже когда кажется, что они просто стоят в пробке...

Пробка была только одна, у кольцевой, и то небольшая. А когда выехали из города и набрали скорость, Таня занервничала так, что заснула – такое с ней иногда бывало от стресса.

– Таня, приехали.

Таня открыла глаза. Мир снова требовал ее присутствия.

Машина стояла среди старых деревьев, недалеко от пустого заколоченного дома. Впереди был припаркован черный мерседесовский микроавтобус.

Здесь было куда больше желтой листвы, чем в Москве, и многие деревья уже наполовину облетели. Людей видно не было – только возле микроавтобуса стояли два коротко стриженных парня в добротных костюмах и тихо переговаривались с осенью... Заметив у одного из них в ухе провод телесного цвета, Таня догадалась, что беседуют они все-таки не с природой.

Дамиан поднял телефон, издал в него несколько вопросительных междометий, крякнул, хохотнул, что-то выслушал и повернулся к Тане.

– Проснулись? Федор Семенович чуть задерживается. Нам сообщат. Да мы и сами увидим.

Прошла пара минут, и Таня услышала еле различимый треск вертолета. Он становился все громче, а потом Таня увидела в небе саму машину.

Это был небольшой темно-синий аппарат, не наш, а какой-то иностранный. То ли «Еврокоптер», то ли «Белл» – из тех, что в Москве можно взять в аренду. Вертолет сделал в небе круг, пошел на посадку и приземлился где-то недалеко, метрах в трехстах.

– Прибыл, – прошептал Дамиан.

Прошло еще двадцать минут, и его телефон зазвонил.

– Понял, – сказал он в трубку и повернулся к Тане. – Ну что, Таня. Ваш выход.

Таня запаниковала.

– Может, я...

Дамиан взял ее руку и сильно сжал двумя своими.

– Идите прямо по этой дорожке и никуда не сворачивайте. Банька через двести метров. Федор Семенович уже там. Никто, кроме него, вас не увидит. Все будет хорошо. Поверьте в свою звезду.

– Да, да, – прошептала Таня, подтерла быструю слезинку (и правда хорошо, что не накрасилась), вылезла из машины – и пошла вперед.

Ей казалось, что Дамиан и охранники глядят ей в спину: она чувствовала почти физическое давление наведенных на нее глаз. Но когда через минуту ходьбы она обернулась, оказалось, что микроавтобус с охраной и машина Дамиана давно скрылись за деревьями. Спокойно, Таня, прошептала она, не надо себя заводить.

Она глубоко вдохнула и огляделась.

Ну да, вот тут жили мальчики – в тех вон домиках. А нашего корпуса, большого, уже нет. Банька была вон там. И сейчас там же, вон она. Только рядом еще две будки поставили из фанеры... Или это сторожки какие-то? Неважно, видно, что пустые – даже стекол нет. Господи, какое все стало старое. Неужели я тоже такая? А где же Федя?

Она пошла вперед, уже медленно, заранее растягивая лицо в улыбку. Когда до бани осталось метров тридцать или сорок, она увидела рукомойники, которых там раньше не было. А потом увидела и Федю.

Он стоял между баней и одной из фанерных сторожек спиной к ней. На нем был синий слесарный халат, точь-в-точь такой же, как тогда на картошке. На его босых ногах краснели пластиковые шлепанцы, тоже в точности такие же.

Были и перемены. На его затылке гордо блестела карамельного цвета лысина, которую Таня немедленно окрестила про себя средиземноморской (русские лысины бледны и малоурожайны).

Таня подумала, что Федя, наверно, мерзнет в одном халате без штанов. Потом отметила, что он стоит в том же месте, где ждал ее много лет назад. Мало того, она приближалась к нему с той же стороны, что тогда. Если можно было перемотать время назад, то это почти получилось: с такой точностью, кажется, не реконструировали даже пушкинскую дуэль.

Таня поняла, что следует сделать. Она остановилась, сняла сапоги, потом рейтузы с курткой, аккуратно сложила все на землю – и, оставшись в одном полотенце, сомнамбулически пошла к Феде. Когда до него осталось всего несколько шагов, он услышал шорох ее ног в сухой листве и обернулся.

Она увидела его глаза в широких модных очках со вздернутыми вверх краями и сразу все поняла. Но инерция заставила ее сделать еще два шага, и только потом она остановилась.

Внимательно глядя на нее, Федор Семенович сжал в кулаках синие слесарные лацканы – тем же памятным Тане движением. А затем решительно развел полы халата в стороны.

Он был совершенно гол под халатом.

Ему определенно не хватало физических нагрузок, но загар был безупречен. На его чреслах белела широкая полоса от длинных семейных плавок (хвастаться, если честно, ему было нечем). Он держал полы халата разведенными еще несколько секунд, а потом запахнул его, шмыгнул носом, повернулся на сто восемьдесят градусов и пошел прочь.

Только когда Федор Семенович скрылся за кустами, Тане стало ясно, что он не вернется.

Она симметрично развернулась и пошла в другую сторону прямо как была, в одном полотенце: возвращаться к Дамиану и охране было немыслимо. Впереди не осталось ни домов, ни дорог – только безлюдное поле. За ним начинался лес.

«Ничего, – думала Таня, чувствуя, как на глаза наворачиваются неостановимые слезы, – как-нибудь доберусь до станции. Переживем. А то нам жизнь до этого хуев не показывала... Хоть бы он наебнулся на своем вертолете, говно загорелое. Правильно на картошке девки говорили – мужики сволочи, а счастье в труде...»

1.3. FUJI-Ё СТАРТДАУН

Федор Семенович в халате и толстых хлопковых носках возлежал на кровати в своей океанической спальне. За прозрачной стеной темнело вечернее море. Над ним, словно сказочные лотосы, распускались отражения потолочных ламп.

Федор Семенович был простужен и то и дело срывался в хриплый кашель, проглядывая бумаги, которые ему одну за другой подавал стоящий рядом референт. Иногда он их подписывал.

Дамиан Улитин в белой бейсболке (все та же «SKOLKOVO SAILING TEAM»), шортах и желтой рубахе сидел на стуле, изучая украшающие спальню объекты искусства.

Особый интерес у него вызвали картины над кроватью.

Это были даже не картины, а скорее три тематически близкие фрески, ловко вписанные в габариты помещения. Дамиан встал и подошел к стене, чтобы разглядеть детали, заставив референта нахмуриться. Но Федора Семеновича это любопытство не обидело.

– Что, нравится? – спросил он.

– Очень, – сказал Дамиан. – Удачное расположение. Эротика вообще будит фантазию. Превращает кровать в такой, знаете, алтарь плотской радости. Эдакий патриархальный экспрессионизм – жестко, но честно. Подобное в наше время может себе позволить только весьма богатый и независимый человек... Плавучий оазис свободы.

Федор Семенович хмыкнул.

– Это что-то мифологическое, да? – продолжал Дамиан, прищуренно оглядывая фрески. – Виноград, колесница, руины... Похоже на «Триумф Вакха» этого... как его... Корнелиуса де Воса. Может, современная вариация? Как называется?

– Это триптих, – ответил Федор Семенович, подписывая очередную бумагу. – Харви Вайнштейн насилует Николь Кидман, Уму Турман и Натали Портман.

– Ах, – сказал Дамиан, – это Вайнштейн три раза. А я думал, Вакх в венке. Актрис-то я узнал... Кто автор?

Федор Семенович закатил глаза к потолку, вспоминая.

– Кажется, Дубосаров какой-то. Или Виноградский. Хэзэ, не помню точно. Это дизайнер заказывал. Спальня в стиле «Голливуд разбитых надежд». Говорят, модно.

– А скульптура – тоже Дубосаров? – спросил Дамиан, кивая в угол.

– Нет.

– Это кузнецы? – спросил Дамиан, подходя к скульптуре. – Или медведи бревно пилят? Чего это у них на висках мочалки какие-то?

– Прочитай, там написано.

Дамиан подошел к скульптуре, нагнулся и прочел вслух:

– «Голливудские евреи создают драматическое напряжение в коммерческих целях. Автор Неизвестный». Да, метко поймано, метко... Вчера как раз кино смотрел и думал. И что, правда неизвестно, кто автор? Или это в том смысле, что он малоизвестный?

– Нет, наоборот. Он как раз популярный. В определенных кругах. Оба слова с большой буквы – Автор Неизвестный. Это внебрачный сын Эрнста Неизвестного. Автор Эрнстович. Мама его специально так назвала, чтобы тег застолбить. На табличках круто смотрится.

– Стильно, – сказал Дамиан. – Такая сквозная кинематографическая тема во всем. Очень стильно и модно. И мама умная – могла ведь сынка и «Солдатом» назвать.

Федор Семенович отдал последнюю бумагу референту и тот, еще раз покосившись на Дамиана, вышел из спальни.

Дамиан уже изучал стоящее рядом со скульптурой кресло. У того были деревянные подлокотники в виде неприлично задранных женских ног в туфлях с длинными каблуками (на каблуки были насажены шампанские пробки). Еще две пары женских ног были ножками кресла – передние, обрезанные чуть выше икр, босо стояли на полу, а задние изображали коленопреклонение.

– Кресло тоже в стилистике?

– Тоже, – ответил Федор Семенович. – Автора не помню, а объект называется «Кастинг три». Я только обивку поменял, оригинальная из женских волос была. Их перманентом блондинили, и они чего-то вонять сильно стали.

– Время такое, – кивнул Дамиан.

– Наверно. А вообще удобное кресло. Садись, попробуй.

– Как-то боязно.

– Садись-садись. Разговор у нас долгий, ты че, стоять будешь все время?

Дамиан сел в кресло, осторожно откинулся на спинку, потом положил руки на подлокотники и состроил одобрительную гримасу.

– Да, комфортно.

– Когда мимо ходишь, о каблуки задеваешь все время. Я, видишь, пробки надел, чтобы не царапаться... А обивку старую из волос просто выкинул. Вандализм, конечно – стыдно.

Федор Семенович закашлялся.

– Где простудились? – спросил Дамиан, кивая куда-то налево. – Там?

– Там. Хоть солнце, а холодно.

– Ну какие у вас общие ощущения?

– Да никакие, – ответил Федор Семенович. – Ну да, детство вспомнил. Обидка и правда в душе жила. С тех самых пор хранилась. Отпустила немного... Но чтобы какой-то катарсис, как ты обещал... Или там помпейское счастье... Не, такого не было.

– Совсем не факт, – сказал Дамиан. – Совсем. Во-первых, мы редко способны узнать счастье. Мы его видим только ретроспективно. Во-вторых, мы не всегда осознаем и замечаем катарсис, если он происходит в глубоких слоях психики. Но есть косвенный способ все проверить.

– Как?

– Вот скажите, вы теперь про тот случай на картошке с какими чувствами вспоминаете? С теми же самыми, или другими?

Федор Семенович зажмурился, вглядываясь в свои глубины.

– С другими, наверное... Конечно с другими. Я теперь про тот случай вообще уже вспомнить не могу. Могу только про этот.

– Вот! – обрадовался Дамиан. – Вот это и есть самое главное. Это значит, что мы наложили, так сказать, заплату на подсознательную пробоину. И ваша психическая и духовная энергия уже не хлещет в пустоту, как последние двадцать или тридцать лет, а постепенно копится – и скоро откроет для вас новые двери восприятия. Вы высвободились из давнего психодинамического зажима...

Федор Семенович отхлебнул морса из хрустального стакана и поставил его на стол.

– Но у меня совершенно нет чувства, что я... Ну, чего-то добился, – сказал он. – Осуществил мечту, или в этом роде. Я даже не уверен до конца, что мне тогда именно этого хотелось... Ну, то, что я сделал. Так, мелькнула мысль. Может, и другие были, просто я забыл.

– Так в этом все и дело. Если вы эту мелькнувшую мысль запомнили на столько лет, случайной она не была точно. Не сомневайтесь. Для этого психоаналитики и нужны.

– И человека обидели, – вздохнул Федор Семенович. – Правда, двадцать тысяч дали... Ты ей дал?

– Дал, – ответил Дамиан, – у меня расписка.

– Она, – продолжал Федор Семенович, – между нами говоря, сама такая была, что... Постоянно в душу плевала. Но ведь сколько времени уже прошло.

– Не переживайте вы так. Утрясется, затянется. А с юридической стороны у нас все чисто. Все бумаги есть.

– Да? А я думаю, может, позвонить, извиниться...

– Вот этого ни в коем случае! – горячо сказал Дамиан. – Ни в коем случае. Иначе весь положительный эффект потеряем. Забудьте навсегда. Это как кость заново ломать. Пусть заживает и срастается. В таких ситуациях самое главное – не надо ничего бередить. Ни в коем случае не тормошите. Представьте себе, что ваш эмоционально-волевой комплекс отдыхает после травмы.

– А как я узнаю, что все зажило? По каким признакам?

– По тем признакам, – ответил Дамиан, – что вам уже не будет хотеться куда-то там звонить и извиняться. И это не я придумываю. Так психоаналитики говорят.

Федор Семенович вздохнул еще раз.

– Ну ладно. И что теперь у тебя в программе следующим пунктом?

– Чего бы вам хотелось?

Федор Семенович нахмурился.

– Ну, я не знаю. Ты вот предложи, а я скажу – хочется или нет.

– Вам по ценовым категориям или тематически?

– Давай сначала по ценовым.

– «Помпейский поцелуй» – это был первый таер. Самый нижний. Давайте попробуем второй?

– Рассказывай.

– Не знаю, насколько это на ваш вкус... Там все в основном... Могу, например, предложить нашу сигнатурную технологию «FUJI-Ё», которая пользуется у многих клиентов устойчивым спросом. Есть даже регулярные пользователи. Одно из преимуществ здесь в том, что все обкатано идеально – риска никакого. Собственно, по этой технологии на самом деле и назван мой стартап.

– Ты же говорил, по горе Фудзи?

Дамиан виновато улыбнулся.

– Не все так однозначно, Федор Семенович, – сказал он. – Сами знаете, какая сейчас культурная ситуация – постмодернизм. Первоисточник не всегда понятен. Вернее, он может быть множественным. Иногда один, иногда другой. Гора Фудзи – прекрасный и вдохновляющий символ. Наше официальное лицо – это улитка на склоне, «е» в кружочке, вот это все. «Е» в этом случае расшифровывается как «experiences». Но начиналось все немного по-другому. Начиналось с изнанки, с «FUJI-Ё». Первое слово по-английски, буква «ё» по-русски. Возникает немного непристойная игра слов.

– И чего это за «Ё»?

Дамиан достал телефон, потюкал по экрану и повернул его к Федору Семеновичу. Это был «google street view» – судя по иероглифам, улица в каком-то китайском городе. Светились китайские и английские вывески: между здоровенным белым «Erste» и строгим «TREASURE» была зажата стеклянная дверь с маленькой неоновой надписью «FUJI BUILDING».

Дамиан провел пальцами по экрану, и Федор Семенович увидел верх здания – обшарпанный панельный фасад с лесами и несимметрично воткнутыми кондиционерами.

– Триста восемьдесят три, Локхарт Роуд, Ванчай, – сказал Дамиан. – Международно известный бордель в Гонконге. Вернее, бордель там не один. Там двадцать этажей, из них восемнадцать рабочих, и на каждом несколько, так сказать, бордельчиков в одну девушку. Девушки снимают комнаты, а клиенты звонят в двери. Интересно то, что это полностью легальный бизнес. Русские и украинские девушки тоже есть – на этажах с третьего по шестой. Дальше – китаянки, тайки, филиппинки и так далее. Есть пара японок. Была одна индокитайская француженка, но уволилась по старости и уехала.

– Так в чем твоя технология?

– У нас есть договоренности с... местными организациями, контролирующими этот бизнес. Мы арендуем на день-два все здание целиком. Клиенту предоставляется множество опций. Он может прийти в здание под видом мафиози и собирать с девушек дань. Может применять к ним насилие – в разумных, конечно, пределах. По желанию, насилие может быть применено и к нему, только надо заготовить пароль безопасности.

– Что это?

– Ну, такое специальное слово. Вы его говорите, и вас сразу перестают терзать и мучать.

– Да? А для жизни у тебя такого нет? Я бы серьезно вложился.

– Работаем, Федор Семенович, работаем, – улыбнулся Дамиан.

– Мафиози я быть не хочу, – сказал Федор Семенович. – Уже свое отмафиозил, спасибо.

– Не обязательно мафиози. Можно зайти в форме полицейского. Не гонконгского, конечно – такая, знаете, усредненная форма. Это для тех, кто любит досуг с наручниками. Вариантов много, в меню десять страниц опций. Я даже всего не вспомню сейчас. Здание на время сеанса ваше. Снаружи оно неказистое, но внутри там дизайн довольно любопытный – такой кафельный Версаче и гирлянды разноцветных лампочек... Вечный Новый год.

– И что, все двадцать этажей согласны? На насилие и так далее?

– Нет, конечно. Вот для того мы все здание и снимаем – чтобы вы случайно не ошиблись дверью. Вы выбираете конфигурацию опций, и на вахту выходит соответствующая конфигурация комнат. У других девушек оплаченный выходной. При таком подходе ошибок не будет, потому что на вахте только подписанный контингент. Всю юридическую и подготовительную работу мы берем на себя.

– Интересно, – сказал Федор Семенович. – Я про Александра Блока такое читал – что он на Васильевском острове бордель целиком снимал. Если не врут, конечно. Тогда обыкновенный поэт мог себе позволить, а сегодня только олигарх. И по цене это уже второй таер. Какая-то социальная деградация.

– Наоборот, прогресс, – ответил Дамиан. – Если с женской точки зрения. Главная историческая тенденция нашего времени – борьба с патриархальным укладом. Его, грубо говоря, вынуждают платить за то же самое все больше и больше.

– Допустим. Но зачем одному человеку все здание целиком? Я же не поэт, чтобы этим самым вдохновляться. В моем возрасте и одной бабы уже много.

– Программа не сводится только к бабам, – сказал Дамиан. – Она гораздо интересней. Думайте об этом так: путешествие по бесконечному кишечнику «Фуджи билдинг» – это своего рода антитеза к восхождению на гору Фудзи.

– Почему?

– На Фудзи восходят. А в «Фуджи билдинг» вы поднимаетесь на последний этаж лифтом, а потом идете вниз по лестнице, звоня во все двери. Некоторые двери с первого раза не откроются, поэтому итерацию придется повторить. Вы опять поднимаетесь на лифте и спускаетесь вниз по лестнице, и так неограниченное количество раз. Постоянные клиенты этого маршрута даже прозвали мой стартап стартдауном. Потому что каждый раз – вверх на лифте и вниз по ступенькам... На ступеньках, между прочим, и происходит самое интересное.

– Например?

– Например, вы можете оставить на стене свою каллиграфию. Уже есть переведенный на японский вариант – «О улиткин, сползая по «Фуджи билдинг», лучше поторопись...» Потому что хороших телочек разберут, такой смысл.

– Понял, – сказал Федор Семенович.

– Представляете, вы наносите японскую надпись через трафарет, потом трафарет прячете, чтобы казалось, что вы это секунду назад маркером написали – и тут на лестнице появляются два туриста-интеллектуала из Японии. Читают, смеются, кланяются и вежливо хлопают вам в ладоши... Могут даже назвать вас сенсеем.

– Какие туристы? Ты же говорил, вы все здание снимаете.

– Правильно. Другие посетители – это нанятые нами актеры. Они вступают с вами в диспуты о жизни, бегут вниз по лестнице с вами наперегонки, сражаются за лучших проституток и вообще определенным образом на вас реагируют в зависимости от выбранного вами скрипта.

– Например?

– Например, пугаются вас и убегают. Или, наоборот, ведут себя агрессивно, пытаются на вас напасть – и вы даете им мужественный отпор. Представьте, набить мускулистому наглецу рожу перед дрожащей девочкой и сразу же на эту девочку взгромоздиться... Все древнейшие инстинкты задействованы в одном комплексном опыте. У нас на такую конфигурацию очень большой спрос, особенно у тех, кто в реальной жизни не может по своим... Впрочем, неважно. Мы формируем индивидуальный тур под любые запросы. Даже помогаем понять, чего вы на самом деле хотите.

– Чего, опять психоаналитик?

– Не хотите, можно и без него. Просто заполните несколько анкет, потом обсудим с нашим координатором конкретное наполнение программы, подберем незнакомок и незнакомцев, которые случайно встретятся на лестнице – и вы переживете совершенно незабываемое уникальное приключение всей жизни...

– А-а-а-а, – протянул Федор Семенович. – Вот теперь, кажется, понял.

– Что вы поняли?

– Да разговор один пьяный у Рината. Что Баргашов веществ пережрал, и с ним бэд трип случился на какой-то длинной лестнице. Бегал, говорят, в наручниках, голый и со вставшим хуем – двадцать этажей вниз, двадцать вверх, и так всю ночь. Вообще остановить не могли, пока тазером не повалили. Это про это твое «FUJI-Ё», да?

Лицо Дамиана мгновенно стало каменным и непроницаемым.

– Федор Семенович, я никак не могу комментировать ситуацию с другими клиентами. Вы же знаете.

Федор Семенович некоторое время думал, а потом отрицательно покачал головой.

– Нет, – сказал он. – Не надо мне публичного дома с мордобоем. Я, может, не ангел, но все-таки и не такая свинья. Чтобы по лестнице бегать в наручниках и с этим самым. Я вообще устал от свинства и блядства, Дамиан. Мне его и в жизни хватает – а ты хочешь, чтобы я в свободное время в него вкладывался.

Дамиан чуть покраснел и уже открыл было рот, но Федор Семенович остановил его жестом.

– Нет, я понимаю, что другим это может быть интересно. Но у тебя уклон какой-то... Извини, подростковый. Для тех, кто до сих пор от недоеба страдает. А я про пизду давно уже все знаю. Все вообще, что можно.

– Вы в этом уверены? – улыбнулся Дамиан. – Ой, не зарекайтесь.

– Уверен, Дамиан. Ты мне сейчас пытаешься впарить обычный платный секс в другой упаковке, и все. А если эти упаковки снять, что останется? Вот это...

И Федор Семенович сделал непристойный жест двумя руками.

– Я немного не так вижу свою роль, – ответил Дамиан. – Даже совсем не так. Я организую комплексный культурно-эстетический опыт, где секс является только одним из множества элементов.

– А если этот элемент убрать? Кто тогда на твою фуджи-еблю подпишется? Дураком меня не считай, пожалуйста.

– Я ни в коем случае и не...

– И про тантрический секс тоже втирать не надо. Я пробовал. Может, в Тибете он тантрический, а у нас все равно получается самый обычный половой. У меня для этих целей вон бассейн есть с русалками. И по этой части мне от тебя ничего не нужно, я сразу говорю. Вообще ничего.

– А чего бы вам тогда хотелось? – спросил Дамиан.

– Ты мне что-нибудь духоподъемное предложи.

– Духоподъемное? В каком смысле?

– Чтобы программа была не для того, что ниже пояса, а для того, что выше. Для души.

– Вы думаете, душа выше пояса?

– Надо полагать, – поднял брови Федор Семенович. – В фигуральном смысле, во всяком случае. А у тебя что, другие сведения?

– Много противоречивой информации.

– Например?

– Для начала, душа не имеет четкого телесного адреса, – ответил Дамиан. – Потому что она по определению именно то, что не является телом. Можно говорить только об условной точке, где она к телу привязана. Вот вы «Петра Первого» читали в школе?

– Читал.

– Помните, когда Лефорт умирает, доктор царю докладывает – мол, сухие жилы, которыми по нашей науке душа прикреплена к телу, переполнены у больного мокротами и следует ожидать полного отделения первой от последнего...

– Да, – оживился Федор Семенович, – помню. Я еще развеселился, когда читал.

– На самом деле, – продолжал Дамиан, – эти «сухие жилы» – скорее всего, выдумка писателя. Рене Декарт – и, соответственно, европейская традиция, к которой принадлежал лекарь Лефорта – считал в то время, что душа прикреплена к телу через шишковидную железу. Это такая горошина в центре мозга. Восточные традиции, наоборот, привязывают точку сцепления к чакре муладхаре, откуда дух поднимается по позвоночнику в качестве силы кундалини. Эта чакра ниже пояса – она в копчике. А японцы помещают место связи духовного с материальным точно в центр тяжести человеческого тела, середину живота. То есть не выше пояса и не ниже, а прямо на нем. Такая геометрия снимает, так сказать, всякое противоречие между верхом и низом.

– Не слышал, – сказал Федор Семенович.

– Слышали, слышали. Это та самая точка «хара», которую взрезают во время харакири.

– Ну ладно, – сказал Федор Семенович, – ты парень подкованный, вижу. Но мне не особо важно, где душа крепится к телу. Мне важно, чтобы я в этой душе что-то такое пережил. Что-то высокое и окрыляющее. Светлое. Вот такое, из-за чего люди симфонии сочиняют, в затвор уходят, и так далее. Что-то новое понял про жизнь и про себя... Чтобы опыт этот не в говно опускал, а поднимал к небу. Преобразовывал. В хорошем позитивном смысле. Такое у тебя есть в программе? Чего улыбаешься?

– Знаете, такой анекдот был. Если хочется большого и чистого, пойдите в зоопарк и попроситесь вымыть слона.

Федор Семенович засмеялся.

– А еще говорите, не было катарсиса, – продолжал Дамиан. – Вот он, катарсис. Когда все трещины в подсознании закрыты и психика оздоровлена, вот тогда и тянет слонов мыть. Возникает повышенный интерес к духовным вопросам. Так что не зря вы на «Помпейский поцелуй» подписывались. Уже сейчас видно.

– Да? То есть все благодаря тебе? Мозги ты промывать умеешь, Дамиан.

Дамиан сделал такое лицо, словно услышал комплимент.

– Ну так что? – повторил Федор Семенович. – Есть у тебя что-то необычное? Волшебное? Не поебаться в наручниках, не слона вымыть, а такое, про что я даже не подозреваю вообще. Ошеломляющее. Небывалое. Только без наркоты. Без таблеток, без уколов. Настоящее. Сильное. Светлое.

– Между прочим, – сказал Дамиан, – вы сейчас призываете меня пойти против всего морального опыта человечества.

– Почему?

– То, что вы описываете, называется, если совсем коротко, духовной радостью. Это высшее человеческое счастье. Принято считать, что такие вещи не продаются и не покупаются – это божья награда праведникам. А вы хотите это счастье купить.

– Правильно, – ответил Федор Семенович. – Хочу. Потому что все, кроме такого счастья, у меня есть. Вопрос в том, можешь ли ты мне его продать?

– Будете смеяться, могу, – улыбнулся Дамиан. – Но дорого. Во втором таере счастья нет. Есть в третьем.

– Сколько?

Дамиан вынул телефон, что-то набрал на нем и показал экран Федору Семеновичу.

– Ого, – присвистнул тот. – И что, есть клиенты?

– Там три клиентские ниши. Две уже заняты.

– За такие деньги, Дамиан, в рай можно уехать. На постоянное жительство.

– Это нечто похожее, Федор Семенович.

– Ну-ка, расскажи.

– Цена вас не смущает?

– Я тебе объясню, – внезапно разозлился Федор Семенович, – смущает она меня или нет, когда пойму, что это такое. Ты кончай эти свои, блять, коммуникативно-торговые трюки. А то я напомнить могу, кто ты и кто я.

Дамиан чуточку побледнел.

– Я расскажу, конечно. Но надо сначала очень четко договориться о терминах. Давайте вместе определим – что такое счастье?

– Ну не знаю, как его определить, – ответил Федор Семенович. – Я не философ. Но обещаю тебе, что узнаю сразу. Не ошибусь и не спутаю.

– Да, – сказал Дамиан, – согласен. Счастье ни с чем не спутаешь. Но оно бывает сильным, слабым, мимолетным, нечаянным и так далее. А бывает высшим. Вы какое хотите?

– Высшее, конечно. Самое сильное и глубокое счастье, какое только может быть.

– Я так и подумал. Но ведь здесь должен быть какой-то объективный критерий, верно? Чтобы мы ясно понимали, о чем говорим. А то, с одной стороны, вы хотите высшее, а с другой – самое глубокое. Уже на вербальном уровне противоречие.

– Критерий нужен, – согласился Федор Семенович. – Но как ты его введешь?

– Единственный способ – научный. Вы немного представляете себе нейрологический механизм этого самого счастья?

– Смутно, – сказал Федор Семенович и повертел рукой в воздухе. – Наверно, что-то такое в клетках головного мозга.

– Верно, – отозвался Дамиан. – Совершенно верно. Как и все остальные наши переживания, это особый электрохимический процесс, сопровождающийся выделением нейротрансмиттеров и возникновением нейронных цепей. То есть, если перевести на бытовой язык, счастье – это когда мозг дает сам себе немного сладкой морковки. Потому что все на самом деле происходит в нем.

– Если так рассуждать, все хорошее, что с нами бывает – это когда мозг дает себе сладкой моркови.

– Так и есть, – сказал Дамиан. – К этому сводится все бесконечное разнообразие человеческих радостей. Мозг впрыскивает себе немного сиропа – вернее, коктейль из сиропов, их у него несколько видов – и делает нас счастливыми. Проблема, однако, в том, что мозг выделяет сироп не по нашему желанию, а в строгом соответствии со своими внутренними правилами. Я имею в виду биологические, социальные и прочие программы... Чтобы крантик открылся, должно произойти что-то предусмотренное сценарием. Любовь. Успех. Признание. Избавление от угрозы – и так далее.

– Ну понятно, – кивнул Федор Семенович. – Человек – социальное животное.

– Сегодня можно формулировать точнее. Человек – это программируемое животное. Но эти программы, увы, пишем не мы сами. Их сочиняют природа и общество, и вовсе не для нашего с вами удовольствия, как вы, наверно, замечали...

– Замечал, – сказал Федор Семенович. – Ты давай к сути.

– Уже. Представьте себе, что существует программа, разрешающая мозгу хомячить сладкую морковку просто так. Даже не разрешающая – предписывающая. В максимальных объемах, которые он способен переварить. Без всякой фармакологии и вреда для здоровья.

Разве это не будет субъективно переживаться как сбыча всех мечт и величайшее счастье?

– Наверно, будет, – ответил Федор Семенович.

– Можем мы это взять за критерий?

– Взять-то можем. Вот только программ таких, наверное, нет.

– Почему вы так думаете?

– А зачем тогда нужны другие? Человек грыз бы морковку целыми днями, и все. И ничего больше не хотел бы.

Дамиан засмеялся.

– Очень точное замечание. Тем не менее такие программы существуют. Вернее, существовали. Мало того, они были весьма распространены и полностью социально одобрены. Во всяком случае, тем обществом, которое имело о них представление.

– Тогда про них знали бы все.

– А все и знали. Правда, давным-давно. Две с половиной тысячи лет назад.

– Ты о чем?

Дамиан встал из своего кресла и прошелся взад-вперед по спальне.

– Федор Семенович, – сказал он, – вы слышали когда-нибудь о Палийском каноне?

ЧАСТЬ II. ДЖАНЫ

2.1. ИНДИЙСКАЯ ТЕТРАДЬ. ДЖАНЫ

Танек, смешная моя девчонка.

Это не отчет о случившемся, как ты могла бы решить, если бы прочла когда-нибудь эти строки (что исключено), а размазанная по бумаге лечебная процедура. «Скриботерапия», как ее называют. Как бы работа с виртуальным психоаналитиком для тех, у кого аллергия на психоаналитиков живых – а у меня именно она.

Доктор сказал, что я должен мысленно выбрать какого-нибудь человека, перед которым мне не стыдно будет полностью разоблачиться – и, обращаясь к нему, рассказать о случившемся максимально подробно, не скрывая ничего вообще.

С человеком, даже воображаемым, контакт получается не у всех пациентов, поэтому в качестве адресата можно выбрать любимое домашнее животное – кошку, собаку, лошадь. Они часто вызывают у людей более теплые чувства, да и стесняются их меньше. Но я решил написать тебе, хоть на самом деле мог бы адресовать эти строки стене или тумбочке.

Только не подумай, что я сравниваю тебя с тумбочкой. Просто ответа от тебя не будет – прочтет это послание разве что сам доктор. Оно вообще не для того, чтобы кто-то его читал. Но поскольку я мысленно распахиваюсь не перед доктором, а перед тобой, мне немного теплее и легче; я, веришь ли, чувствую в груди эдакую щекочущую нежность. Увы, даже она не способна мне помочь. Но об этом позже.

Над столом, где я сижу, должна висеть твоя фотография – так положено при скриботерапии. У меня их целых две, маленькая и большая. Маленькую – где ты в желтом полотенце – прислал Дамиан. Они вели контрольную съемку с дрона на тот случай, если бы ты решила обвинить меня в изнасиловании. Фотография сделана еще до момента нашей коммуникации, поэтому ты улыбаешься, и вид у тебя счастливый и взволнованный. В профиль ты всегда получаешься здорово.

Рядом большая фотография. Я повесил ее позже – почему-то вдруг захотелось. Помнишь, перед десятым классом нас всех сняли у школы? Ты тогда вернулась с юга, и весь класс просто обалдел от твоей красоты. Твое лицо на большой фотографии – с этого снимка. Оно так увеличено, что похоже на расплывчатый пастельный рисунок, или вообще на что-то мультяшное. Только улыбка и солнце в глазах. Но я сразу вспоминаю, какая ты была в ту осень.

Ты и сейчас для меня такая.

Мне очень приятно было увидеть тебя опять возле этой чертовой бани. Ты выглядишь хорошо, но зря выщипываешь брови. И еще, будь я на твоем месте, я скинул бы килограммов пятнадцать. Но мне понятно, конечно, что у трудящегося человека в наше время не всегда есть такая возможность.

Я нахожусь в индийском штате Керала и прохожу реабилитацию после случившегося со мной несчастья. Реабилитация пока помогает не слишком.

Я не знал раньше, что человек может испытывать подобную муку и отчаяние. Доктор говорит, что я не должен терять надежду – но ничего не обещает. Он даже не понимает, что именно со мной произошло. И я не особо уверен, что смогу объяснить это тебе, хоть собираюсь рассказать все-все, не оставив на себе и фигового листка.

Ты догадываешься, наверное, что богатые люди не всегда счастливы, потому что у них много страхов и забот. Простые человеческие радости им давно надоели; чтобы испытать даже не «счастье» – какое уж там – а обычное удовлетворение от жизни, приходится идти на ухищрения разной сложности и дороговизны.

В мире есть немало людей, помогающих нам тратить деньги в борьбе с депрессией и скукой. Вот они-то и протянули мне яблоко соблазна в моем фальшивом раю.

Но сначала о том, что произошло в тот солнечный осенний день.

Помнишь Дамиана? Он договаривался с тобой о нашей встрече. Ушлый парень – у его стартапа есть несколько серьезных клиентов из списка «Форбс», готовых платить за разные интересные переживания, и он все время старается чем-то удивить.

То неприятное событие, свидетелем и участницей которого ты стала (поверь, мне стыдно даже вспоминать об этом), тоже его рук дело. То, что ты видела, называется «Помпейский поцелуй». Образно говоря, эксгумация несбывшейся мечты. Дамиан сказал, что все тебе объяснил.

Я понимаю, конечно, что ты обо мне подумала. Но у меня на самом деле никогда таких желаний не было. Вот клянусь покойной мамой.

Я объясню, как все получилось. Дамиан сказал, что мы не можем сами знать свои желания до конца и подходить к вопросу надо научно. В общем, он привел с собой австрийского психотерапевта. Долго его расхваливал – мол, последний подлинный продолжатель и ученик доктора Фрейда, держатель линии и все такое.

По виду это был чистый блондин-эсесовец, мог бы сниматься в Голливуде. Лицо надменное, высшая раса, шрам на щеке, как от буршеской дуэли. Я даже напрягся. Но по-русски говорит очень чисто, сказал, что много наших клиентов.

Этот блондин-эсесовец, значит, уложил меня на кушетку – и давай допрашивать. Особенно про детство и юность. Причем так хитро задавал вопросы, что я постоянно говорил совсем не то, что хотел. Даже такое выдавал, о чем вообще никогда не думал. Хорошо хоть, это не был следователь по хозяйственным преступлениям, а то бы я наговорил на червонец за первый же сеанс.

На тебя мы вышли быстро – я ведь за тобой всю школу бегал. Блондин спросил:

– Какой был самый памятный момент в ваших отношениях?

Я задумался – и чего-то вдруг вспомнил тот вечер у баньки. Когда ты мимо в одном полотенце прошла. Ну, говорю, так и так. Было дело на картошке.

Он начал переспрашивать – а почему не на огурце? Почему не на морковке? Пришлось ему объяснять, что такое была наша картошка. Кое-как объяснил. Он тогда спросил:

– А можете точно описать, что вы в тот момент почувствовали? Когда стояли у баньки? Говорите первое, что в голову приходит.

Ну я и ответил:

– Прямо захотелось взорваться как бомба. Все на себе распахнуть, сорвать... И с нее тоже. Ну и...

– Так-так, – говорит, – все с себя сорвать. А что именно на вас было?

– Да халатик слесарный, – отвечаю. – Помню, я еще за лацканы держался. Словно на месте себя удерживал.

– Ага, – говорит. – Ага. А вам именно сорвать хотелось? Или достаточно было просто распахнуть? Вспомните, это важно.

– Ну, наверно, сначала распахнуть... Как же сорвешь-то, если перед этим не распахнул.

Ну и минут за десять такого вот разговора мы и приехали сама видела куда. Главное, все слова я вроде бы произнес сам. Хотя подобных чувств за собой никогда и не помнил... Дальше ты видела. Хорошо хоть, Дамиан передал тебе двадцать тысяч. Не так стыдно.

В общем, объяснил я Дамиану, что думаю про его «Помпейский поцелуй». Хотел даже морду набить. Но он выкрутился. Сказал, что это только начало. Подготовка и разминка. А главное, ради чего все затевалось, впереди. Третий таер, все дела. Самая его лучшая, современная, высокодуховная и возвышенная технология.

Тут столько всего надо рассказывать – даже не знаю, с какого конца начать. Начну с того, что лучше помню.

Ты, наверно, слышала, что две с половиной тысячи лет назад на земле жил великий просветленный мудрец Будда.

Будда и его ученики практиковали особые состояния высокой концентрации, так называемые «джаны» – или, как их еще называют, медитативные абсорбции. Джана возникает, когда спокойный и бесстрастный ум целиком и полностью сосредотачивается на чем-то одном и перестает реагировать на все остальное. Объект сосредоточения может быть любым – дыхание, висящий на стене диск из цветного картона, чувство удовольствия, даже сосредоточенность сама по себе.

Это не просто древняя легенда. Такие состояния сознания известны и сегодня, но не многим людям – в основном монахам, прошедшим долгую многолетнюю школу. А во времена Будды джаны – или, как их называл сам Будда, «правильная концентрация» – были основным методом созерцательной тренировки.

Дамиан даже выдал мне специальную брошюрку своего стартапа, которую я, правда, не стал в то время читать. Потом пришлось – и не только эту брошюрку.

Поэтому не удивляйся, что у меня такие познания в вопросе. Я, конечно, не буддолог. Но моя покойная мама тоже не была доктором, а про радикулит знала очень много. Вот и здесь тот же случай. Впрочем, не буду забегать вперед.

Про джаны много говорится в ранней буддийской литературе – палийских сутрах, комментариях и так далее. Это был своего рода фундамент для всех остальных медитативных достижений и практик. Всего этих абсорбций восемь – четыре называются «материальными», еще четыре – «нематериальными». Джаны различаются между собой, если провести сомнительную аналогию со спиртным, степенью очистки – и как бы поочередно возникают одна из другой.

Дамиан сказал, что эти медитативные состояния и были самым высоким доступным человеку наслаждением и счастьем. Настолько высоким, что рядом с ними все известные чувственные аттракционы казались омерзительно-грубыми и никчемными – и современники Будды оставляли мирские радости без всяких сожалений.

У многих практиковавших джаны последователей Будды возникал вопрос, не кончится ли это очередной привязанностью. Но Будда отвечал так: ребята, не бойтесь, все будет ништяк – или уйдете в ниббану, или родитесь в таком месте, что горевать не будете точно.

Теперь представь, как жили монахи во времена Будды. С утра они собирали еду, гуляя по округе со специальной большой миской. Поесть надо было до полудня, потом по правилам было уже нельзя. А дальше...

Все они с детства привыкли сидеть на земле скрестив ноги, так что многочасовая медитация их не обременяла. Будда обычно говорил так: «Идите, монахи, под древесную сень, идите в пустые хижины – и тренируйтесь усердно, истинно, в ясной памяти».

И вот в этих самых джанах ученики Будды и проводили свои дни.

Проблема с джанами, однако, в том, что они труднодостижимы даже для монахов, у которых и дел-то других нет, кроме как сидеть в лотосе по десять часов в день. Для абсорбций нужно иметь очень чистую совесть и очень спокойный ум. И если древние индусы при живом Будде кое-как еще справлялись, то потом джаны перестали быть главной буддийской практикой. Вместо них монахи начали делать поклоны и распевать священные мантры.

Я все разговоры на своей яхте пишу, так что дальше шпарю прямо по расшифровке, а то сам уже не вспомню.

В общем, послушал я Дамиана и сказал:

– Ну хорошо, а мне-то что? Какое мне дело до этих ниббан, джан и так далее? Ты вот говоришь, что эти абсорбции приятные. Но даже профессиональному монаху достичь их трудно. А я в лотос только раз в жизни сел, на спор на втором курсе. И правая нога у меня потом две недели болела. «Очень чистая совесть, очень спокойный ум». Я тебе честно скажу, это не про меня. Я же не чекист. Ты чего хочешь, чтобы я по восемь часов в день медитировал ради какого-то древнего кайфа? Да я лучше кокаина занюхаю и «Кристаллом» залакирую.

А Дамиан улыбнулся так сладко и загадочно – ты его видела, помнишь – и сказал:

– Зачем по восемь часов в день? Сейчас, Федор Семенович, наука развивается с такой скоростью, что становятся возможными настоящие чудеса. Вы можете пережить буддийскую джану без всякой очистки ума и совести.

– Это как?

– Вы знаете, что такое сканирование мозга?

– Смутно, – признался я.

– Видели в кино мозговые сканеры? Такие электроды на голове, которые ловят излучение мозга и передают на компьютер или в другую голову. В каждом втором сериале сейчас.

– Видел, конечно, – ответил я. – Резиновая шапочка, а на ней провода и присоски. И огоньки, огоньки. Все время думаешь – зачем им на голове столько лампочек?

– Именно, – улыбнулся Дамиан. – А у плохих ребят глаза красным горят, чтобы зрителя сориентировать. Но это не фантастика, Федор Семенович. Такие сканеры есть на самом деле, разве что без лампочек. Их вовсю продают. Можно хоть сейчас купить в интернете...

И стал листать фотки на своем телефоне.

Сначала показал черный обруч с щупальцами как у спрута. На щупальцах – металлические шайбы, которые ловят мозговые волны. Таким интерфейсом можно прямо с головы управлять компьютерной игрой или дроном. Стоит в районе трехсот баксов. На рынке аж с десятого года.

Затем показал тренажеры для медитации с «Амазона». По виду что-то вроде оправы для очков со встроенным слуховым аппаратом. Когда мозг становится слишком активным, такой гаджет ловит электромагнитные поля и выдает звуковой сигнал – мол, расслабься, чувак, думать о работе будешь потом, сейчас ты медитируешь...

Самая запомнившаяся мне фотка была такая – человек в маске черепа, а на голове ацтекская корона из длинных белых прищепок. Я бы решил, что это какой-то contemporary art. А Дамиан сказал, что это магнитный томограф с квантовыми сенсорами. Раньше такие весили две тонны, а сейчас их монтируют на велосипедном шлеме.

Ну и так далее. В принципе ничего сверхъестественного я не узнал – слышал краем уха про подобное и раньше, просто не был в курсе, что все уже переехало на бытовой уровень. Прогресс, мать его.

– Не загружай меня лишней информацией, – сказал я. – То, что ты умный, я знаю. Давай дайджест.

– Вы когда-нибудь слышали про такой прибор – эмо-пантограф?

– Нет, – ответил я, – не слышал.

– Ничего удивительного. Был такой стартап в Силиконовой долине, наш парень замутил. Технологию сразу засекретили, но денег ему толком не дали. А он тогда назад вернулся и наработку эту по-тихому второй раз продал. Девайс, надо сказать, не такой уж и революционный. Но вещи делает удивительные.

– Какие?

– Вы знаете, что такое пантограф просто?

Я вспомнил, что была такая игрушка.

– Ну да, припоминаю. Устройство для копирования. Штанга с шарнирами, на ней крепятся два карандаша. Одним карандашом обводишь какую-нибудь фигуру, а второй карандаш рисует такую же на другом листе бумаги.

Дамиан взъерошил волосы – он так часто делает, когда волнуется – и продолжил:

– Эмо-пантограф – это то же самое. Считайте, очень навороченный медитационный тренажер с «Амазона». Вернее, два таких тренажера на одной штанге. Работает по тому же принципу, как все мозговые сканеры, только не с корой мозга, а с лимбической системой – зоной по краям таламуса. Если человек переживает эмоцию, это дает сложный всплеск электромагнитных полей. Их можно уловить и составить цифровую карту возбуждения лимбических зон. А потом – передать информацию на специальный шлем и навести в нем через усилитель особое низкочастотное излучение...

– Еще короче и самую суть, – попросил я.

– В общем, там сложный механизм интерференции с мозговыми волнами, как в бильярде, когда удар передается через несколько шаров. Так мне объясняли, во всяком случае. В конечном счете можно подействовать на другую лимбическую систему и вызвать в ней те же процессы.

– Ты хочешь сказать, так действительно мысли читать можно?

– И да и нет, – сказал Дамиан. – Если очень напрячься, то да. Опыты уже делали. Пересылали мысли из мозга в мозг по интернету. Отдельные слова. Из Франции в Индию, кажется. Но в практическом смысле это скорее развлекательные аттракционы, чем функциональные системы.

– А в чем проблема?

– Ловить сигналы мозга сквозь скальп трудно. Есть поля от нейронов, есть – от мышц головы, есть излучение вашего смартфона, кондиционера и так далее. Все вместе складывается в одно общее электромагнитное поле, которому может соответствовать бесконечное число внутренних состояний мозга. Информацию о них точно не восстановить. Зато с эмоциями ситуация другая.

– Почему?

– Я сам не специалист. Мне на примере объясняли. Вот представьте большой газон. У каждой травинки свой наклон. У нас есть сканер, способный измерить средний угол. Думающий мозг – это когда все травинки торчат в разные стороны. По среднему углу мы ничего не поймем. А эмоции – такая система, где у всех травинок наклон одинаковый. Этот угол можно замерить очень точно даже несовершенными методами...

Я сделал усталое лицо.

– В общем, – заторопился Дамиан, – то, что не канает с корой, канает с лимбической системой. Главное ноу-хау — в конструкции электрода, который будет работать по зоне таламуса. Вернее, не по самой зоне, а через интерферен... Неважно, извините. Ну и, конечно, софт – фильтровать и генерировать сигналы. Все это уже есть. Устройство на сто процентов функционально. Технология неинвазивная – в мозг ничего вживлять не надо.

– А почему тогда этот стартап в Силиконовой долине не профинансировали? – спросил я.

– Да вот именно поэтому. Военным ведь что нужно? Пленных допрашивать или экзоскелетом управлять. На такие работы они тратят миллионы. А эмоциональное состояние для них просто помеха. Хотя это тоже своего рода информация, но очень простая, даже примитивная, и продать ее нельзя... То есть они думали, что нельзя. А я...

– А ты думаешь, что можно.

– Уже не думаю, – сказал Дамиан. – Знаю. Буддийскую джану можно передать с помощью эмо-пантографа. Ее могут пережить люди, не имеющие никакого медитативного опыта вообще. Мы пробовали на совсем темных... То есть, простите, девственных персонажах. Все великолепно работает.

– Сам пробовал?

Дамиан кивнул – и даже чуть покраснел.

– Мало того, – сказал он, – отчетливо транслируется не просто некое приятное переживание, а все четыре материальные джаны по отдельности. В нюансах и четко. Единственная разница – сперва не такое глубокое погружение, потому что у нетренированного человека сохраняются хаотические колебания ума. Подавить их полностью эмо-пантограф не может. Во всяком случае, при первых нескольких опытах. Но потом даже эти колебания затихают. Их гасит сама джана.

– Понятная схема, – сказал я. – Хорошо придумал. Ну и как это? На что похоже? Расскажи.

– А вот этого не могу.

– Почему? Сам себе подписку дал?

– Да нет, Федор Семенович. Не подписку. Вот знаете, такой анекдот был про чукчу, который из Москвы вернулся. Его спрашивают – ты что там ел самое вкусное? Он говорит, я фрукт апельсин ел. Очень сладкий. Его спрашивают – как сладкий? Как морошка сладкий? Он подумал и отвечает – нет, не как морошка. Как ебаться.

Я засмеялся.

– А смешного, – сказал Дамиан, – на самом деле мало. Чукче сравнить не с чем, и мы думаем, что он дурак. Но по отношению к глубоким джанам мы все такие чукчи. Я тоже только это и могу сказать – как ебаться сладко. И даже намного-намного слаще. А хотите узнать, так попробуйте. Скажу вам только одно – ничего лучше за свои деньги вы точно не купите.

– Подожди-подожди, – сказал я. – Но ведь пантографу нужен, как это сказать, исходный рисунок. Разве нет?

– Нужен.

– И где же мы его брать будем?

– А мы трех монахов из Бирмы выписали. Из самой аутентичной древней традиции. Им на ремонт монастыря заработать, а нам... Ну, сами понимаете. Я говорил, что у нас три ниши. Два монаха уже заняты, а третий простаивает. Он теперь ваш.

Вот так, Танек, я и принял самое опрометчивое решение в своей жизни.

*

Эмо-пантограф оказался довольно громоздким устройством – под него на яхте пришлось отвести специальную техническую комнату.

Главным элементом был компьютерный блок, в котором и было сконцентрировано все ноу-хау. Мне запомнился большой пульт вроде диджейского – много-много одинаковых ползунков. Еще в комплект входило несколько тяжелых ящиков, соединенных проводами: кнопки с цифрами, переключатели – как будто что-то медицинское или военное. И три больших монитора, смонтированных на одной раме. Над правым надпись «source»[1], над левым «target»[2], а над центральным «match»[3].

Все это еле поместилось в комнате. Обслуживали установку два вежливых техника – сперва они ходили в синих халатах (извини), но через пару дней переоделись в вольное и пляжное.

Когда я пришел посмотреть на железо, Дамиан попросил техников показать, как выглядит настройка.

На правом и левом мониторах появились разрезы двух черепов с разноцветными пятнами внутри. На центральном возникли эти же два черепа, наложенные друг на друга, но их контуры не совпадали. Техник стал двигать ползунки на своем музыкальном блоке, пока из двух черепов не получился один – и, когда все цветные пятна и линии внутри слились, внизу появилась надпись: «match 96%».

---

[1] «Источник».

[2] «Цель».

[3] «Совпадение».

– Это уже хорошая корреляция, – сказал Дамиан. – Иногда доходим до девяносто девяти. Сначала многое зависит и от клиента. Насколько он способен перестать париться о своих проблемах. Но с какого-то момента перестают париться все, потому что выясняется много нового.

– Говоришь загадками, Дамиан, – сказал я. – Будишь любопытство каждым предложением. Молодец. Тебя любой отдел продаж с руками оторвет. А что на голову надевают?

– А вот.

Дамиан открыл пенопластовую коробку и показал два черных шлема из легкого углепластика. На затылке и ушах у них были такие алюминиевые блюдца гармошкой. Немного похожие на половинки раковины-жемчужницы. Если бы я увидел такую штуку на столе, подумал бы, что это пепельница.

– Вайфай? – спросил я. – Блютус?

Дамиан улыбнулся.

– Приятно поговорить с интеллигентным человеком. Нет, Федор Семенович, провода. И довольно толстые, потому что экранировка. Я думаю, мы их в мультимедийную комнату протянем. Там диваны, кресла, ковры на полу. Удобно сидеть.

– Оба шлема туда? – спросил я.

– Оба.

– То есть я рядом с монахом должен сидеть во время сеанса?

– По опыту, – ответил Дамиан, – лучше, когда target находится физически близко к source. Хотя бы три-четыре метра. Почему – не до конца понятно, может, какие-то еще факторы действуют... Все-таки тут не одно электричество. Это мистический опыт. Не волнуйтесь, монах тихий. Вы его не заметите даже.

– Говоришь, их трое?

– Да.

– А кто два других клиента?

Дамиан прижал руки к груди.

– Федор Семенович, про других клиентов не могу говорить. Вот как про наши с вами отношения никому ни слова не скажу, так и про других – ни слова даже вам. Зато могу монахов показать. Всех троих.

Он вынул телефон и показал мне трех бритых мужиков в желто-коричневых рясах. Один был пухлый и веселый. Другой тоже пухлый, но с неприятным выражением на отечном лице – я подумал, что он похож на утопленника. Вот этого второго я точно не хотел. Третий был худым, неопределенного возраста. У него было странно спокойное лицо без мимических морщин – такое, что от одного взгляда на него становилось покойнее и легче.

– Вот этот мне нравится, – сказал я.

– Саядо Ан, – кивнул Дамиан. – Это как раз ваш и есть.

На следующий день вертолет привез мне на лодку этого саядо Ана вместе с бирманцем-переводчиком. «Саядо» – это у них что-то вроде титула. Как я понял, так называют всех монахов. Ан – это было имя.

Как только монах вылез из вертолета, Дамиан бухнулся на колени и три раза коснулся головой пола.

Поскольку он ни о чем меня не предупреждал, я решил, что мне это делать не обязательно, и поклонился в пояс, широко отмахнув рукой в духе народных сказок. Мол, исполать тебе, басурман, от щедрой земли русской. Монах сложил руки на груди – маленькие такие коричневые ладошки, как у ребенка – улыбнулся и поклонился в ответ.

Из вещей у него с собой были большой металлический чугунок вроде тех, какие в деревне ставят в печь, зонт типа пляжного и узел с запасной рясой.

– Зачем ему чугунок? – спросил я.

– Это чаша для подаяний. Порядок такой. У них строгая дисциплина, завещанная самим Буддой.

Монах мне понравился. Он был очень спокойный. Жаль только, не говорил ни по-русски, ни по-английски.

Я пригласил его пообедать, но он сказал через переводчика, что уже принимал сегодня пищу и хотел бы отдохнуть. Мы назначили опыт на завтра в пятнадцать ноль-ноль и разошлись.

Дамиан велел не есть и не пить после часа дня и сходить перед сеансом в туалет.

– А мы, – сказал он, – пока систему настроим.

– Хорошо, – ответил я, – встретимся в одиннадцать за завтраком.

– Лучше в десять. Саядо Ан должен поесть до полудня, потом ему нельзя будет. Пусть не торопится.

На завтрак я велел организовать шведский стол, чтобы монах сам выбрал, что ему есть. Велел положить всяких травок, кореньев, фруктов. Утром я даже оделся поприличней – кто его знает, какой у них в Бирме этикет.

В десять монаха еще не было, и мы с Дамианом начали есть. Дамиан, видимо, понимал, что я глуповато чувствую себя в белом смокинге, и развлекал меня разговором.

– Сейчас многие богатые люди ищут духовных постижений, тренд такой. Но вряд ли кто-нибудь что-то такое реально найдет без эмо-пантографа. Шанс только у вас.

– А кто еще ищет-то? – спросил я.

– Да вон хотя бы Герман Греф. Выписал к себе индийского гуру на собрание менеджеров. Не слышали?

– Нет, – сказал я, – не слышал.

– Да как же не слышали. Это такой перец из «Сбербанка». Он даже мне на телефон эсэмэски присылает – мол, только для вас льготный кредит под восемнадцать процентов годовых по предъявлении паспорта.

– Да нет, Германа я знаю. Я про гуру не слышал.

– Вот правда, выписал. А гуру объяснил, что менеджер должен постоянно пребывать в моменте, потому что все бабло исключительно там. Слухи, во всяком случае, такие...

Я пожал плечами.

– Мог бы в Москве какого-нибудь учителя йоги за сто долларов найти, – продолжал Дамиан, – тот бы сказал то же самое слово в слово. Других слов за последние две тысячи лет все равно не придумали. Сэкономил бы народные деньги.

Я молча ел.

– Но им ведь в «Сбербанке» надо, чтобы штамп был из бутика «Гермес», – продолжал Дамиан. – Иначе не покатит. «Половой, и мне в гузку света невечернего на триста рублев...»

Я хотел уже с раздражением сказать ему, что не наше дело считать чужие средства, но в этот момент в столовую вошел Саядо Ан со своим переводчиком.

Я думал, что он сядет с нами за стол, но он вместо этого сложил ладошки перед грудью и сделал нам такое индийское приветствие. А потом вынул из перекидной сумки на груди свой чугунок и стал кидать в него еду со шведского стола. Как мне показалось, без особого разбора.

– Саядо Ан желает вам доброго утра, – сказал переводчик. – И благодарит за ваши щедрые дары.

После этого парочка удалилась. Некоторое время после их ухода я еще чувствовал ауру странной тишины, как бы окружавшей монаха – словно немного его покоя осталось в столовой. А потом мне сделалось обидно.

– Чего это он? – спросил я. – Что ему, поесть с нами за одним столом в падлу?

Дамиан засмеялся.

– Нет, что вы – почему сразу «в падлу». Просто у этих монахов столько всяких мелких правил, что лучше им ничего не навязывать. Им, например, нельзя спать на высоких кроватях – пришлось ему гимнастический коврик постелить. Мне самому непонятно. Ну, запреты насчет женщин, это ладно. Но кровати при чем?

– Посмотрим, – сказал я, – что он нам покажет... И кстати, Дамиан. Вот ты говоришь, любой учитель йоги повторил бы менеджерам «Сбербанка» те же самые слова. Может быть. Но разница все-таки есть.

– Какая?

– Гуру из Индии – святой. Настоящий. Его в «Роллс-Ройсе» возят. Цветы под ноги кидают, все дела. А учитель йоги, если его за сто долларов нанимают – это эрзац. Там только слова такие же, а то, что за ними стоит, внутреннее состояние, оно может быть совсем-совсем другое. Особенно если он на свои курсы йоги в метро ездит и все эти хари ежедневно видит.

– Правильно, – согласился Дамиан. – Может быть, у святого внутреннее состояние совсем особое. Не такое, как у учителя йоги. Но ведь Греф со своими менеджерами все равно услышит только слова, которые этот индус скажет. Это по-научному называется потерей информации при передаче сигнала.

– Какого сигнала?

– Внутреннее состояние святого описывается через слова. И они уже столько раз произносились, что их знает любой тренер по йоге. Слова – это и есть сигнал, передающий информацию. Но сами по себе они не вызовут в чужом сознании породившего их эффекта. Понимаете?

– Ты хочешь сказать, духовная информация всегда теряется? В смысле, когда она передается словами?

Дамиан немного подумал.

– Ну это зависит от того, как подойти. Мусульмане, например, верят, что у них есть совершенный божественный сигнал, которого полностью достаточно – Коран. Это часть их теологии. Но большинство мусульман все равно знает Коран только в переводе. А это уже совсем другое дело.

– Давай про это не будем, – сказал я. – Опасная тема.

– Не буду, – кивнул Дамиан. – Но в главном вы, пожалуй, правы. Насчет разницы между высокооплачиваемым святым и местным учителем йоги. Многие люди верят, что кроме слов действует что-то еще. Поле, духовная энергия, личное присутствие, не знаю. Именно поэтому на дорогих гуру такой спрос. А жулики всех мастей на этой вере паразитируют и выдают себя за святых.

– Что же, – спросил я, – везде одни жулики?

– Нет, почему. Не везде. Что-то за этим действительно стоит. Какой-то естественный механизм типа резонанса. Когда Будда свои проповеди читал, люди сотнями просветлялись. Про Иисуса можно сказать практически то же самое. Их слова более или менее нам известны – остались в сутрах и Евангелиях. Но просветляются от них в последнее время не так чтобы слишком часто. Вот для этого, Федор Семенович, эмопантограф и нужен.

*

Конечно, перед опытом я волновался. Даже боялся. Все-таки речь шла о возвышенных духовных состояниях, которым обучал сам Будда. А я знал про себя много такого, что не всякому адвокату расскажешь. Какая уж там святость.

С другой стороны, думал я, ведь именно за это я и плачу такие деньги. Чтобы занятому серьезными делами мирскому человеку показали этот самый невечерний свет. И сам мой интерес к вопросу показывает, что не такая я плоская душа...

Хотя, с другой стороны, почему я вообще в это дело вписался? А вот почему: Дамиан сказал, что эти джаны – самое возвышенное счастье на свете и ничего лучше точно не бывает.

Решил, значит, устроить себе сафари на Святаго Духа. Господь за такое... Хотя какой Господь, это же буддизм. Там ни Бога нет, ни черта... Или черт все-таки есть? Черт у них вроде есть, а Бога нет. Нормальную религию придумали индусы. Оптимистичненько...

В общем, в таких примерно мыслях я ждал саядо Ана и его переводчика.

Ровно в три часа они вошли в мультимедийную комнату. Саядо сложил у груди свои маленькие ладошки, поклонился и сразу принялся руководить процессом:

– Садитесь лучше не на диван, а вот в это кресло, у него спинка прямая. Хорошо, если будет прямая спина. Но главное, чтобы было удобно. Я сяду прямо на ковер, вот здесь. А кресло тогда вот тут. Вот так, хорошо...

Мы уселись. Я уже собирался надеть свой шлем, но саядо захотел сказать еще несколько слов. Когда я их услышал, мне показалось, что он каким-то образом уловил эхо моих мыслей.

– Ваш ум, – сказал он, – находится в состоянии постоянного нервного бурления нечистот...

Именно так и выразился, честное слово. Правда, может, не он сам, а переводчик. Про переводчика я дальше упоминать не буду – он при этих разговорах был рядом всегда.

– Для человека вашей профессии – то есть мирского владыки – такое вполне нормально и не является чем-то экстраординарным. Чтобы это не воспрепятствовало достижению джаны, постарайтесь как бы отпустить свои мысли на волю. Представьте, что ваш ум – это клетка с беспокойными птицами. А потом широко распахните дверцу. Не держитесь за конструкции, которые приходят вам в голову. Какими бы они ни были, для нашего опыта они не нужны.

– А как быть, – спросил я, – если это не я за них держусь, а они за меня?

– Попытайтесь тогда увидеть, за что именно они

держатся, когда держатся за вас. Это со временем может привести к инсайту в отсутствие реального «я».

Так, подумал я, лучше не перечить.

– Я постараюсь ни за что не держаться.

– Хорошо, – сказал саядо. – Тогда начнем. Дышите естественно и старайтесь не углубляться в раздумья, это самое главное. Остальное должно произойти само.

Шлем был довольно удобным. В нем была даже микровентиляция. Гагарин, подумал я. Поехали. Сперва эта мысль меня развеселила, а потом я вспомнил, что держаться за мысли не надо – и отругал себя за невнимательность.

Саядо опять, похоже, что-то уловил.

– Не беспокойтесь ни о чем, – сказал он. – Как бы это ни казалось сложно, простите себе все. В том числе и отвлечения. Во всяком случае, на время опыта. Итак...

Я закрыл глаза и прислушался к своим чувствам.

Ничего особенного я на самом деле не чувствовал. Чуть болел нос – наверно, от кокаина, хотя прошло уже трое суток. Все-таки возраст. Интересно, это приятнее кокаина или нет? А может, на меня вообще не подействует? Черт, опять мысли. Вот ты дурень невнимательный. Стоп, стоп, Федя... Тебе же велели все себе простить, ты не понял, что ли? Бля, ну ты реально мудак, если даже простить себя на время не можешь...

– Не волнуйтесь, – сказал саядо. – Все будет хорошо. У нас нет времени работать с вашим национальным культурным программированием, так что попробуем пойти напролом...

И тут началось.

Со мной вдруг случилось что-то странное. Мое внимание сосредоточилось на области вокруг ноздрей – и дышать сразу стало очень приятно.

Не то, чтобы это было слишком уж интенсивное «приятно». Наоборот, сперва оно было скорее слабым, еле-еле заметным. Но в нем присутствовало что-то такое... Многообещающее, что ли. В общем, отвлекаться от него не хотелось совсем.

Как будто с каждым вдохом я ощущал еле заметный аромат не то благовоний, не то цветов – и вспоминал что-то удивительное, древнее... Хотя запаха никакого не было. И конкретных воспоминаний тоже. Впрочем, что я ни скажи, все будет мимо.

Было трудно понять, где именно мне приятно. Точно не в носу, а то бы я чихнул. В груди? Да вроде нет. В теле? Вот тоже не факт, хотя удовольствие было вполне физическим. Скорее, приятно было там, куда было направлено внимание. А внимание было направлено туда, где было приятно, хотя следило и за дыханием тоже. И точнее не скажешь.

Я сказал, что это чувство было «многообещающим». Постараюсь объяснить. Эта приятность была не столько сладка сама по себе, сколько содержала обещание чего-то невыразимо блаженного – такого, что от одного его предвкушения волны сладкой дрожи начинали ходить по телу. И с каждым вдохом чувство это становилось все сильнее и сильнее.

Это было немножко похоже на кайф от очень чистого MDMA, но там подобное – венец и цель всего трипа, пик, который длится на самом деле совсем недолго (хотя зубами скрежетать по этому поводу можно несколько часов). А здесь эта рябь сладкой энергии, проходившая по душе и телу, была всего-то-навсего...

Вот как Елена Ваенга пела когда-то про тишину – «взятая за основу». Именно так – основа. Дно переживания, а не его потолок. Мы только начинали восхождение.

Чем приятнее становилось это чувство – или, вернее, этот поток множества невыразимо сладких проблесков и намеков – тем меньше интереса оставалось у меня ко все еще терзавшим меня мыслям.

И я заметил, что безо всякого усилия слежу уже не за многочисленными соображениями о том, какой я мудак и неумеха (мысли эти были, как я понял, подобием сохранившихся с детства магнитофонных записей, своего рода реликтовым излучением моей личной вселенной, до сих пор летящим сквозь пространство моего ума), а за набирающим силу и мощь потоком блаженства.

Я одновременно видел и мельчайшие нюансы своего дыхания, и все невидимые прежде мысли и мыслишки – вернее, их зародыши: теперь они просто не успевали вырасти из своего корня и распуститься, потому что сразу оказывались на виду и, словно бы догадавшись, что ловить в заполненной блаженством голове нечего, сваливали морочить других граждан.

Непонятно?

Попробую объяснить на примере из детства. Один раз, когда мне было лет пять, мы всей семьей отдыхали летом под Москвой в каком-то пансионате. Самого пансионата я вспомнить уже не могу, помню только, что рядом был военный аэродром. Из всего нашего отдыха я запомнил лишь одну сцену во дворе – когда случился жуткий, как мне тогда показалось, скандал между несколькими отдыхающими семьями. Кажется, не поделили веревки для белья.

Я тогда очень испугался, что моих папу и маму убьют, а потом убьют меня тоже, и заплакал... И тут, словно вырастая из моего писклявого воя, вдалеке раздался рев. Он становился сильнее и сильнее, так что взрослая склока вдруг стихла – а затем на секунду стало темно, и низко-низко над пансионатом пролетел огромный военный самолет. Все молчали несколько секунд, потом стали нервно смеяться, и скандал на этом кончился.

С блаженством и мыслями было то же самое.

Как будто растущее блаженство было авиационным гулом – и много-много разных мелких умов и умишек у меня внутри, вовлеченных в мой постоянный внутренний скандал, начали слышать этот растущий звук – и, забыв весь свой праведный гнев по поводу бельевых веревок, обернулись в его сторону из чистого любопытства... И вдруг оказалось, что гул блаженства слушают уже все мои умы и умишки, и в склоке больше участвовать некому.

Самое интересное, что в это время я совсем не думал, но очень быстро и точно *постигал* многие вещи. Я не хочу говорить «понимал», потому что это слово предполагает некоторое мысленное действие – а тут его не было вовсе.

Например, постигнуто было следующее: я все время говорю «я», будто кроме этих скандалящих у меня внутри умов во мне есть еще кто-то. Так вот, я постиг, кем был этот «я». Не одним из этих умов, и не другим, и не третьим, и не их совокупностью – а самим этим скандалом по поводу воображаемых бельевых веревок. Как будто все эти голоса по очереди орали: «Федя, Феденька, Федрила, Теодор, Теодорих...» – и так далее.

Утихомирить эту склоку обычным образом было невозможно, потому что участвующие в ней умы хорошо умели только одно – скандалить, и на любое предложение заткнуться отвечали новой склочной волной. А тут никто даже не предлагал им заткнуться – просто сами они вдруг заметили что-то настолько клевое и необычное, что склока потеряла для них интерес. И сразу стало тихо, неподвижно, безмысленно и прекрасно...

Как будто я был эдаким пауком, сидящим на засиженной мухами стене, держась за нее множеством лапок – и вдруг лапки эти одна за другой разжались, и я повис в потоке теплого колеблющегося восторга... Оказывается, держаться не было нужно. Ничто во мне больше ни с чем не боролось, все стало одним, и это одно было так хорошо, так сладко, так покойно и отрадно... Ах.

Иногда это блаженство начинало ускользать, и тогда, чтобы обрести его вновь, надо было сделать легкое усилие. Усилие же заключалось в том, чтобы перестать делать усилия и что-то такое искать – тогда вспугнутое блаженство возвращалось само... Это было как с велосипедом: чтобы перестать падать, надо повернуть руль именно в ту сторону, куда падаешь, и можно ехать дальше.

Потом все кончилось.

– Почему так мало? – спросил я. – Давайте еще.

– Прошло полтора часа, – сказал саядо. – Вы говорили, что у вас назначен какой-то телефонный разговор.

– Да черт с ним, с разговором. Слушайте, я столько всего понял! Я даже знаю, как в эту джану попасть. Надо все бросить. Все оставить. Все перестать делать. Но как перестать делать то, про что ты даже не знал раньше, что это делаешь? Вернее, когда это делаешь даже не ты, а какая-то такая твоя часть, до которой вообще не достучаться?

– Именно для этого и существует ежедневная практика, – сухо сказал саядо.

Похоже, моя новообретенная мудрость совсем его не интересовала.

– Я столько разных вещей успел понять! – повторил я. – Причем таким способом, каким я никогда раньше ничего не понимал... Правда, я почти все забыл уже.

– Это называется инсайтом, – сказал саядо. – Но инсайты, полученные таким образом, редко бывают устойчивыми. Хотя случается.

– Скажите, это и было самое приятное из возможного? У меня, собственно, никаких сомнений нет, но я хотел бы на всякий случай...

Саядо улыбнулся.

– Что вы. Это только самое начало. Такое состояние является весьма грубым и неудовлетворительным. Оно подходит для начинающих, так как способствует очищению психики от сильных загрязнений. Мы можем продолжить завтра. А теперь, с вашего позволения, я хочу удалиться. Мне необходимо помедитировать.

Я понял, что этот монах с неподвижным лицом сейчас пойдет в свою каюту и окунется в такой кайф, о котором я, скорей всего, даже и не узнаю, что он вообще бывает. И меня охватила чернейшая зависть.

*

На следующий день саядо сообщил, что мы погрузимся во вторую джану, но перед этим пройдем через первую, потому что нетренированный ум способен переживать эти состояния исключительно в восходящей последовательности.

– Вы увидите несовершенство первой джаны и таким образом перейдете во вторую, – сказал он. – Вернее, это я увижу ее несовершенство, но для вас все будет выглядеть так, словно его замечаете вы.

Мне трудно было поверить, что в испытанном мною вчера переживании можно найти недостатки – это было как искать пятна на солнце. Но я уже ничему не удивлялся.

Чувствуя себя самым настоящим космонавтом, я надел свой шлем, и мы начали сеанс.

Сначала все развивалось как раньше. Склока у меня внутри стихла, и я завис в том же блаженстве, что в прошлый раз. Сперва это было так же восхитительно.

Но скоро я стал замечать, что у этого состояния действительно есть один недостаток. Оно было неустойчивым – ум как бы постепенно выскальзывал из него, и джану приходилось отыскивать вновь. В прошлый раз я сравнил это с доворотом велосипедного руля. Но вернее было сказать, что приходилось балансировать среди множества давлений и влияний, как бы стоя на канате над ветреной расщелиной, откуда било счастье.

И хоть никаких личных действий здесь не требовалось, в этом постоянном стремлении к безусильности заключалось своего рода тонкое усилие, которое было утомительным. Чтобы оказаться в нужном месте, надо было перестать этого хотеть. За счастье первой джаны приходилось бороться, постоянно напоминая себе, что борьба за него не нужна. В общем, трудно это объяснить, но умом все еще приходилось управлять, причем весьма хитрым образом.

И тогда я задумался – а почему бы не войти в это блаженство глубже? Так глубоко, чтобы не было нужно балансировать на его краю, постоянно устремляя к нему ум? И как только я увидел такую возможность, это немедленно произошло.

Блаженство осталось тем же самым, но теперь ему уже ничто не угрожало. Оно никуда не ускользало, за ним не надо было гнаться. Оно было надежным и вездесущим, его источник находился со всех сторон сразу – я словно отпустил наконец костыли, на которых приковылял в это дивное место. Можно было не держаться ни за что. Усилие больше не требовалось.

Прежде я не мог поверить, что может существовать что-то лучше первой джаны – и как же было посрамлено мое маловерие!

Такое сравнение, наверно, неизбежно: до этих опытов я действительно думал, что сильнейшее из наслаждений, доступных человеку (во всяком случае, мужчине) – это акт любви. Так вот, если взять самое интенсивное и яркое из испытанного мной в этой области то...

Вот если бы можно было усилить оргазм до полной невыносимости, заполнить им все тело и душу, убрать из него судорожную суетливость и заменить неподвижным спокойствием, а потом растянуть на час или два, получилось бы нечто...

Впрочем, нет. Это уподобление хромает. Любовный экстаз – это узкая щелка для подглядывания, peep show, где в лучшем случае есть секунда, когда виден уголок первой или второй джаны. Оргазм напоминает обещание, которое природа дает – и тут же берет назад. А в джане не было никакого обмана, и если первая тоже отчасти была обещанием, то вторая была исполнением этого обещания.

Если первая джана походила на приближение к солнцу, то вторая напоминала погружение в его глубины. Но это солнце не жгло – оно было очаровательно прохладным, и сделано было не из огня, а из счастья. Вихри невыразимого наслаждения подхватывали меня и нежно передавали друг другу; в этом сосредоточенном восторге была такая мощь, такая глубина, такая надежность...

Мне даже интересно стало – насколько сильным может быть блаженство?

Да каким угодно, как бы ответила джана, любым, какое ты можешь выдержать, не сгорев. И я окунулся в восторг, который просто нечем было измерить. Я и подумать не мог, что такое бывает.

Наркотики? Господи, да какие к черту наркотики. Конечно, как и с оргазмом, отдаленное сходство можно найти: еще одна замочная скважина, сквозь которую можно подглядывать.

Только на всех знакомых человеку замочных скважинах гроздьями сидят черти и тычут оттуда в глаз ржавой вязальной спицей. Смешно даже сравнивать.

Из моего рассказа может показаться, что джана – это какое-то неспокойное состояние, где то и дело что-то меняется. На самом деле оно абсолютно спокойное и неподвижное, очень ясное, и всякие поползновения ума что-то подумать становятся тут же видны. Мысли прячутся от джаны как летучие мыши от дневного света, и время там идет совсем по-другому.

Я уже говорил, что в этом состоянии меня то и дело посещали разного рода мимолетные постижения (саядо назвал их «инсайтами»), которые, однако, не превращались в поток мыслей – все становилось ясно сразу же, и обмусоливать постигнутое не было никакой необходимости. Ум оставался неподвижно прикованным к джане.

Мне даже трудно называть подобные постижения своими – может быть, это были мнения саядо Ана, занесенные в мою голову сквозняком джаны.

Одно из таких быстрых пониманий-инсайтов показалось мне интересным, когда я вспомнил его после опыта. Постараюсь сейчас его расшифровать.

Мы почему-то думаем, что «жизнь» должна опираться на органику, на разных червей и обезьян, ползающих по поверхности громадных каменных шаров. И других вариантов мы просто не видим. До такой степени, что у нашего Бога есть свойственный приматам волосяной покров – борода, за которую его то и дело хватают отважные человеческие мыслители.

Но «жизнь» – это просто переживание ограничений и обязательств, накладываемых материей на сознание. Сцепление одного с другим на некоторое время. И происходить это сцепление может любым способом, какого только пожелает сознание, выдумавшее эту самую материю для своего развлечения.

Так вот, я не зря сравнил вторую джану со звездой: мне показалось, что похожие состояния переживает ум, сцепленный со звездной материей.

Эти космические джаны длятся, с нашей точки

зрения, почти вечно: невыразимый восторг горения голубой звезды, спокойная радость желтого солнца, снисходительное довольство красного гиганта... Звезды ведь горячи только для нас. Сами для себя они полны прохлады, и в сердце их бьет ключ вечной радости. И еще – звезды не думают. Оно им не нужно. Думаем мы – о том, как бы нам, это, стать звездой.

Долгая практика джан, понял я, создает причины для того, чтобы оказаться потом в этом звездном измерении. Когда ум хорошо с ним знаком, не надо даже молиться небесному начальству – все произойдет самым естественным образом. Я не знаю, что это за измерение и звезды это на самом деле или что-то иное, но понимание было отчетливым и ясным, как и прочие настигшие меня инсайты.

Collateral wisdom[1], могли бы сострить в Пентагоне. Увы, позже саядо Ан сказал, что для формирования подобных фундаментальных кармических следствий следует практиковать джаны самому – испытанное и пережитое с помощью эмо-пантографа мало отличается от мокрого сна.

Конечно, это нечеловеческие состояния. Совершенно нечеловеческие, хотя бы потому, что люди попадают в них крайне редко – и заглянуть туда мы можем лишь потому, что и нашу ползучую жизнь, и ослепительное счастье звезды переживает один сознательный принцип.

Но разве «нечеловеческое» – это всегда плохо? Нет, Танечка, иногда это очень даже хорошо. А вот «человеческое» – давай уж будем честны до конца – это прак-

---

[1] Сопутствующая мудрость.

тически всегда плохо. В том смысле, что почти всегда больно и абсолютно всегда крайне ненадежно.

И особенно отчетливо понимаешь это, когда вываливаешься в мир из второй джаны. Может, монахи таких чувств не испытывают, потому что в любой момент могут вернуться назад, а я вот ощущал себя пассажиром туристического автобуса, которого только что провезли по раю, а потом ссадили в навозную кучу возле покосившегося крыльца – и сказали: «Экскурсия закончена».

И какая мне теперь была разница, что моя куча навоза покрашена золотой краской?

*

Перед следующим опытом саядо сказал то же, что и в прошлый раз:

– Вместе со мной вы ощутите вторую джану как нечто грубое, и ваш ум перейдет в более тонкое состояние.

Я поверить не мог, что такое можно сказать о второй джане. Лучше ее ну точно ничего не могло быть.

Но оказалось, монах опять прав.

Я помню, мы в школе читали сказку Льва Толстого «Много ли человеку земли нужно». Про то, как жадный человек пытался за день обежать много-много земли, чтобы по уговору взять ее в собственность. В конце концов он не успел вернуться в установленное место вовремя и грохнулся на землю мертвый. И досталось ему ровно три аршина – чтобы его там зарыли.

«Ай, молодец, – закричал старшина, – много земли завладел...»

Толстой, как я понял, издевался таким образом над

бизнес-сообществом. Ну, не он один – голь на выдумки хитра. Хотя, как вспомню Борьку с Бадри... Ну да ладно, грустная тема.

Я тогда подумал, что правильный вывод из сказки такой – бизнес надо верно планировать. Чтобы точно знать, сколько земли успеешь реально обежать за день. Но могли быть, наверно, и другие прочтения.

Тот же самый вопрос встал теперь передо мной прямо в джане: много ли человеку блаженства надо? Допустим, можно вместо плюгавого земляного червя стать изнывающей от счастья звездой...

Но зачем?

Я уже говорил, что во второй джане вопрос только в том, сколько блаженства сознание в состоянии вместить. Много ли ему, так сказать, нужно кайфа. Сначала кажется, что много. И всегда будет нужно много. И чем больше, тем лучше.

Но когда мы снова окунулись в это переживание невыразимого по масштабам наслаждения, оно вдруг показалось мне чем-то грубым.

Это было, как говорят англичане, gross[1].

Сейчас мне приходит в голову такое сравнение. Вот роза – красивая, ароматная, сильная... Mighty like a rose[2], сказал когда-то Элвис Костелло. Но рядом с розой – насколько изящен одуванчик! И какой грубой, даже вульгарной покажется роза, когда увидишь и оценишь ажурную красоту одуванчика!

Вот и тут было что-то похожее. Я догадался (даже если эти быстрые понимания-инсайты были не вполне

---

[1] Пошло.

[2] Могучий, как роза.

моими, я переживал их как свои), что дело не в силе наслаждения.

У наслаждения не было никакой собственной силы.

Дело было в сфокусированности и спокойствии ума. Наслаждение в джане кажется сильным не потому, что оно таково само по себе, а потому что непоколебимо сосредоточен нацеленный на него ум. Это как с микроскопом – можно навести его на точку, и она покажется гигантской. Собственные ее размеры не имеют при этом значения.

И наступает момент, когда сама безграничность испытываемого наслаждения начинает казаться избыточной. Ум устает от розы – и, когда он замечает перед собой одуванчик, тихая радость от его присутствия оказывается куда более тонкой и милой.

Можно сказать так – у радости, как у цветочного запаха, есть грубые фракции и тонкие. И можно навести сосредоточенный ум только на тонкие, оставив грубые.

Когда видишь третью джану из второй, никакого сомнения насчет того, что лучше, не возникает. Вторая со своими плазменными экстазами кажется утомительной и чрезмерной.

Собственно, тут все сахарные человеческие термины теряют смысл. Можно только сказать, что ум здесь еще сосредоточеннее и неподвижнее и «меньше» превращается в «больше».

Это действительно куда более приятное состояние, чем вторая джана – уходит пульсирующая и колышущаяся энергия восторга, но остается неподвижное, тончайшее, чистейшее счастье, доступное лишь очень сосредоточенному, ясному и спокойному уму.

Словно оркестр затихает, остается играть одна легкая флейта, и играет она довольно тихо – но звук ее настолько волшебен, что все эти тарелки и барабаны кажутся помехой. И слушаешь после этого одну флейту, заполняешься ее звуком без малейшей лакуны, и ничего тебе больше не надо.

Флейта, если разобраться, играла и раньше, только ее перекрывал оркестр – а теперь ум сосредоточился на ней одной, остальные инструменты стали лишними, оркестранты все поняли, зачехлили их и тихонько вышли.

Но музыкальное сравнение хромает вот в каком смысле – звук этой флейты не меняется, он незыблем. Никаких трелей. Может быть, это больше похоже на приятно-рассеянный солнечный свет, который уже не жжет и не опаляет, а лишь нежит. И так в этом свете хорошо и покойно, и совсем ничего не хочется, и все принимаешь как есть...

Много ли человеку блаженства нужно? Да хватит, пожалуй, и третьей джаны, Лев Николаевич. Вот както так.

Самое же поразительное вот в чем: насколько обычный человеческий модус охуенди кажется далеким от этих состояний во время путешествия к джанам, настолько же он оказывается близким при возвращении. Долго взбираешься по серпантину (или углубляешься в карьер) – а выходишь назад одним шагом, практически сразу, только ум некоторое время остается легким, ясным и пронзительно-сильным. Но проходит всего полчаса – и ты опять на знакомом крыльце, словно никуда и не ездил.

Экскурсия, Таня, она экскурсия и есть.

Скажу еще вот что: если бы в Госнаркоконтроле, или как он там сейчас называется, узнали о том, что я переживал в те дни, я сел бы лет на сорок, не меньше. И меня не отмазал бы никакой адвокат вообще.

*

Чем дальше в лес, тем толще партизан, говорили у нас в школе. А у меня выходит наоборот – чем дальше в джаны, тем меньше внятного я могу сообщить о состояниях, испытанных мною вместе с саядо Аном. Вот если про третью джану еще можно что-то сказать, то с четвертой уже совсем сложно. Но я все-таки попытаюсь.

В общем, он опять сказал, что вместе с ним я увижу несовершенство третьей джаны – и опять мне захотелось объяснить ему, какой он дурень. Но в этот раз я уже знал по опыту, что в подобных вопросах монах обычно оказывается прав.

Так вышло и на этот раз.

Не то чтобы неподвижно-прекрасная нота третьей джаны показалась мне грубой. Нет.

Само «наслаждение», сама «приятность» и необходимость их переживать и испытывать вдруг стали для меня обузами. «Наслаждаться» – любым, даже самым тонким и изысканным образом – было, в сущности, все равно что бесплатно работать землекопом на неустановленное лицо.

Во мне не было никого, кто хотел бы наслаждаться. Он на самом деле отлип еще где-то во второй джане. Стоило вглядеться в наслаждение с этой высоты, и становилось ясно, что в нем нет никакой истинной сладости, а лишь раскрашенное умом беспокойство и тщета.

Наслаждение было тонкой формой боли. Боль могла быть со знаком плюс и со знаком минус.

Но стоило убрать эти огромные, как амбарные замки, плюсы и минусы, навешенные умом на нейтральный по своей природе сигнал, как делалось ясно, что лучше без этого сигнала вообще.

То, что я пытаюсь сейчас описать, было очень естественным процессом – просто продолжением того движения, которое привело меня (вернее, нас с саядо Аном) из второй джаны в третью. Сначала захотелось, чтобы затих оркестр и осталась одна флейта. А потом оказалось, что не надо и волшебной флейты. Лучшая музыка, понял я – это тишина, а самое высшее и изысканное наслаждение – покой, в котором исчезает покоящийся.

Мирской человек не знает этого, потому что никогда не достигал подобного покоя, и то, что он зовет этим словом – это когда вставленный ему в жопу паяльник остывает со ста градусов где-то до семидесяти пяти. Но покой четвертой джаны – это совсем, совсем другое. Там вообще нет ни жопы, ни паяльника. Есть только покой.

Сложно объяснить, что произошло с моим умом. Раньше он был плотно сцеплен с наслаждением и не отрываясь глядел на него, как на ослепительную нить лампы. А когда лампа погасла, на ее месте осталось... знаешь, что бывает, когда долго глядишь на лампочку, а потом она гаснет? Там вроде ничего нет, но на это ничего можно очень долго и сосредоточенно смотреть.

Вот и здесь похоже. И только так можно объяснить, чем высокий покой четвертой джаны отличается от бытовой расслабухи, когда закрываешь глаза и вроде бы ничего не думаешь.

Когда «не думаешь» обычным мирским образом, на самом деле в тебе по-прежнему работает много маленьких умов и умишек, чьи мысли просто не доходят до сознания, потому что все они думают разное. До сознания долетают только их коллективные кумулятивные высеры – например, когда они начинают хором петь о бельевых веревках.

А тут все эти невидимые и неощутимые умы, только что синхронно купавшиеся в радости, смотрят по инерции на отпечаток, оставшийся от радости на сетчатке сознания. Все они собраны и сфокусированы на одном и том же. Можно сказать, сфокусированы на сфокусированности. Они ничего не думают. Ну, почти. И хоть прежнего удовольствия в этом состоянии нет, его не жалко.

Дело в том, что это симфоническое молчание ума – так неколебимо, так прозрачно, так невыразимо совершенно, что даже третья джана – да, да, – кажется по сравнению с четвертой грубоватой. Отсутствие удовольствия в четвертой джане оказывается гораздо приятнее удовольствия третьей, хотя никаких приятных (или неприятных, что в этом состоянии то же самое) ощущений в четвертой нет. Тебя там нет тоже – во всяком случае, такого, как обычно. Не знаю, понятно ли.

Мыслей, интенций или намерений в этом состоянии практически не остается, хотя иногда они пытаются проявиться. Но все их зародыши отлетают от четвертой джаны, как горошины от быстро вращающейся музыкальной пластинки. Прозрачный ясный покой – пока не побываешь в четвертой джане, смысл этих слов трудно понять.

А потом тебя тюкает очередной инсайт от саядо Ана.

Неколебимый, сосредоточенный и ясный ум четвертой джаны – и есть секрет древней магии. Это ключ ко всем видам волшебства и чародейства, ясновидения и пророчества, потому что для сосредоточенного таким образом ума все это не особо сложно. Но ключ этот спрятан так далеко и надежно, что фанатам Гарри Поттера достать его вряд ли светит.

Монахи мирским волшебством не занимаются, у них подписка. Да им это, как я сам хорошо понимал, и не надо – зачем наводить порчу на соседский курятник, когда сел в джану и стал хоть звездой Бетельгейзе, хоть черной дырой (не удивлюсь ничуть, если глубокие старшие джаны как раз про это).

Я уже говорил, что после джаны опять оказываешься в своем прежнем мире, среди тех же мыслей и проблем. Но разница все же есть, и большая.

После джаны ты свежий и чистый, новый, словно вернувшийся из стирки, и душа твоя приятно пахнет стиральным порошком. Люди ежедневно моют только свое тело, а их умы пропитаны многомесячным смрадом, который они давно перестали ощущать. А джана – это прохладный ароматный душ для ума.

Когда выходишь из джаны, все то, что волновало тебя перед ней, уже смылось, забылось, исчезло. И хоть оно опять, конечно, налезет и начнет кусать и мучать – так уж устроена лоханка человеческой головы – стряхнуть все это полностью хоть раз в день очень многого стоит. Для этого наши изнуренные современники из стран золотого миллиарда и садятся на опиоидные таблетки – со всеми вытекающими последствиями. А здесь...

Тоже, наверно, не без мозговой химии. Но она твоя, родная и естественная. Наркомана видно за версту – больной человек. А тут становишься прямо такой бодрячок-везунчик, и девушки из бассейна по собственной инициативе начинают предлагать скидку при продлении контракта – иначе своих сложных и глубоких чувств они в наше время выразить не могут.

Эх, если бы только знать раньше. Не в смысле экономии на бассейне, а вообще.

*

Саядо Ан сказал, что дальше четвертой джаны мы путешествовать не будем, и все, что можно, он мне уже показал.

Я спросил его, есть ли там что-то еще – и он ответил, что есть еще четыре нематериальные джаны, которые можно считать тонкими аспектами четвертой.

Но туда, как оказалось, нельзя попасть даже за самые большие деньги, и эмо-пантограф помочь здесь не может – никаких приятных или неприятных чувств там нет, и если в четвертую можно свалиться просто по инерции, потому что она естественным образом наступает вслед за третьей, то в пятую или шестую уже нужно карабкаться самому.

Но мне туда не слишком и хотелось. Одни названия чего стоят – «Основа бесконечного пространства», «Основа бесконечного сознания», «Основа отсутствия всего», «Основа не-восприятия и не-невосприятия». Из таких мест назад в бизнес уже вряд ли вернешься – надо самому понимать, где тормознуть.

Мы так и не поели ни разу с саядо Аном за одним столом (непонятно, впрочем, зачем мне это было нужно – кларета, что ли, с ним накатить?), но на отвлеченные темы говорили не раз.

Однажды я спросил его:

– Скажите, вот у вас, профессиональных монахов, наверное, есть какое-то особенное применение для всех этих джан? Наверно, вы с их помощью умеете получать еще более сильное и высокое наслаждение? Совсем потрясающее и особенное?

Саядо немного подумал – и ответил так:

– Да. Вы правы. Есть одно совершенно особенное, потрясающее и не похожее ни на что наслаждение, которое мы, монахи, получаем от джан. И я даже могу вам объяснить какое.

Я сложил ладони перед грудью, как это делал он – мол, расскажите, пожалуйста.

– Вот знаете, – сказал саядо, – мне переводчик говорил, что у вас в России есть такие путешествия по памятным местам. Например, был поэт...

Он замялся, и переводчик подсказал:

– Пушкин.

– Да, Пушкин. И люди у вас до сих пор приезжают поглядеть на домик, где он когда-то прожил месяц, хотя домик давно перестроили. Посетители думают – ну и пусть перестроили, зато вокруг все то же самое! Смотрят на окружающий пейзаж и говорят себе: вот удивительно! Здесь гулял наш знаменитый поэт Пушкин!

– Есть такое, – кивнул я.

– Точно так же ездят по местам, – продолжал саядо, – где жил когда-то политик Ленин или царь Николай. Глядят на окрестные горы, леса и реки, и думают: вот, все это видели глаза политика Ленина и царя Николая. Вдыхают тот же ветер, смотрят на то же солнце... Хотя пейзаж с тех пор стал совсем другим. Исчезли старые дома, появились новые, лес уже не тот, река поменяла русло, и даже солнце немножко другого цвета, потому что изменился химический состав воздуха.

Я вспомнил, что где-то читал про удивительной красоты закаты и рассветы над Россией конца девятнадцатого века – из-за пепла, выброшенного при извержении вулкана Кракатау. С тех пор, конечно, пепел успел осесть. Саядо был прав.

– Я слышал от переводчика не очень приличную шутку про мочалку «по ленинским местам», – продолжал монах. – И если я понимаю ее мирской смысл правильно, то даже эти места уже не совсем те, потому что соратницы и соратники политика Ленина давно умерли, и мир населяют новые женщины и мужчины – так что назвать эти участки их тел ленинскими можно только условно.

Переводчик аж потемнел, переводя эту фразу – что было видно несмотря на его смуглоту.

– А при чем здесь джаны? – спросил я, чтобы загладить неловкость.

Саядо со значением поглядел на переводчика.

– А при том, – сказал он. – Физический мир со времен Будды изменился неузнаваемо, и поездка в те места, где он жил и учил, обогатит путешественника разве что набором дешевых индусских сувениров. Но джаны остались теми же. И, переходя от джаны к джане, прилежные ученики Будды с трепетом думают – вот здесь когда-то был Благословенный! И здесь! И здесь! Не хочу умалять ваши национальные святыни и обычаи, но если вам нужна истинная мочалка «по священным местам», то вот она. Хотя бы потому что от нее действительно становишься не грязнее, а чище.

– Да, – сказал я задумчиво. – Я сразу почувствовал в четвертой джане что-то такое... Не знаю даже, как сказать. Древнее, великое... Вот как в египетских храмах.

– В четвертой джане, – ответил монах, – вы не просто видите обвалившиеся руины прошлого, а переживаете в точности то, что чувствовал когда-то Будда и его ученики. Ну или почти то же самое – наш век, конечно, не способен к такой совершенной стабилизации ума, и джаны несколько обмелели. Но суть их осталась прежней. Будда, чтобы вы знали, увидел цепь бесконечных перерождений ума именно из четвертой джаны, в которую он погрузился в ночь своего просветления. Точно так же овладевали великой мудростью его ученики... А в самом конце жизни Будда вернулся в четвертую джану, чтобы умереть.

– То есть практическое применение джан в основном в том, чтобы идти по стопам Будды? И овладевать его мудростью?

– Именно, – смежил веки саядо Ан. – Но углубиться в эту тему дальше с помощью вашего прибора, к сожалению, невозможно. Подобным образом можно пережить только четыре материальные джаны, и то не слишком глубоко. Но для мирянина – вполне достаточно. Считайте эти опыты первой в вашей жизни поездкой по действительно священному маршруту. Мы не станем никуда отклоняться от траектории этой экскурсии в интересах вашей безопасности...

Мне показалось, что он недоговаривает. Или, вернее, пытается деликатно обойти какой-то скользкий момент. Но я не ориентировался в теме и даже не знал, какой вопрос задать. Поэтому я просто сложил ладони у груди и поклонился.

*

Конечно, к этому времени я уже знал, с кем работают два других монаха – но не от Дамиана. Это выяснила моя служба безопасности.

Нетрудно было догадаться, что у других монахов тоже есть переводчики и они, скорее всего, знакомы друг с другом и поддерживают контакт. Моя служба безопасности проследила, с кем созванивается переводчик саядо Ана. Оказалось, два других монаха тоже на яхтах. Один, как я и предполагал, был на «Гюльчатай» у Рината. Второй – на «Катаклизме» у Юры Шмуклера. То же делалось ясно из перемещений Дамиана.

Понятно было, что и Юра, и Ринат знают про моего монаха – и я решил при случае обсудить опыт. Случай скоро представился.

Мы оказались все втроем в Сен-Тропе, на «Гюльчатай» у Рината – на его дне рождения. Выпили, разнюхались (Ринат с этим делом давно завязал по здоровью, но тут захотел себе позволить) и пошли играть на бильярде.

Я решился подкатить к Юре первым.

– Юр, – сказал я, – а как у тебя с монахом дела? Может, поделимся опытом? А то все о девочках, да о тачках.

– Че, тоже лысого гоняешь? – делано удивился Юра. – Не знал, не знал... Че же мы, братцы, говно это тогда нюхаем? Для кого представление?

Я на это даже внимания не обратил. У него манера так дела вести – все время дурака валять и делать вид, что он не в курсах. А на самом деле он все узнает самый первый. Но кто я такой, чтобы ему перечить – где он в списке «Форбс», и где я...

А насчет кокаина он подметил верно. Я уже минут тридцать сравнивал свои ощущения с первой джаной, и даже понять не мог, где, собственно, в этом белом порошке обещанный мексиканским правительством Kraft durch Freude[1]. Ведь любил когда-то, любил... А приглядеться – один чистый напряг с самого начала, только сперва слабый, а потом все сильнее и сильнее.

Похоже, такие ощущения были у всех.

– Кокаин этот... – Юра пошевелил пальцами в воздухе. – Чифирь для индейцев, чтобы они камни быстрее носили. Особенно когда жрать нечего, а пирамида большая.

– Может, и мы какую-то пирамиду строим, – сказал я, – только не знаем.

Ринат погрозил мне пальцем.

– Без гнилой конспирологии. Здесь респектабельная лодка.

– Вы как, мужики, до четвертой дошли? – спросил Юра.

– Дошли, – сказал Ринат. – Давно уже дошли. Я в ней в основном и отдыхаю. Всегда искал такое место, где ни одна сука не достанет. И вот нашел. Туда не то что звонки, туда ни одна забота не пролезет. Ни одна печалька не втиснется. Сейф души.

– Точно-точно, – подтвердил я, – вот ты правильное слово нашел какое, Ринат. Сейф. Но мне, если честно, страшновато иногда делается.

– А чего?

– Ну, даже не знаю, как сказать. Как будто я в храм забрался и шашлыки в нем жарю.

---

[1] Сила через радость.

Юра красиво отдуплил и шмыгнул носом.

– Ниипет, – отозвался он. – Реквизиция церковного имущества восставшими массами.

– Ну да, – сказал я. – Шутки шутками, но когда мой лысый о прошлых жизнях упомянул, мне даже не по себе стало. А вдруг, думаю, я сейчас что-то такое вспомню и... Че-то как-то...

– А я пробовал, – сказал Юра. – Все нормально.

Тут даже Ринат удивился.

– Прошлые жизни вспомнил? – спросил он. – Правда, что ли?

– Не совсем, – ответил Юра. – Вернее, не свои.

– Это как?

– Там аккуратно рулить надо. Федя правильно говорит, что может крыша съехать. Поэтому я так делаю – просижу час в четвертой, а потом снимаю шлем, бегом к себе и сразу телочку. Дружка только спреем надо опрыскать, чтобы быстро не кончить. И, значит, пристроишься к ней со спины, чтобы лица видно не было, загонишь балду, попросишь не шевелиться – и начинается...

– Что начинается? – спросил я.

– Вспоминаешь. Всех обалденных телок видишь, какие у тебя в прошлых жизнях были. Хоть Клеопатру, хоть Нефертити, хоть Лену Троянскую... Да хоть Еву Браун. Только подумал о ней, и бац, она уже у тебя в руках. Реально завораживает. Это не очень долго длится, правда. Минут тридцать максимум.

– Потом кончаешь? – спросил Ринат.

– Не, я же сказал – со спреем. Проблема в другом. О делах постепенно начинаешь думать, о людях и так далее. А как это говно в голову полезло, считай, все. Сеанс окончен.

– Подожди-ка, Юра, – говорю я. – Ты что, хочешь сказать, что ты в прошлых жизнях был этим, Парисом? Или Менелаем? Фараоном Эхнатоном? А потом Марком Антонием и Гитлером?

– Ну да, – сказал Юра. – Типа того. Тебе что, монах не объяснял?

– Нет, – ответил я.

– Это не ты конкретно кем-то раньше был, а кем-то нет. Ты был всем. Вообще всем. Так, во всяком случае, я понял. Поэтому, когда получаешь доступ к центральному архиву, можно всех вспомнить, кто раньше жил. Ты ими всеми был, Федя. Но не как Федя, а как они сами. Или, можно сказать, как Мировой ум. Мне прошлая жена так объясняла, она йогой занималась и в этих вопросах подкованная была. Мировой ум все помнит.

– Мне саядо ничего такого не говорил, – сказал я растерянно.

– А ты, наверно, не спрашивал. Потому что нелюбопытный.

– Как-то неловко было.

– А чего неловко. Мы им сколько платим.

– Кстати, – сказал я, – раз уж речь зашла. Мне кажется, они нам про джаны что-то недоговаривают.

– В каком смысле? – спросил Ринат.

– В смысле, не показывают все, что там есть. Провели по четырем джанам, и хватит, экскурсия окончена. А у них там, я уверен, еще и не такие маршруты бывают... Темнят.

– А чего им темнить? – спросил Ринат.

Я пожал плечами.

– Может, они на новый контракт хотят выйти. Уже совсем за другие бабки.

– Да какие проблемы, – усмехнулся Ринат. – Пусть выходят. За такое заплатить не жалко.

– Ты не знаешь, сколько они назначат, – ответил Юра, быстро глянув на меня. – Федя правильно думает.

Юра все бизнес-вопросы просекает очень быстро даже под кокаином. Ринат положил кий – и уставился на меня.

– Думаешь, они нас подсаживают, а потом...

– Не знаю, – сказал я. – Но я от своего лысого вот что слышал – у них кроме этих четырех джан еще есть четыре другие. Нематериальные, названий сейчас не вспомню. Монах сказал, что на нашем аппарате туда никак не доплыть.

– Еще четыре джаны? – изумился Юра. – Мне про такое не говорили. А тебе, Ринат?

– Мне говорили, – сказал Ринат после паузы. – Было дело. Я тогда подумал, что они на новое оборудование разводят. Но лысый объяснил, что после четвертой вообще никакое оборудование не поможет. А только личное усилие.

– Может, он врет, – сказал Юра.

– Не, не врет, – ответил Ринат.

– Ты откуда знаешь?

– Во-первых, – сказал Ринат, – им врать нельзя по уставу. А они его держат...

– А во-вторых? – спросил Юра.

– Да уж и «во-первых» хватит.

– Не, ты договаривай.

– А во-вторых, мне Дамиан объяснял, в чем тут дело. Он в одну из этих нематериальных джан попал, когда шлем тестировал.

– Дамиан этот, по ходу, больше нас прется, – вздохнул Юра. – В три раза примерно, и бесплатно. Мало того что бесплатно, мы ему еще за настройку платим. Минут по сорок шлем тестирует вместе с монахом. И в каждой джане хоть немного, а проторчит.

– Ну и что, жалко, что ли, – сказал Ринат. – Он у нас как этот, лорд-пробователь. Вдруг там провода замкнуло. Ты же не хочешь, чтобы у тебя мозги в глазунью спеклись.

– А чего он рассказывал? – спросил Юра. – Почему в эти нематериальные джаны попасть нельзя?

– Ой, там сложная хуйня... Я даже примерно не вспомню. Но я однозначно понял, что нам не светит.

– Я хочу знать, что он говорил, – повторил Юра. – Светит, не светит, это еще посчитать надо.

Сперва на лице Рината изобразилось страдание. А потом он хлопнул себя ладонью по лбу.

– Бля, какой вопрос вообще. Дамиан же у меня на лодке. Давай я его позову с нами разнюхаться. Заодно все и расскажет.

– Ну давай, – согласился Юра. – А насчет разнюхаться, это ты правильно напомнил...

Дамиан пришел через пять минут. У него были мокрые волосы – выдернули парня прямо из бассейна. Насыпали ему дорожку. Ну и себе, понятно. Он сначала не хотел.

– Спасибо, у меня спорт...

– Отменишь ради такого дела, – сказал Юра.

И посмотрел так многозначительно, как он умеет. Мол, тебе сейчас делают предложение, от которого отказываться не стоит. Дамиан все понял, честно занюхал в две ноздри, запил «Дом Периньоном» и через минуту был уже вполне коммуникабелен.

– Дамиан, – начал Юра. – Тут базар катался, что ты в нематериальные джаны тропинку протоптал. А с братвой не делишься. Знаешь, что за такое бывает?

Дамиан знал, конечно, что Юра шутит – но побледнел все равно.

У Юры с девяностых сохранился такой фирменный стиль, что обосраться совсем не сложно – натуральный Бенцион Крик с двумя наганами. Сейчас он, правда, в основном под коксом его включает. Когда с друзьями, дурака повалять. И еще когда сильно нервничает или не в себе. Но его даже Ринат побаивается, хотя сам сидел. А Юра в тюрьме вообще ни разу не был, по воспитанию интеллигентнейший человек с зубоврачебными корнями и работает чисто на нервных понтах.

В общем, навык пригодился: Дамиан даже руки к сердцу прижал, словно ему туда приложили включенный утюг.

– Я один раз только. И то случайно.

– Давай рассказывай, – велел Юра. – И подробно, все детали. Ничего не утаивай. Что делал, как, когда. Может, я тоже смогу. Я понятливый.

Дамиан, видимо, сообразил, что Юра с него уже не слезет – и решил не перечить. Меньше нервов.

– Ну в общем так, – сказал он, – я расскажу, как было. А вы думайте что хотите...

– Говори.

– Я напомню только, почему через шлем туда нельзя. Проблема с нашим оборудованием в том, что после третьей джаны никаких лимбических наводок система уже не ловит – ни грубых, ни тонких. Приятные чувства исчезают полностью, поэтому эмо-пантограф эти уровни не транслирует. В четвертую джану мы попадаем, когда окончательно заглушаем опиоидную систему мозга, работавшую в третьей. Но дальше от медитатора требуется личное духовное усилие, а оно имеет такую тонкую природу, что в другую голову по проводам его не передать.

– Но ты же это усилие как-то сделал?

Дамиан кивнул.

– Сделал. Совершенно случайно.

– Как?

– Короче, настраивали мы шлем, все как обычно. Дошли в быстром темпе до четвертой джаны... Я в тот день был не особо сосредоточенный, мыслей в голове много прыгало. А в четвертой, если вы заметили, мыслей хоть и нет, но иногда на периферии что-то такое мелькает. Типа не мысль, а как бы ее тень. Можно ее даже чуть-чуть повертеть – и если особо не увлекаться, из джаны не выходишь. Вернее... Она как бы совсем неглубокая делается – но вернуться можно в любой момент. Но я же не переться пришел, а шлем проверять...

– Это мы понимаем, – сказал Юра, – ты не отвлекайся.

– Ну вот. Уже выходить собираюсь, и тут мне одна фраза вспомнилась. Прямо выскочила в голове, как на экране. Из «Мастера и Маргариты» – я ее за день до этого перечитывал...

– Какая фраза?

– Воланд на Патриарших ругается – «что же это у вас, чего ни хватишься, ничего нет!». Я, когда читал, еще развеселился – думаю, ему что там, «Сутру Сердца» зачитали, что ли?[1] А тут самому интересно стало – как это может быть, когда чего ни хватишься, ничего нет? И вдруг у меня внутри – бац – как будто телевизор выключили. И сразу полная тишина. И оказался в седьмой джане. Минут двадцать в ней провисел после этого...

– В седьмой? Откуда знаешь, что именно в седьмой?

– Это саядо объяснил. Говорит, такое бывает. Но опыт бесполезный, потому что повторить его удается редко. Надо, говорит, прежде пятую освоить и шестую. А потом уже в седьмую лезть.

– А что это за седьмая?

– «Основа отсутствия всего».

– Ну и на что это было похоже?

Дамиан закатил глаза. Видно было, что подбирать слова ему очень сложно.

– Вот как будто хочешь что-то такое взять, в чем совершенно уверен, что оно на своем месте, а рука раз – и мимо. Шагнул в лифт, а лифт не приехал. Его там нет. Только ты это «его там нет» не проскакиваешь, а остаешься в нем и пребываешь... Ни на что другое не похоже.

– Приятно хоть? – спросил Юра, скрипнув зубами.

– Даже вопрос так ставить нельзя.

– Лучше четвертой?

– Четвертая по сравнению с ней – как уазик рядом с бентли. С одной стороны, в широком смысле то же

[1] «...В пустоте нет формы, нет эмоций, нет восприятий, нет воли, нет сознания, нет органов чувств...»

самое. А с другой, есть определенная разница. Завораживает, в общем. Очень высоко, очень... Я потом повторить пробовал, но уже не получается. Зато понял, как в высокие джаны входят.

Дамиану насыпали две огромные дорожки и заставили вынюхать. На самом деле чисто со зла, чтобы у него никакого спорта ни сегодня, ни завтра уже точно не было. А затем отпустили.

Юра поглядел сначала на меня, потом на Рината.

– Не, ребята, про Воланда на Патриарших я в четвертой джане точно вспоминать не буду.

А Ринат ему:

– Не зарекайся.

В общем поржали. Потом еще выпили, и Юра подвел итог:

– Знаете, в чем наша проблема?

– В чем?

– А в том, что мы в этом вопросе темные, как звери. Монахи нами как хотят вертят. Мы даже не знаем, чего с этими джанами делать можно. Просто туристы. Федя правильно говорит – может, монахи о самом главном помалкивают. В общем, надо нанять внешнего специалиста по вопросу. Чтобы проконсультировал, какие у нас в этом плане возможности.

– Вот и найми, – сказал Ринат. – И нас просветишь.

Выпили еще и разъехались по лодкам. Юра, как потом выяснилось, кое-что из этого разговора для себя вынес. Но об этом позже.

Я тоже кое-что вынес.

Юра правильно подметил, что я мало вопросов задаю. Вот про всех этих древних красавиц – я бы вообще никогда не узнал, что такое бывает. Естественно, захотелось уточнить технологию.

Но как только я своего лысого увидел, так у меня язык к зубам и прилип. Понял, что про баб его спросить не смогу. Ну вот не смогу, и все. То ли перед ним неудобно, то ли перед переводчиком... Правда, про перерождения вопрос я все-таки задал.

– Скажите, саядо Ан, а правда я был всеми, кто жил раньше?

– В некотором роде, – ответил монах.

– В некотором роде – это как? Был или не был?

Саядо закрыл глаза и сказал:

– Из жизни в жизнь и из момента в момент перерождается сразу весь мир. В каком-то смысле он был всеми, жившими прежде. А в каком-то нет, потому что мир все время новый. Как вы могли быть жившими раньше? Вы и собой-то никогда не были.

– Это почему?

– Если вы исследуете этот вопрос глубоко, вы постигнете, что никакого конкретного «вас» нигде нет даже сейчас. С другой стороны, природа живших прежде была та же самая, поэтому вы действительно ими были. В этом мире есть только бесконечный поток изменений. И вы, и я – просто отблески на его поверхности.

Я вспомнил, что еще говорил Юра.

– А правду говорят, что ум во всех один и тот же? Единый Мировой ум? Который через всех нас проявляется?

– Это крайне нелепая постановка вопроса, – сказал саядо.

– Почему нелепая?

– Попробую объяснить...

Он поглядел по сторонам, взял с коробки сигар одноразовую зажигалку и несколько раз чиркнул колесиком.

– Вот хороший пример. Как вы думаете, существуют единые мировые искры, которые время от времени проявляются через все мировые зажигалки?

– Понимаю, – сказал я. – Тоже неправильно поставлен вопрос. А как его правильно ставить?

– Искры, – ответил саядо, – это нечто такое, что проявляется, когда возникают условия. Если нас интересуют реальные искры, – он чиркнул кремнем, – тогда нет смысла рассуждать, какие они – одни и те же во всех зажигалках или разные.

– Почему?

– Потому что реальные искры исчезнут еще до того, как мы начнем о них спорить... Либо мы видим искры, – он опять чиркнул зажигалкой, – либо рассуждаем.

– Но про Мировую душу я даже в школе слышал. Правда, в основном критику. Про нее многие великие философы писали... Гегель там. Уже не помню.

Саядо Ан улыбнулся.

– Мировой ум, вселенская душа, атман, брахман, трансцендентальный зритель и так далее – это все, конечно, встречается очень часто. Но, если вы обратите внимание, всегда в качестве концепции – и никогда в виде конкретного переживания. Переживается всегда что-то другое.

– Я бы сказал, – ответил я, – что речь идет о том, как мы понимаем и интерпретируем наше переживание...

– Ага, – кивнул саядо Ан. – Единые мировые искры. На словах бывает вообще все. Самое ужасное, что наевшийся пустых слов человек начинает верить, будто постиг что-то важное. А ему просто добавили мусора в голову. Истинное постижение, господин Федор, это когда мусор из головы убирают. Если вы когда-нибудь увидите подлинную природу феноменов, вы убедитесь, что о них не то что спорить, даже думать никакой возможности нет. Спорить можно только о символах веры. И еще о картинках в фейсбуке. У вас ведь есть фейсбук?

– Почему вы фейсбук вспомнили? – спросил я.

Саядо покосился на переводчика.

– Мне говорили, что он очень популярен в вашей стране. У малообразованной азиатской молодежи тоже. Особенно у молодых девушек. Когда они едят что-то вкусное, они обязательно фотографируют это на мобильный и вешают у себя в фейсбуке, а потом без конца обсуждают. Фотографии красиво выглядят, и еда на них кажется вечной и неизменной. Космической мировой едой, так сказать. Но фотографии – далеко не сама еда. Бывает, что фотографий в фейсбуке много, а кушать совсем нечего...

Он огляделся по сторонам, словно в поисках какого-то другого примера.

– Или возьмем ваш белый корабль и море вокруг. Когда вы плывете на корабле, можно говорить, что вокруг, например, Андаманское море. А можно говорить, что Мировой Океан. А потом можно устроить драку между теми, кто верит в Мировой Океан и в Андаманское море. Но от того, какие слова вы произнесете, качка не изменится. Морская болезнь не пройдет, будет только лишняя путаница в голове. Будда таких разговоров не поощрял.

Но меня было уже не остановить.

– А какая тогда разница, хорошо человек живет или плохо? Ведь перерождается не он сам, а мир. Были одни искры, стали другие искры. Какого хрена тогда всю жизнь себя сдерживать? Меня ведь за хорошее поведение все равно никто не наградит. Это ведь не я стану чем-то другим. Меня не будет. Будут новые искры из новых зажигалок.

– Нет вообще ничего, что становится чем-то другим, – ответил саядо Ан. – Утро никогда не было ночью. Вечер никогда не был днем. Вы сегодняшний не были собой вчерашним. Смысл перерождений не в том, что одно делается другим. Он в том, что после вечера наступит ночь, а после утра начнется день. Точно так же за дурной жизнью наступает фаза страдания, а за хорошей – фаза радости. Это космический закон, который не обойдут никакие юристы.

Похоже, он просто не понимал, о чем я говорю.

– Но мне-то что, если радоваться и горевать буду уже не я? – повторил я. – Какая мне разница, если все это произойдет не со мной, а... Не знаю, с этим единым Мировым океаном?

– Океан един, – сказал саядо. – Но на одном пляже буря и шторм. А на другом – прекрасная солнечная погода. И все в один и тот же день. Даже если это произойдет не с вами, а с кем-то другим, как вы думаете, где лучше отдыхать?

– Кому лучше? – спросил я. – Я же именно об этом и говорю. Лучше всегда бывает кому-то конкретному. Кому будет лучше отдыхать?

– Мне кажется, – улыбнулся саядо, – лучше будет тому, кто на солнечном пляже. Разве нет? Вот вы – куда бы вы поехали?

Вроде монах, а какой скользкий собеседник.

– Туда, куда Родина пошлет, – пробормотал я мрачно.

– Хорошо, что вы так любите свою страну, – ответил саядо. – Но задумайтесь вот над чем – и при шторме, и при солнечной погоде рядом с вами всегда окажутся люди, для которых происходящее будет естественным и нормальным. Так уж устроен мир – при всем своем устрашающем идиотизме он выглядит вполне логично и осмысленно из любой своей точки. В нем полно противоречий и противоположностей, но все они в конце концов сходятся и оказываются одним и тем же. Чтобы понять это глубоко, очень полезно подолгу созерцать трупы на кладбище.

2.2 LAS NUEVAS CAZADORAS. ЖИЗЕЛЬ

Таня – босая, заплаканная, замотанная в желтое полотенце с пальмами – шла по осеннему лесу очень долго.

Она предполагала, что где-то впереди среди деревьев скоро появится станция, с которой можно будет вернуться в Москву на электричке, но космос все время откладывал это событие на потом.

Впрочем, Таню это занимало не слишком.

Сначала она не чувствовала вообще ничего, кроме холодного утюга, подвешенного к сердцу. Утюг качался в животе при каждом шаге, и от этих махов делалось так тошно и страшно, что другие чувства были не слышны.

Если бы можно было каким-нибудь простым и безболезненным способом – вот как гасят свет или спускают воду – прекратить эту жизнь, она сделала бы это без малейшего колебания. Но убивать здоровое тело было больно и трудно, и она даже не представляла, как к этому правильно подойти. Под поезд на станции она не хотела точно, а ничего лучше национальная культурная память предложить не могла.

Постепенно она стала ощущать боль в ногах – особенно когда наступала на мелкие острые ветки или спотыкалась о корневища. Иногда все захлестывала обида, и тогда она опять начинала плакать.

Слез было очень много, их приходилось вытирать черными от земли руками (не снимать же полотенце), и Таня догадывалась, что ее лицо стало совсем грязным. Ей не хотелось, чтобы кто-нибудь ее видел, поэтому, заметив между стволами человека, она спряталась за дерево.

Это был грибник, лысый седобородый дядька в старом военном ватнике (только увидев этот ватник, Таня поняла, как замерзла). Грибник сидел перед своей корзиной боком к ней и заботливо перебирал мелкие остроконечные опята. Рядом на земле лежал худой старый рюкзак.

Заметив возле рюкзака воткнутый в землю нож, Таня испугалась. А потом подумала, что ничего страшнее люди с ней уже не сделают, и вышла из-за дерева.

Грибник поднял глаза.

– Ты чего, дочка, заблудилась?

Таня кивнула.

– Сама откуда? С Москвы?

Таня снова кивнула. Грибник поглядел на ее полотенце.

– Купалась?

Таня кивнула опять.

– А где купалась, помнишь?

Таня отрицательно покачала головой.

– А вещички твои где?

Таня мотнула головой куда-то в сторону и вверх. Грибник, похоже, не удивился.

– Тебе холодно, – сказал он. – На вот, хлебни...

В его руке появилась плоская стальная фляжка с красной эмалевой розой, обвивающей черный крест. Таня послушно взяла ее и сделала пару обжигающих глотков. Это было что-то очень крепкое и, скорее всего, самопальное.

– В общем так, – сказал грибник, – лезть в твои дела не хочу, но помочь тебе надо. Бери ватник и сапоги. А полотенце обернешь вместо юбки. Тут до станции меньше километра. На билет дам, а дальше сама.

– А вы в чем пойдете? – открыла наконец рот Таня.

– У меня в рюкзаке кроссовки, – ответил грибник. – Утром роса была, а сейчас сухо. Мне рядом, дойду. Одевайся.

Таня молча сделала как он сказал – только отошла переодеться за толстое дерево. Из обернутого вокруг бедер полотенца получилась вполне убедительная юбка годной длины, а сапоги оказались велики совсем немного.

– Где станция?

– Иди вон туда, – показал грибник. – Метров через триста выйдешь на дорогу, и направо.

– Спасибо, – сказала Таня без всякого выражения.

Грибник внимательно поглядел на нее еще раз.

– И вот что еще, дочка, – сказал он. – Я тебе телефон запишу. Как в Москву приедешь и оклемаешься, позвони. Спроси Жизелло.

– Сапоги с ватником отдать? – догадалась Таня.

– Это тоже. Но главное, тебе ведь помощь нужна. Ты почему здесь очутилась, понимаешь?

– Заблудилась.

– Ты не в лесу заблудилась, а в жизни, – сказал грибник. – Лес это видимость... И на меня ты не просто так вышла. Но я уже старый, помочь тебе не смогу. А вот Жизелло сумеет.

Грибник достал шариковую ручку и некоторое время рылся в карманах в поисках бумажки, но ничего не нашел. Тогда он оторвал от березы кусок коры и наполовину написал, наполовину прокарябал на нем какие-то слова и цифры.

– Не тяни, – сказал он. – Позвони, как приедешь. Потом ты в себя придешь, и думки заедят. А сейчас ты мертвая. И поэтому совсем новая и сильная.

– Спасибо, – без выражения ответила Таня.

– Жизелло поможет, – повторил грибник. – У него такой... Ну, как бы тебе сказать, тренинг специально для женщин. Ты не подумай только, что это обычное московское фуфлогонство. Там все по-серьезному.

Таня кивнула.

– Теперь иди... Вот тебе на электричку. На метро тоже хватит.

Только в электричке Таня поняла, что даже не спросила, как зовут ее спасителя. Она вынула из ватного кармана кусок бересты и прочла под круглыми большими цифрами:

жизелло от павла васильевича

Павел Васильевич, подумала она. Вот почему у таких Павлов Васильевичей никогда нет денег – а только доброе сердце?

Впрочем, тут же поправила она себя, почему же нет. На электричку ведь он и дал. Только у таких Павлов Васильевичей деньги на самом деле и есть. Это у списка «Форбс» их никогда нет. Если смотреть из правильной перспективы.

В вагоне на нее изредка поглядывали – не на юбку с ватником, а на грязное от лесных слез лицо.

Сойдя на платформе «Коломенское», Таня пересчитала монеты. Хватило не только на метро, но даже на бутылку минеральной воды, чтобы умыться. Полицейский у турникета на «Варшавской» покосился, но не сказал ничего.

У двери в квартиру ее ждал курьер в оранжевой безрукавке. С ним был запечатанный скотчем пластиковый пакет. Вещи и документы, догадалась Таня.

Еще курьер передал ей конверт с письмом. Внутри была бумага, на ней какие-то буковки. Письмо это Таня выкинула не читая – было понятно, что там: безукоризненная европейская вежливость, точно выверенные слова на нужном месте и прочая мерзость. Спасибо, хоть вернули ключи и паспорт.

Сперва ей хотелось напиться. Но что-то ее остановило.

Она аккуратно, без всякой истеричности, сняла со стены все свои vision boards с олигархами – и изорвала фотографии в мелкие клочья, одну за другой. Особенно тщательно она рвала Федю. Потом она упаковала обрывки в доставленный курьером пакет и отнесла его в мусоропровод. Это на некоторое время успокоило.

Через час ее снова дернуло к холодильнику, где стояла бутылка водки – но она остановила себя опять. Ей вспомнились слова старичка из леса:

«Сейчас ты мертвая. И поэтому совсем новая и сильная».

Таня не чувствовала в себе ни новизны, ни силы – но понимала, что, если выпить водки с соком, а потом, например, зареветь, позвонить кому-нибудь и пожаловаться на судьбу, все постепенно пройдет и забудется. Несколько дней, всего несколько дней, и жизнь наладится опять.

Но это и будет тем самым, про что грибник сказал «думки заедят».

Он был прав. Это не она сама, а именно думки хотели, чтобы она набралась и опять принялась их думать. Как думала последние двадцать лет или около того.

Но теперь что-то изменилось. Она могла послать думки к черту... впрочем, нет, посылать – уже означало их думать. Она могла просто не брать ничего в голову, потому что была мертвая.

И, если она все это понимала и до сих пор не пускала в себя ни водку, ни старые мысли, значит, грибник был прав – она была новая и сильная. Эту силу ни в коем случае нельзя было растерять. Ее следовало приложить к себе и миру.

Она приняла теплый душ, смазала бетадином царапины на ногах и легла спать.

Утром она проснулась – и в первый момент испугалась, что думки опять возьмут над ней власть, и она снова станет прежней Таней.

Но этого не случилось. Мало того, она помнила: ей снилось что-то значительное и важное, и, хоть сам сон позабылся, она точно знала, что делать.

Приняв душ, она пошла в продуктовый и купила много необычной для себя пищи: йогурт без сахара, мелкие овсяные хлопья, виноград, семечки и орехи. Раньше такой завтрак показался бы ей унылым – а где яйца? Где масло и тосты? Где бекон или хотя бы голубой сыр?

Завтрак, как она твердо усвоила из самых разных диетических программ, мог быть любым – контролировать следовало обед, ужин и все то, что между. Но теперь дело было не в калориях. Надо было зарядить себя правильной спокойной энергией, и она чувствовала, какая еда годится, а какая нет.

Поев, она положила на стол перед собой кусок бересты с телефоном и полчаса глядела на него без всяких мыслей. Она знала одно – кроме этого белого квадрата коры, у нее в жизни ничего больше нет.

Впрочем, могло оказаться, что у нее нет ничего вообще.

Все выяснится после звонка.

Она набрала процарапанный в бересте номер. Через пару гудков на том конце ответил низкий и вязкий мужской голос.

– Алло.

– Доброе утро. Можно Жизелло?

– Такого здесь нет, – с неудовольствием, как показалось Тане, ответил голос. – Никогда не было. И никогда не будет.

Таня несколько секунд молчала. Облом. Ну конечно, и тут облом. Чего она ждала? Ее палец уже дернулся, чтобы нажать на отбой, но она все-таки спросила:

– Такого нет, хорошо. А какой есть?

– Не какой, а какая, – ответил голос. – Есть Жизель. И она очень не любит, когда ее называют Жизеллой.

Таня поняла, что след пока не потерян.

– Можно с ней поговорить?

– Ты и так с ней говоришь. Пора уже что-нибудь и сказать.

Тане показалось, что вокруг потемнело.

Над ней просто издевались – голос был отчетливо мужским. Настолько мужским, что даже напомнил ей Высоцкого на медленной скорости, услышанного однажды в детстве. Ей опять захотелось нажать на красный кружок отбоя – и опять в последний момент она передумала.

– А почему Жизель не любит, когда ее называют Жизеллой? – вкрадчиво и нежно спросила она.

– Потому что Жизелло – это отвратительная мужская шутка. Слово, похожее на зубило. Так урла говорит – брателло, водилло, и так далее. А я Жизель. Не как на зоне, а как в балете. Разницу понимаешь?

– Да, – ответила Таня. – Конечно понимаю, Жизель. Извините.

– Давай на ты. Я со всеми на ты.

– Хорошо, – сказала Таня.

– Ты кто?

– Я Таня.

– Откуда у тебя этот номер?

Таня глянула на кусок бересты.

– От Павла Васильевича.

– А-а-а... Тогда все понятно. Как поживает старый шовинист?

– Вроде хорошо. Грибочки собирает.

– Ага... Значит, он тебе дал телефон и велел позвонить?

– Да, – ответила Таня. – Вчера в лесу.

– Что еще он сказал?

– Сказал, что я в жизни заблудилась. И ты мне поможешь.

– Угу... Еще что-нибудь говорил?

– Сказал, что я мертвая и сильная. И чтобы я записалась на тренинг.

– Мертвая и сильная, это хорошо. Только у меня не тренинг. Тренинги в фейсбуке. У меня школа женского духа... В общем, приходи.

– Когда? – спросила Таня.

– Да прямо сейчас приезжай. Можешь?

– Конечно.

– Тогда пиши адрес.

Адрес Таня записала на том же куске бересты, с другой стороны.

*

Жизель жила на последнем этаже огромного нового дома.

Таня позвонила в дверь. Прошла минута, что-то мелькнуло в дверном глазке, и дверь открылась.

Перед Таней стоял агрессивно перекачанный мужик в коротких спортивных шортах.

Он был еще относительно молод, но уже лыс – последние кустики волос на темени были тщательно подбриты. Его короткие усы походили на кусок приклеенного к губе ботиночного шнурка. В руке он держал огромный стакан с какой-то розово-белой взвесью.

Он действительно был перекачан даже по сравнению с другими качками-уродцами, которых Тане доводилось наблюдать в спортзалах, и напоминал сложную конструкцию из колбас, колбасок и шаров зельца в лоснящейся коже.

На его груди была обширная татуировка: слева – китайский инь-ян с большой черной звездой в светлой половине, справа – другая звезда, шестиконечная, с симпатичной курочкой внутри. Вокруг этих смысловых полюсов, как значки на куртке у фрика, были разбросаны многочисленные магические и каббалистические тату номиналом поменьше.

– Здравствуйте, – сказала Таня. – Я Таня. К Жизели.

– Заходи.

Таня вошла в квартиру.

Открытое пространство, куда она попала, больше напоминало спортзал. Черные упругие маты на полу, машина для ног, турник, лавки, штанги на стойке... Пройдя среди разбросанных по полу гантелей, Таня оказалась на кухне.

Кухня походила на химическую лабораторию – весь рабочий стол занимала пирамида разноцветных пластиковых банок и баночек со спортивными порошками, напоминающими своей маркировкой сорта ракетного топлива. Среди банок стоял огромный миксер профессионального вида.

– Хочешь смузи?

– Спасибо, – сказала Таня. – Может быть, потом. А Жизель...

– Это я. Я женщина.

Таня уже поняла, что именно этот голос и говорил с ней по телефону, но все равно покраснела.

– Садись, – сказала Жизель. – И не думай, пожалуйста, что я психованная с отклонениями. Или попытаюсь сейчас тебя изнасиловать на столе. Нет. Я вообще не по секс-части – ни так, ни эдак. Но по внутренней духовной идентичности я женщина. А по роду занятий философка. Смотри, все это мои книги. Ждут своего дня...

Жизель показала на полку с серыми бумажными скоросшивателями. Их было много. На их корешках темнели разнокалиберные штемпели:

ЖИЗЕЛЬ Б.-Х.

Что за бэ-хэ, подумала Таня.

Ничего лучше, чем «большой хуй» в голову, если честно, не приходило – внешность Жизели и складка на шортах располагали именно к такой расшифровке.

Таня покосилась на рабочий стол и заметила на нем упаковку шприцев. Так, еще лучше...

Жизель проследила за ее взглядом.

– Думаешь, для наркотиков? – усмехнулась она. – Нет. Это для инъекций тестостерона. От него мышцы растут и вообще... В моем случае тестостерон играет совершенно особую роль. Чтобы ты поняла, я тебе сейчас кое-что покажу. Чисто медицинская демонстрация, не смущайся...

Жизель сняла шорты и бесстыдно развернулась голым передком к Тане.

Таня даже не вздрогнула – а только изумленно покачала головой.

«Неужели опять? Вот то же самое? Да нет, так ведь не бывает... Не может быть».

– Погляди вот сюда, – сказала Жизель, расправляя свое обширное хозяйство руками. – Вот здесь, под кожей. Видишь? У мужика их два. А здесь сколько?

Таня заставила себя посмотреть.

– Четыре, – сказал она. – Правда четыре...

– В медицине такое называется «полиорхизмом», – сказала Жизель. – Только при полиорхизме обычно бывает три. Третье не работает – канатики перекручены или еще что-нибудь. А здесь работают все четыре. Как швейцарские хронометры. Но меня не следует бояться. Этот орган – больше не инструмент порабощения женщины. Это трофей. Как самурайская сабля в музее Пограничных войск. Все поставлено на службу нашему... Эй... Чего ты ревешь-то?

Таня к этому моменту безудержно рыдала.

С ней случилось то, что в благополучных сытых странах называют «триггерной реакцией» – один комплект мужских гениталий напомнил ей о другом, разбередив совсем свежую еще рану.

Жизель торопливо надела шорты.

– Ты чего... Мужскую мерзость, что ли, не видела?

Таня чувствовала легкое головокружение. Все ее женские инстинкты абсолютно точно знали – в происходящем нет никакого сексуального подтекста. И никакой перверсии. Ну то есть вообще. Она была в этом уверена и почему-то ощущала доверие к Жизели.

– В том и дело, что видела, – пожаловалась Таня. – Совсем недав... недав...

– Кто-то тебя обидел?

Таня кивнула.

– Кто?

– Волшебник, – взорвалась Таня слезами. – Волшебник, блять... В голубом... вертолете. Чтоб он сдох, су... су... сука...

Жизель не удивилась этим словам.

– Я как раз про него недавно писала, – сказала она, – про этого волшебника. Вот погоди-ка...

Она подошла к полке с папками.

– Где это... Черт, картинка отклеилась. Ну-ка, прочти.

Таня взяла протянутую ей страницу с мелким принтом и, отводя ее далеко от лица, чтобы не залить слезами, прочла:

Аршин 1. «Волшебник»

«Прилетит вдруг волшебник в голубом вертолете и бесплатно покажет кино...»

Весь ужас, все издевательское лицемерие русской судьбы поймано в этой песне.

Вот человек мечтает о чуде, ждет его, приближает как может, молится заветному камню, вовремя плюет через плечо, выстраивает продуманные отношения с метлой и порогом, словом, много лет все делает как надо, и наконец – чу! – он услышан Силой.

Рокочут лопасти, с неба спускается голубой вертолет (час полета – штука баксов), из него выходит волшебник – и что он делает? Превращает камни в золото? Дарит вечную юность? Дает принца в женихи?

Нет, он *бесплатно показывает кино*. И улетает.

А то, может быть, мы на торрент за таким говном ходить не умеем? Лучше бы просто перевел бабки за аренду вертолета и даже не светил своего хитрого голубого еблища.

Но весь контрапунктик русской фуги именно в том, что волшебник прилетит, покажет, улетит, а ты оплатишь его вертолет последним кармическим ресурсом своей удачи и счастья. И хоть бы он был один такой, этот волшебник. Но нет, не надейся: Россия – страна волшебников. И все они сидят в засаде и ждут твоего дня рождения.

И если ты думаешь, товарищ, что социальная революция изменит такое положение дел, это с твоей стороны чрезвычайно наивно и даже глупо. На волшебниках появятся цветные банты, только и всего.

И как ты полагаешь, кто эти банты оплатит?

Вот, по блеску слез в твоих глазах я вижу – ты уже начинаешь что-то понимать...

Как ни странно, дочитав отрывок, Таня как раз почувствовала, что слезы из ее глаз больше не льются. Это было про нее. Полностью про нее.

Жизель знала о жизни все.

Мало того, Таня с удивлением поняла, что чувствует себя очень хорошо и спокойно. Диковатая выходка Жизели словно прорезала нарыв в ее сердце – и весь накопившийся душевный гной вылился наружу вместе с потоком слез. Таня была благодарна за этот неожиданный катарсис.

– Да, – сказала она, возвращая страницу, – точно до последнего слова. Откуда это?

– Из моей коллекции «Аршины Тарковского», – сказала Жизель, пряча лист назад в папку. – Русские архетипы, так сказать. Локальная версия «Арканов Таро». Ты думаешь, такое происходит только с тобой? Это происходит здесь со всеми без исключения...

– Ты мудрая, – сказала Таня. – Спасибо.

Последняя тень недоверия к новой знакомой исчезла из души. Но думать о ней в женском роде было еще непривычно.

Жизель поставила папку назад на полку. Таня тем временем еще раз осмотрела разложенную на столе обойму шприцев.

– А зачем тебе тестостерон колоть? – спросила она. – Неужели от четырех яиц мало?

– Вот в этом все и дело, – сказала Жизель и приложила палец к черной звездочке на своей лоснящейся груди. – Посмотри сюда. Это величайший из придуманных человеком символов, инь-ян. Что, по-твоему, он выражает?

– Что?

– В максимальном сгущении женского зарождается мужское. В максимальном сгущении мужского зарождается женское... Понимаешь?

Таня отрицательно покачала головой.

– Я – максимальное сгущение мужского. И поэтому я – одновременно самое чистое и сакральное женское, зародившееся в его центре... Я алхимическая женщина. Если хочешь, женщина в третьей степени. Патриархия во мне достигла предела и обрела свою смерть. Про таких, как я, пока не знают даже самые передовые активистки.

Таня только несколько раз моргнула. Она понимала логику Жизели, но низкий, буквально сочащийся тестостероном голос не до конца увязывался со смыслом долетающих до нее слов.

Жизель улыбнулась.

– Понимаю твое недоверие, – сказала она. – Но подумай сама – разве в этом есть что-то удивительное? Вот возьмем борьбу за освобождение рабочего класса. Кто привел рабочих к их великой победе? Самый сильный кузнец? Или самый умелый токарь? Нет. Это сделал дворянин Ульянов. Полный антагонист рабочих по своему происхождению. А до него были Маркс и Энгельс, которых тоже трудно отнести к трудовому народу... Князь Кропоткин, в конце концов... Граф Толстой... Все эти люди, если угодно, были алхимическими рабочими и крестьянами.

– То есть ты хочешь сказать, – наморщилась Таня, – женщины такие глупые, что руководить ими должен мужик с четырьмя яйцами?

– Я не мужик с четырьмя яйцами. Я Жизель. Алхимическая женщина, родившаяся из сверхконцентрации мужского начала. В будущем мы поставим тестостерон на службу женщине и такие глупые подходы к гендеру исчезнут вообще. Любая женщина, если захочет, сможет иметь хоть два яйца, хоть четыре, хоть все восемь. Это станет самым обычным делом. Но произойдет это еще не скоро. Сегодня мы только начинаем борьбу. И я не руковожу женщинами. Я учу их, как мастер Йода учил подпольщиков-джедаев. Если хочешь, я буду учить и тебя.

– Чему?

– Тому, как поставить украденный у женщины мир обратно ей на службу – и вернуть мужчину в выделенную ему природой нишу, откуда он сбежал десять тысяч лет назад.

– Почему именно десять тысяч?

– Это примерная цифра, которой оперирует феминистическая антропология, – ответила Жизель. – Речь идет о рубеже, когда был низвергнут матриархат и женщина стала рабой мужских капризов. В одном месте это произошло десять тысяч лет назад, в другом шесть, и так далее. Цифра меняется от культуры к культуре. Но само ниспровержение материнского права – исторический факт. Об этом писал еще Энгельс.

Ни один из мужиков, которых помнила Таня, никогда не говорил с ней на эти темы – и таким языком.

– Да, – сказала Таня, – от мужчин я такого не слышала.

– Поверь, – Жизель приложила ладонь к своей черной звезде, – пройдет всего несколько дней, и ты увидишь во мне подругу. Старшую мудрую сестру. И эта сестра объяснит тебе то, чего ты раньше не понимала. Не по женской глупости, а потому, что это знание тщательно прячет от нас патриархия.

– В смысле, церковь?

– Нет, – покачала головой Жизель. – Патриархия – это не только попы. Это весь мировой порядок вещей. Та Патриархия, о которой ты подумала, тоже часть этого порядка. Не зря же у нее такое название... Но дело тут не в религии.

– А в чем?

– Идем в комнату для занятий, – сказала Жизель. – У нас есть пара часов – и я объясню тебе биологические основы нашей борьбы.

*

«Комната для занятий» не походила на класс с партами.

Это было практически пустое помещение с проектором под потолком. Пол здесь тоже был полностью закрыт – но уже не спортивными матами, а иранскими коврами-чилимами. Окна были плотно зашторены.

В центре комнаты размещалась медицинская кушетка с мощными пластиковыми скобами для рук и ног. Мебели было мало – только в углу белел медицинского вида шкаф да у стены стояло несколько простых деревянных стульев. На коврах валялись мелкие разноцветные подушки.

– Не бойся, – улыбнулась Жизель, заметив, что Таня смотрит на кушетку. – Мы не будем пристегиваться, это только для особых процедур. Сегодня мы поговорим на общие темы. Ложись.

Таня легла на кушетку, и Жизель подложила ей под голову поднятую с пола подушку.

– Так удобно?

Таня кивнула. Погас свет, и на стене зажегся белый прямоугольник.

– Я покажу тебе несколько слайдов, – сказала Жизель. – И мы их обсудим... Смотри.

На стене, быстро переключаясь, стали появляться картинки с одним и тем же сюжетом: мужчина рядом с женщиной.

Началось с Адама и Евы. Потом на героях появилась одежда. Эпохи и ракурсы менялись: на экране мелькали фрески, картины маслом, парадные портреты. Мужчина и женщина. Мужчина и женщина.

– Что во всем этом общего? – спросила Жизель.

– Мужчина и женщина, – так и ответила Таня.

– Это понятно, – сказала Жизель. – А попробуй поглядеть так – что общего у всех этих женщин? И всех этих мужчин?

– Не знаю.

– Я тебе скажу. Везде на этих картинах женщина приведена к строгому и сложному эталону гламурной красоты, диктуемому эпохой и культурой. Она, как правило, дорого и ярко одета. Ее украшают драгоценности и золото. Ее платье и прическа настолько замысловаты, что ей требуются помощники для простых перемещений в пространстве. Верно?

Таня кивнула.

– Но, хоть атрибуты роскоши украшают именно женское тело, нет никаких сомнений, что это сделано на мужские деньги и ради мужского тщеславия. Патриархия превращает женщину в объект вожделения и похоти. А красивую женщину – в трофей, свидетельствующий о высоком социальном статусе. Это не женщина тратит на себя деньги. Это мужчина тратит их на свою похоть...

Последнее изображение, выскочившее на экран, было каким-то английским скетчем прошлого или позапрошлого века: женщина с осиной талией, на высоких каблуках, с густо накрашенным лицом – рядом с рыхлым и жирным мужчиной в бархатном пиджаке, покрытом не то перхотью, не то сигарным пеплом.

Жизель указала пальцем на картинку.

– Даже этот последний рисунок, где с точки зрения нашей текущей культуры нет никаких особых странностей, чрезвычайно показателен. Погляди на эти каблуки. Ты знаешь сама, как неудобно и рискованно на них ходить. Как плохо это для позвоночника и так далее. Но женщина идет на эту жертву, чтобы сделать себя привлекательнее для мужчины. Вернее, это мужчина ожидает от женщины этой жертвы – и получает ее... Погляди на эту талию. Это наследие эпохи корсетов, когда женщину заставляли скручивать свои внутренние органы в канат... Знаешь, зачем женщин затягивали в корсет?

– Зачем? – пролепетала Таня.

– Очень молодые девушки из-за высокой скорости обмена веществ практически лишены жирового покрова. Они худы без всяких особых усилий. Это естественный природный эффект, но годам к двадцати пяти обмен веществ замедляется. Затягивая женщину в корсет или навязывая ей анорексический идеал – то есть тот же самый корсет, только на уровне внедренных в психику программ – патриархия вынуждает нас имитировать юность для услады самца. Ту же роль играет и косметика, закрывающая естественные дефекты кожи, появляющиеся с возрастом...

Таня кивнула. Все было чистой правдой. Она всегда это знала – просто не видела в этом ничего особенного. Ну что делать, если так устроен мир.

– Теперь погляди на стоящего рядом мужчину. Это вялое, жирное, лысое существо. Оно воняет сигарой и алкоголем. Его безобразное лицо и распухшее тело совершенно никак не украшены для привлечения женского интереса. Для мужчины подобное считается излишеством. Красота, гласит патриархальная мудрость, для мужчины не главное. Существует огромное число афоризмов на этот счет. Смысл их примерно один и тот же – «мужчина, от которого не шарахается собственная лошадь, уже красавец». Самцу достаточно быть богатым. И тогда он купит себе много-много женщин... Быть красивой, привлекать и притягивать к себе – это обязанность самки.

Таня шмыгнула носом. Жизель выдержала драматическую паузу и сказала:

– А теперь посмотри сюда.

Слайд сменился. Таня увидела двух павлинов – один был серый и скромный, с редкими бирюзовыми пятнами на шее и смешным хохолком. Другой был похож на кислотную галлюцинацию или персидский ковер. У него было ярко-синее тело, а распущенный хвост со множеством глаз напоминал футуристический радар.

– Кто здесь самец, а кто самка?

– Я не знаю, – честно призналась Таня.

– Если перенести патриархальные принципы на это изображение, – сказала Жизель, – кто тогда?

– Наверно, самка должна быть вся разукрашенная?

– По человеческой гендерной логике да, – ответила Жизель. – Но по логике природы все обстоит с точностью до наоборот. Птица с огромным пестрым хвостом – это самец. А эта серенькая курочка – самочка.

– Ну да, конечно, – наморщилась Таня. – Это я туплю. Петух и курица. Ведь то же самое.

– Именно так. Кстати, гребень петуха создает серьезные проблемы для своего владельца, увеличивая риск заболеть. Тестостерон вообще снижает активность иммунной системы. Знаешь, в чем его назначение в природе?

Таня отрицательно покачала головой.

– Он необходим именно для роста причудливого брачного наряда самцов. Это вообще гормон понта... Ты, может быть, думаешь, что фазаны и петухи – это какое-то исключение? Или дело только в птицах? А в остальной природе все иначе?

– Я не знаю, – ответила Таня.

– Подобный половой диморфизм действительно в наиболее яркой форме свойствен птицам. Но птицы, – Жизель ленинским жестом подняла руку к экрану, – это прямые потомки динозавров. Все происходящее в их мире есть эхо великой земной древности. Когда ты видишь прыгающую по земле птичку, перед тобой скачет маленький тиранозавр-рекс, досношавшийся, так сказать, до мышей. Погляди, как павлин наряжается для своей курочки, и ты поймешь, как выглядели брачные ритуалы динозавров... Это значит, что многие сотни миллионов, если не миллиарды лет, в природе происходило то же самое. Себя украшали самцы.

– А рыбы? – спросила Таня. – Млекопитающие?

– И рыбы, и млекопитающие, и даже насекомые. Смотри и слушай...

За следующий час на Таню обрушился огромный массив новой информации из мелькающих на экране картинок и клипов – и тихого комментария Жизели, голос которой понемногу начинал казаться вполне женским контральто. Не то чтобы подобные факты кто-то раньше от Тани прятал – но никто не сводил их в такую убедительную картину.

В живой природе, кажется, существовал универсальный стандарт: самочка была серым и скромным по виду существом, малозаметным и как бы закамуфлированным, а самец – ярким красавцем, украшенным пестрыми, неудобными и часто нелепыми атрибутами маскулинности. Мало того, самец платил за свои украшения цену – часто непропорционально высокую, вплоть до самой своей жизни.

Самки рыб-мечехвостов, в точности как павлины, выбирали самцов по длине хвоста. Олень привлекал самок раскидистыми рогами – лишь у северных оленей небольшие рога росли у самок тоже. Так же обстояло у насекомых – и даже еще изощреннее: самка сверчка, например, слушала пение самцов и выбирала того, у кого самая сложная и изысканная песня. Мало того, самцы насекомых часто жертвовали собой, чтобы накормить оплодотворенную самку. Некоторые из клипов, показанных Жизелью на эту тему, вызвали у Тани почти ужас.

– Ты часто видела таких мужчин? – спросила Жизель.

Таня вспомнила свои аборты от Игоря Андреевича – и только усмехнулась.

– В естественной природной среде самцы везде и всегда украшают себя, чтобы понравиться самке. Самка подобным себя не утруждает. Мелкие исключения лишь подчеркивают правило. Но у человека этот великий древний закон перевернут с ног на голову. Женщина не только продолжает род – патриархия вынуждает ее вдобавок взять на себя эстетическую функцию самца, освобождая последнего от любых биологических нагрузок вообще...

Таня опять вспомнила Игоря Андреевича. А потом еще и своего последнего.

– Яркий, привлекательный и часто неудобный наряд женщины, – продолжала Жизель, – ее сложная прическа, каблуки, косметика на лице и так далее – это имитация брачной раскраски самца, которую в природе формирует тестостерон. Носитель тестостерона даже эту ношу взваливает на женщину, оставляя себе одно чистое наслаждение... Я хочу, чтобы следующая моя фраза отпечаталась в твоем мозгу навсегда.

Таня кивнула.

– Гламур – это изобретение патриархии. Это внедренная в женскую психику троянская программа, которую патриархия ежедневно апдейтит через весь свой инструментарий «женских» в кавычках журналов и сайтов. Одновременно с этим, – Жизель поучительски подняла палец, – патриархия издевается над женщиной за якобы свойственную ей тягу к этому самому гламуру. Такая изощренная смысловая подмена – одно из самых подлых нравственных преступлений в истории человечества... Погляди на эту картинку еще раз.

На экране вновь появился английский скетч – рыхлый и неопрятный мужчина с сигарой и женщина с осиной талией на каблуках.

– Так это выглядит в нашей жизни. А вот как это должно выглядеть по замыслу природы...

Таня увидела на экране ту же самую пару.

Нет, не ту же самую. Женщина и мужчина поменялись местами. Женщина теперь была откровенно толстой, с помятым недовольным лицом, с хорошо заметными морщинами и даже с волосами на ногах. Ее платье походило на мешок от картошки, а сальные космы были грубо обрезаны на уровне шеи.

Зато мужчина...

– Это Дэвид Боуи?

– Может быть, – ответила Жизель. – Художник вполне мог вдохновиться какими-то конкретными сценическими образами, или, например, темами гей-культуры. Кстати, мужская гей-эстетика гораздо ближе к истинному замыслу природы, чем тот неряшливо-омерзительный мужской типаж, на который век за веком выписывает себе индульгенцию патриархия... Гораздо ближе. Когда мы победим в борьбе, все мировые клише мужского и женского поменяются местами. В этом смысле артистичный и изящный Дэвид Боуи, конечно, был человеком будущего.

Жизель выключила проектор и зажгла в комнате свет.

Таня встала с кушетки.

– Я узнала много нового, – сказала она. – Спасибо. Это очень интересно!

– Дело не в том, чтобы узнать что-то новое, – ответила Жизель. – Дело в том, чтобы это новое изменило тебя на самом глубоком уровне. И сделало готовой для борьбы.

– Ты думаешь, я смогу измениться?

– Я не знаю. Надеюсь на это. Жизнь – это личный проект. Другие люди могут дать только ключи от дверей, которые тебе нужно открыть. Сумеешь ты это сделать или нет, зависит от тебя.

– А что это за двери? Где они?

– Они в тебе, – ответила Жизель. – Их не открывали никогда в твоей жизни, и они насквозь проржавели. Даже с ключами их удается отпереть не всегда.

Таня несколько раз кивнула.

– Когда мы узнаем, смогу я или нет?

– Довольно скоро, – сказала Жизель. – Я дам тебе с собой пилюлю. Не бойся, она совершенно безвредная. Прими ее в следующее полнолуние. Ночью после этого тебе приснится сон. Постарайся утром его вспомнить. Тебе покажется, что это странный сон. Он может быть мрачным. Или, наоборот, веселым. Или даже самым обычным. От того, что ты увидишь, зависит набор ключей, который ты от нас получишь.

– От кого «нас»?

– Вот тогда ты все и узнаешь, – улыбнулась Жизель.

Она ушла на кухню и вернулась с крохотным пластиковым пакетиком. Внутри был зеленоватый шарик размером с большую горошину.

– До полнолуния еще восемь дней. Очень хорошо. Хотя бы неделю ты должна поститься. Не ешь сахара, животного жира, ни в коем случае не пей алкоголя. Мясо по минимуму – лучше вообще без него. Очисти свое тело.

Таня посмотрела на пакетик. В такие фасовали лекарства и вещества. С той стороны, где пакетик закрывался, была красная линия. Тревожная красная черта.

– Это какой-то наркотик?

– Нет, – ответила Жизель. – Никаких наркотиков. Здесь гомеопатические травы. И кое-что другое...

– Что?

– Немного каменной крошки. От истолченной в порошок статуи Великой Матери, стоявшей когда-то над древним алтарем. Не бойся, вреда от этого не будет.

Жизель снова улыбнулась. Улыбка у нее была хорошая и добрая. И, несмотря на усы, женская.

*

Семь тысяч долларов от Дамиана оказались очень кстати – если бы не они, Таня села бы на мель. Самое время было искать работу, но приближалось полнолуние, и она решила повременить.

Жизель теперь не казалась ей странной. Даже будь она просто чокнутым мужиком, это был бы лучший из встреченных ею в жизни самцов.

Но Жизель не была мужиком. Таня часто вспоминала, как именно та показала ей свой анатомический орган: Жизель вела себя как индеец, предъявляющий другому индейцу скальп бледнолицего. Она не похвалялась мерзостью, как Феденька – а демонстрировала трофей. Сыграть так не сумел бы ни один мужчина.

Таня начинала каждое утро с похода в магазин, где тщательно подбирала простую и здоровую пищу на день. В полдень она шла гулять в парк, если позволяла погода, или спускалась в спортзал, чтобы сделать немудрящий пилатес. Вечером она садилась за компьютер и бороздила интернет, собирая новые доказательства тех истин, что открыла ей Жизель.

Каждый проведенный у монитора час доказывал – все это было правдой. Мелкие исключения из правила только подтверждали его. Значит, то, что она принимала за себя и свою «женскую долю», то, над чем она плакала в ванной, надеясь и одновременно боясь умереть, было просто навязанным ей маскарадом...

Но кто, кто это сделал? Когда и как?

Один раз утром она зашла в ванную, глянула на себя в зеркало и начала на автопилоте подщипывать брови.

И тут же остановила себя.

«Стоп. Вот для кого я сейчас это делаю? Для себя? Но разве мне это нужно? А если не мне, то кому?»

Это было непонятно. Таня все же дощипала одну бровь – но не стала делать вторую. Разница была не особо заметна. Потом ей захотелось подкрасить веки и губы, и она уже потянулась к инструментам – и снова остановилась.

«А это вот – для кого? Для того же, для кого брови? А можно предъявить заказчика?»

Непонятно было, с кем она говорит. Такие разговоры с пустотой наверняка были признаком душевного нездоровья. Но еще больший признак такого нездоровья, подумала она – вот эта ежедневная борьба с природой за соответствие патриархальному шаблону.

Совершенно бездумное автоматическое действие, которое без конца повторяют у зеркала миллионы обманутых загипнотизированных женщин. И что они получают от мира в ответ?

Таня, впрочем, знала.

Полнолуние пришлось на сухой и не слишком холодный день. Таня оделась потеплее и надолго ушла в парк. Там совсем не было людей. И без людей было лучше.

Вечером она раскрыла выданный Жизелью пакетик, проглотила пилюлю (по вкусу та напоминала воблу) и легла спать.

Ей показалось, что она проснулась сразу после того, как голова коснулась подушки – раз, и утро. Похоже, она пролетела. Никакого сна она не видела вообще.

Нет, кажется, была какая-то музыка. Красивая грустная музыка... Какая-то песня.

Она знала, что в таких случаях нужно немного полежать неподвижно, не меняя позы – и через минуту все вспомнила. Сон ей действительно снился. Длинный и очень странный.

Она сидела на огромном каменном троне – слишком большом для человека. Вокруг стояли темнокожие женщины с опахалами и посылали на нее волны воздуха, приятно освежавшие в безветренный жаркий день.

Прямо перед ней была маленькая арена: круглое пятно песка, окруженное стеной из грубо отесанных каменных блоков (все вместе походило на другую сборку «Стоунхенджа»). Между камнями стояли мускулистые крупные воительницы – уже не с опахалами, а с копьями. На них блестели высокие ошейники из золотой проволоки. Арену покрывали темные пятна и полосы, свежеприсыпанные песком – там только что пролилась кровь.

Так было нужно.

Таня обратила наконец внимание на себя и поняла, что она очень толстая. Ну просто очень. Но никаких негативных чувств по этому поводу она не испытала, скорее наоборот. Жир означал, что у нее большой запас автономного хода по жизни – и даже если все ее прислужницы вдруг разбегутся, она сможет долго существовать одна.

Ее кожа была темно-оливкового цвета. У нее была большая отвислая грудь, раскрашенная охрой. Эта грудь выкормила уже многих людей, и Таня показывала ее миру с гордостью и торжеством.

Ее голени были покрыты темноватым курчавым волосом. Волосы торчали из ее подмышек тоже, а на лобке и между ног рос просто огромный их куст – видно было, что ее тело никогда не знало унижения бритвы.

Мало того, ее давно уже не касалась и вода, что было частью ритуала. От нее исходил сильный пряно-сладкий запах, в котором сливались и смешивались выделения всех ее желез, железок и пор, и запах этот, как она знала, был ее главным оружием и силой, потому что содержал в себе Информацию, властно подчинявшую себе любой мужской мозг.

Она была Природой и Жизнью.

А мужчины (чьи головы торчали на кольях, вбитых в землю перед ее ритуальным седалищем) были всего лишь расходным матриалом эволюции – их жизнь и смерть мало что значили для грядущего.

Грядущим была она.

Таня сделала знак, и на песчаной арене появился новый претендент.

Это был большой и сильный белый самец (даже розово-белый), весь покрытый магическими татуировками (Таня узнала только ирландский трилистник) и ритуальными шрамами, с узловатым посохом в руке. Его огромная борода была выкрашена в красный цвет и разделена на множество прядей, примотанных к расходящемуся от шеи вееру.

Получался почти что петушиный гребень, росший из подбородка – и это немного волновало. Таня дала знак прислужницам с опахалами, и те послали на претендента несколько волн пропитанного ее мускусным запахом воздуха.

Претендент зарычал, поднял над головой свой посох и с невероятной скоростью завертел им в воздухе. Одновременно с этим он распевно забасил:

— «Forward, the Light Brigade!
Charge for the guns!» he said.
Into the valley of Death
Rode the six hundred...[1]

Таня нахмурилась.

Стихи напомнили ей о тревогах юности. Кажется, это был сюжет из девяностых: кого-то в шестисотом мерсе вот-вот собирались грохнуть, но он пока был не в курсах, что его тачила уже въехала в долину Смерти...

Ох, эти вечные мужские байки о том, сколько других мужчин они пустили на пирожки. Какое до них дело женскому сердцу.

Да, поняла она, краснобородый может сражаться и убивать. Но это могли многие рабочие особи куда моложе. А этот был уже старше тридцати. В таком возрасте, если честно, белым мужчинам пора на выход – они свою привилегию отбегали. Особенно если за душой у них нет ничего, кроме обширной красной бороды и старинных гордых стихов.

Таня подняла левую руку и показала пальцем в небо. Тут же одна из темнокожих воительниц бросила копье краснобородому в спину. Он выронил свой посох, шагнул к Тане раз, другой, умоляюще протянул руку – мол, у меня в программе еще танцы – и упал лицом вниз.

Пока арену убирали, а душа красной бороды поднималась ввысь, Таня закрыла глаза и расслабилась в блаженном безмыслии. Токи ее тела сообщали, что

---

[1] «Вперед, легкая бригада! Атака на пушки!» – скомандовал он. В долину Смерти въехали шесть сотен...

Альфред Теннисон, «Атака легкой бригады»

Река Жизни движется в положенном русле, и все пока хорошо.

Когда она открыла глаза, на арене стоял следующий претендент.

Он был совсем худенький, еще почти мальчик, в тонком телесном трико и с красным зигзагом на лице. Ну почему они так любят красный, подумала Таня, можно было бы немного синего или зеленого...

Но мальчик был хорош. Его соломенные волосы были смазаны чем-то клейким и собраны в парящий надо лбом чуб. Он вдохнул ее запах, трепетно и немного картинно содрогнулся, прикрыл глаза и запел:

– Ground control to major Tom...[1]

Таня благосклонно кивнула уже на первом куплете. Песня ей нравилась. Мальчик пел о небе. Можно было взять его семечки в будущее, можно.

Будущее...

Она собралась уже поднять правую руку – но вместо этого подняла глаза и увидела вверху тонкий инверсионный след самолета. А далеко над ним, где-то совсем-совсем высоко, голубела неподвижная глыба огромного искусственного спутника, похожего на вторую луну.

Таня поняла, что это был сон о будущем.

Люди не знают, какое оно – они только гадают, выкраивая его из фрагментов прошлого и настоящего. А она теперь знала...

Песня про майора Тома все еще звучала в ее ушах.

---

[1] «Наземный контроль – майору Тому...»

Дэвид Боуи, «Space oddity»

Она неподвижно лежала в кровати несколько минут, вспоминая разные мелкие детали сна – а потом позвонила Жизели.

– Тебе точно это приснилось? – спросила Жизель, выслушав ее рассказ.

– Точно, – сказала Таня. – Вот эта красная борода на веере... Прямо как динозавр с твоих слайдов.

– Кажется, ты увидела сон Аманды, – сказала Жизель. – То есть не кажется, а точно.

– А что это значит?

– Все серьезно, – ответила Жизель. – Это значит, что тебя буду учить не я.

– А кто?

– Тебя будет учить Кларисса. Это моя подруга, интеллектуал и художница из Америки. Она приезжает через три дня.

– Это хорошо или плохо? – спросила Таня.

– Тебе очень повезло, подруга. Куда больше, чем в свое время мне.

ЧАСТЬ III. ИНСАЙТЫ

3.1. ИНДИЙСКАЯ ТЕТРАДЬ. ИНСАЙТЫ

Танек! Опять гляжу на твою солнечную мордашку на стене и пишу свое бесконечное терапевтическое письмо.

Многие – вот хотя бы ты – верят, что богатые и могущественные люди получают от жизни больше наслаждения, чем простые смертные. Вера эта крайне наивна, что хорошо знает любой богатый человек. И я могу научно объяснить почему. Много про это думал.

Дело в том, что способность получать удовольствие от физического мира ограничена нашими сенсорными каналами – кожным покровом определенной площади, парными органами зрения, слуха, обоняния – и одним-единственным языком с вкусовыми пупырышками. Можно отнести сюда же и гениталии.

У этой системы очень узкая, как говорят технари, полоса пропускания.

Даже если одновременно массировать все тело самым откровенным и бесстыдным способом, услаждать глаза прекрасными картинами, уши – божественной музыкой, а рот – разными волшебными вкусняшками, по-настоящему большим деньгам тут развернуться негде. Насыщение системы наступит быстро.

Нельзя растворить в маленькой кастрюльке с водой сколько угодно соли, даже если это зеленая соль земли. Да, за тысячу долларов можно купить больше физического удовольствия, чем за сто. За десять тысяч – чуть больше чем за тысячу. Но за сто тысяч уже не купишь больше, чем за десять.

Вернее, купить можно, но это будет уже не физическое удовольствие. С какого-то порога все наслаждения становятся чисто ментальными.

Бедному Калигуле приходилось разводить в уксусе жемчужины и пить получившуюся гадость в окружении льстецов и клевретов. Механизм наслаждения здесь такой: император пьет раствор миллиона сестерциев, вокруг стоят зрители, которые об этом знают, Калигула знает, что они знают, а они знают, что он знает, что они знают. Лабиринт, что называется, отражений.

Растворить много соли в маленькой кастрюльке, как я уже сказал, нельзя. Но вот отразиться в ней может хоть пачка соли, хоть вагон, хоть целый состав. И именно с этими отражениями богатые люди и работают аж с самого бронзового века.

Мы, сегодняшние Калигулы, плаваем мельче, чем былые, но тем же самым стилем. Надо постоянно напоминать себе и другим, что пьешь вино за десять тысяч, а не за тысячу, ибо язык особой разницы не ощутит. Мы пьем, таким образом, не вино, а растворенный в нем нарратив.

Запомни, Таня, это страшное слово – я к нему еще много раз вернусь.

Главное, чем наше время отличается от античности, это тем, что растворимые жемчужины научились создавать и для бедноты – хотя бы в виде дорогих мобильных телефонов. У тебя ведь есть крутой мобильник? Тогда ты знаешь, что такое нарратив *продвинутой бедности*. Это, конечно, страшновато. При римлянах хозяин раба хотя бы оплачивал ошейник, а в наше время рабы недоедают, чтобы его купить.

Правда, и хозяин у нынешнего раба уже другой – это не кто-то конкретный. Это не человек и даже не злой дух. Хозяин, так сказать, распределен по ноосфере.

Искать точнее бесполезно: если разобраться, мы все в рабстве у нарративов, и у каждой социальной страты они свои. Думаю, что за этим внимательнейшим образом следят – опять-таки не в целях служения абстрактному злу, а для оптимизации торгового баланса. Чтобы продать товар, надо сначала продавить борозду в мозгах.

После этого люди получают радость уже не от «удовлетворения потребностей», как наивно верили советские теоретики, а от приближения своего образа к закачанному в них шаблону. Другими словами, главной потребностью нового человека становится совпадение его отражения с химерой.

Выходит, что мудрец с реальной властью над своим сознанием будет счастливее богача, который в состоянии управлять своим умом лишь окольными методами Калигулы. Чему и учили нас когда-то сказки народов мира... Только где в наше время такие мудрецы?

В сказках, Таня, в сказках.

Деньги – это наркотик, на который сегодня с младенчества сажают всех. Девяносто девять процентов, как ты, наверно, заметила, пребывают в ломке. Один процент вроде бы прется, но...

Ни один наркотик не приносит устойчивой радости. Он дает лишь то, что называется английским словом «high»[1]. Временную, зыбкую и неустойчивую эйфорию, смешанную с постоянно растущим страхом этой эйфории лишиться. Необходимо постоянно увеличивать дозу, и т. д., и т. п. Поэтому над бизнесом во все времена издеваются разные Толстые («много ли человеку земли нужно»), и возразить им по существу трудно.

И как же радостно было понять, Таня, что прав на самом деле не Толстой, а именно журнал «Татлер», и за большие деньги действительно можно купить очень серьезное счастье, невыразимо превышающее любую мыслимую радость обычного человека. А самое забавное, что помогли в этом не инженеры Силиконовой долины (от них мы именно этого и ждем), а ушедшие от мира побирушки в коричневых робах.

Дамиан имел полное право назвать свой стартап заносчивым словом Fuji. Те месяцы, когда саядо Ан жил на моей лодке, были поистине вершиной, пиком моего бытия. Ни один римский император, ни один восточный деспот, думаю, и близко не испытывал ничего подобного.

Джана сама по себе – невероятное наслаждение, причем не столько физическое, сколько духовное (если такое разделение еще сохраняет в этих высоких пространствах смысл). Но если подняться туда прямо с мутного дна обычной буржуазной души...

Вот это, Таня, и есть путешествие автостопом по галактике – и поверь, никакой красной «Тесле» даже за миллион лет не пересечь тех бездн, которые я без особого труда преодолевал всего за полчаса.

---

[1] Кайф.

И от этого рождалось упоительное чувство божественной избранности. Помнишь, как у старинного поэта:

«Блажен, кто посетил сей мир в его минуты роковые, его призвали всеблагие как собеседника на пир...»

С роковыми минутами нынче все в порядке – в любое время включаешь телевизор, и жри. Пируй, так сказать. Но после обеда моя мультимедийная становилась еще и *всеблагой*. И я ходил из роковой во всеблагую, как Адам по раю, и не ведал, что уже согрешил.

Надо было, конечно, догадаться, что боги заметят смертного, забравшегося в их тайный сад – и накажут за покражу яблок познания. Но я не допер.

И произошло то, что произошло.

*

Мы снова встретились втроем на лодке у Рината. Юра привез с собой какого-то фраера в очках с большими диоптриями. Я подумал сначала, что это юрист из его обслуги, но оказалось, что это профессор-буддолог из Москвы.

Как и в прошлый раз, мы отправились в бильярдную.

Кокаин профессор нюхать не хотел – да и я совершенно не собирался, но Юра настоял. Залакировали вдовушкой («Клико оффлайн», как выразился Юра), и я с тоской подумал, что еще один день жизни пропал на бычью синьку и декаданс. Оставалось надеяться, что жертвы были не напрасны и этот профессор действительно что-то знает.

– Михаил Юльевич, давайте теперь повторим для наших друзей то, о чем мы говорили, – сказал буддологу Юра. – Я вроде помню, но боюсь перепутать. А вы точно не ошибетесь.

– Мы о многом говорили, – ответил буддолог. – Что вы имеете в виду конкретно?

Юра повернулся к нам и подмигнул – мол, тихо, сейчас будем лоха разводить. Он в такие минуты сразу лет на двадцать молодеет, словно переносится назад в девяностые – и если кому сильно не повезет, можно туда перенестись вместе с ним.

– Вот помните, вы рассказывали про эти... Джуны, да?

Профессор улыбнулся.

– Джаны. Или дхьяны.

– Да. И я тогда спросил, зачем они нужны монахам. С какой целью.

Профессор откашлялся.

– Медитативные абсорбции в практике созерцания нужны главным образом для того, чтобы добиться высокой сосредоточенности ума. Сфокусированный подобным образом ум используется затем для так называемой випассаны, или медитации прозрения.

– А что это такое – медитация прозрения?

– Ну, есть много определений, – наморщился буддолог. – Но правильно, думаю, будет сказать, что это такая духовная практика, при которой медитатор непосредственно постигает три главные характеристики бытия...

– Это что такое? – спросил Ринат.

Юра поднял руку, останавливая буддолога.

– Ну а ты сам как считаешь?

Ринат улыбнулся.

– Вера, надежда, любовь?

– Если бы, – засмеялся Юра. – Михаил Юльевич, выгружайте.

– Там немного другое, – сказал профессор. – К сожалению. Аничча, Анатта, Дукха. Если по-русски – непостоянство, безличность и страдание. Правда, в наше время слово «дукха» часто переводят как «неудовлетворительность» – чтобы не отпугивать клиентов. Когда медитация проходит правильно, медитатор способен безошибочно различить эти качества в любом возникающем феномене.

– А в практическом плане как это делается?

Профессор подумал немного.

– Ну, по классическим источникам, медитирующий доходит до четвертой джаны... А дальше, вместо того чтобы поддерживать иллюзию непрерывности и стабильности происходящего, он обращает внимание на аспект изменчивости тех тонких феноменов, которые все еще сохраняются в джане.

– А какие в четвертой джане феномены? – спросил я. – Там вроде ничего нет.

Профессор снял очки и протер их. Кожа на его скулах немного порозовела – может быть, от кокаина.

– Я, как вы понимаете, в четвертой джане не был, – сказал он. – Но, поскольку там сохраняется восприятие, то феномены восприятия тоже должны присутствовать. Их можно увидеть как непрерывные и длящиеся. А можно осознать их быструю изменчивость. Первое восприятие соответствует самате. Второе – випассане.

– Ладно, хрен с ними, с феноменами, – сказал Юра. – Ну, допустим, обращаем мы внимание на этот... аспект изменчивости. И что мы с этого имеем?

– Созерцание трех характеристик ведет к глубоким инсайтам относительно природы реальности, – ответил профессор. – Причем, если радостное счастье джан является лишь временным переживанием, то глубокие инсайты випассаны остаются с медитатором навсегда. Происходит перманентная трансформация восприятия. Это, по сути, и есть «просветление» в прямом смысле – как бы прояснение оптики, сквозь которую видна реальность.

– И оно даже лучше джан? – спросил Юра.

– Так сложно ставить вопрос, – ответил профессор. – Джаны являются этапами на пути к просветлению. Вы как бы поднимаетесь по ступеням к вершине.

– Если к вершине поднимаются по ступеням, – сказал Юра, – то, наверно, хотят что-то на этой вершине найти. Что-то такое, чего на самих ступенях нет. Логично? А то зачем все это надо. Устроился на удобной ступеньке и торчишь себе всю жизнь. Если наверх поднимаются, значит, там лучше.

– Ну да, – согласился профессор. – Можно, наверно, и так рассуждать.

Юра обвел нас горящими глазами – и снова повернулся к профессору.

– Хорошо, – сказал он. – Допустим, мы хотим подняться до конца. Осознать эту изменчивость феноменов и получить глубокое просветление. Как конкретно это сделать?

– Тут нет какого-то специально описанного метода, – ответил профессор. – Или какой-то особой техники. Сосредоточенность джаны самым прямым и непосредственным образом направляется на осознание непостоянства всех феноменов. Это и есть самая короткая из известных мне классических инструкций. Надо дать себе соответствующее указание перед медитацией – и, выходя из четвертой джаны, об этом вспомнить.

– А вы сами это дело пробовали? – спросил Ринат.

– Я не буддист, – ответил профессор. – Я буддолог.

– Я все-таки не понял, какие там феномены, – сказал я. – Ринат, ты понял или как?

Ринат покосился на профессора.

– Да тоже не очень.

– В четвертой джане, – сказал профессор, – сохраняются так называемые ментальные формации. Они же санкхары, или, как иногда переводят, фабрикации, диспозиции и так далее. Ментально-волевое брожение, не сознающее себя. Пузыри из до-сознательных слоев бытия, так сказать, с самого дна. Дна мы увидеть не можем, и даже не факт, что оно вообще есть, но пузыри постоянно поднимаются. Сосредоточенность четвертой джаны позволяет медитатору видеть ментальные формации не отождествляясь с ними. Видимо...

– Я объясню, – перебил Юра. – Я этот вопрос на прошлой неделе просек. Там просто. Если сосредоточиться, то ничего как бы нет. Даже тела не чувствуешь. Звуков не слышно, и так далее. Но лысый сказал, что все это никуда не уходит. Тело по-прежнему все воспринимает и чувствует. Просто сознание в другом месте. Все то говно, которое обычно грузит, никуда при этом не исчезает. Просто летит мимо прожектора. Но если прожектор малек довернуть... Помнишь, Дамиан про Воланда и «Сутру Сердца» рассказывал? Он ведь про это в обычном смысле не вспоминал – его бы из джаны выкинуло. Он просто чуть довернул прожектор и кое-что засек. По этой схеме из четвертой джаны любые вопросы прояснять можно.

– А-а-а, – сказал я. – Вот так как-то ближе...

Юра подошел к сильно напрягшемуся профессору и полуобнял его за плечо.

– Михаил Юльевич... Спасибо вам. Если вас не затруднит, подождите нас, пожалуйста, на палубе – у нас будет конфиденциальный обмен мнениями. По бизнесу, уже не ваш вопрос.

Когда профессор вышел, он повернулся к нам с Ринатом и сказал:

– Ну че, просекли фишку?

– Нет, не просекли, – ответил Ринат. – Я во всяком случае.

– И я тоже, – признался я.

– Вам, ребят, надо учиться выделять ключевые слова и понятия. Как вы только переговоры ведете... Что он, по-вашему, сказал? Две важные вещи. Первая – кайф у нас временный. Мы это и сами хорошо знаем. Вторая – с помощью джаны можно получить инсайт, при котором с человеком происходит – внимание – перманентная трансформация. Ясно? Пер-ма-нент-ная. Раз и навсегда.

– Ну допустим.

– Теперь смотрим дальше. Чем мы отличаемся от лысых?

– Чем?

– Тем, что они просветленные, а мы нет. Они в джану в любой момент заходят, а мы без них вообще не можем. А почему? Да потому, что с ними трансформация уже произошла, а с нами нет. Но это, профессор говорит, по ходу, совсем просто, если джаны освоил. Никаких хитростей. Глядишь из четвертой джаны на непостоянство, и – раз...

– А почему тогда монахи про это не рассказывают?

– Ты что, – спросил Юра, – не понимаешь?

– Почему?

– Да потому что, если мы тоже просветлимся, зачем они нам нужны будут? Мы в джану попадать будем в любое время, как они. Без шлемов, без переводчиков. Сами. Понял?

– Надо монаха спросить, – сказал я.

– Ну да, так он и расколется. Такие бабки терять. Что он, сам себе враг? Опять чего-нибудь наплетет про великого Будду, и все. Мужики, давайте вот что. Попробуем из четвертой джаны увидеть это самое непостоянство. И глубоко в него врубиться.

– И что дальше? – спросил Ринат.

– Мы... Если повезет, сами станем просветленные. Вот тогда и увидим, что еще в меню бывает. Значит, так. В шлеме ведь будильник есть? Договоримся о времени, начнем одновременно по сигналу... А то вдруг они фишку просекут. Мало ли...

– Боязно, – сказал Ринат.

– А че бояться-то, – хохотнул Юра. – Ты и в прошлом веке всего боялся – посодють, посодють... И сел, кстати, именно поэтому. Не ссы, Ринат.

*

Рейдерский захват важнейшего буддийского инсайта был назначен на пятницу, тринадцатое число – у Юры такой юмор, что с ним поделаешь.

Он боялся, что после того, как мы обманным путем просветлимся, монахи вообще прекратят вести с нами дела. Поэтому, как Юра и предлагал, мы решили войти в четвертую джану синхронно, провести там час – и, по сигналу встроенного в шлем аларма переключить сосредоточенное монахами внимание на непостоянство всех возникающих феноменов.

В четверг вечером был последний созвон.

– Юра, – сказал я в трубку, – я только до конца не понял, на какие феномены глядеть.

– Ты про это сейчас не думай. Ничего заранее не планируй. Расслабляйся. В шестнадцать ноль ноль, когда будешь в джане, услышишь сигнал гонга. Дамиан так аларм настроил. А дальше... Мой буддолог объяснил так – как что-то заметишь, переключайся сразу на него. Потом другое появится – переключайся на другое. Неважно, что именно. Следи за всем возникающим и наблюдай его изменчивость... Так победим!

Весь вечер я думал про непостоянство. Осознать изменчивость феноменов... А разве я ее не осознаю? Что тут еще понимать? Разве я не в курсе, что это такое?

Вот ты, Танек, например. Была в школе такой красивой девчонкой, а стала натуральной ватрушкой. Нет, ты и сейчас симпатичная, даже очень. Какой-нибудь араб вообще с ума сойдет, они ценят женскую мягкость. Но изменение налицо... Да чего там ты – все государство трудящихся за это время слилось, никто даже не понял почему. Тоже изменение.

Правда, думал я, все эти изменения медленные. Относительно нашей ежедневной суеты мир в практическом смысле неподвижен. Вот как небо – смотришь на него, и кажется, что облака сделаны из вечного небесного камня. А еще через пять минут вспомнишь, глянешь вверх – и где он теперь, камень?

Наконец, в мультимедийную пришел саядо Ан и начался опыт. Только тогда я полностью успокоился. Конечно, не сам: спокоен был мой монах, и эта его невозмутимость передавалась мне вместе с джанами через шлем.

«Помнить, – сказал я себе, – после гонга в четвертой – непостоянство... изменчивость...»

Первую мы прошли быстро – мы вообще редко в ней задерживались. Вторая захватила меня золотым светом, подержала немного в своих сладчайших глубинах – и, уже спокойного и умиротворенного, передала в нежные ладони третьей.

И это было так хорошо, что у меня даже мелькнула в очередной раз мысль – вернее, легчайшая тень мысли, какая только и может быть в джане – о том, что этот шлем и этот монах были лучшей инвестицией моей жизни.

Началась четвертая, и мой ум благодарно молчал все то безграничное безвременье, что она длилась.

А потом я услышал гонг. И тут же, не раздумывая, устремил на него все свое сосредоточенное внимание.

Звук этот в тот момент даже не показался мне звуком.

Как будто я ехал в какой-то древней военной процессии, и мы вошли в лес из железных деревьев, и листья их стали шуршать о бока наших коней и наши знамена... И продолжалось это день, неделю, век, а мы уходили все глубже и глубже в чащу, не помня уже, кто мы такие и откуда, и не верилось, что мы когда-нибудь дойдем...

Пока гонг звучал, я не думал, конечно, ни о лошадях, ни о знаменах – а только вслушивался в сотни и тысячи сменяющих друг друга звучаний, на которые распался такой вроде бы простой металлический удар.

Звук гонга длился бесконечно. В нем была зашифрована вся история Индии до Будды и после него, и много-много других сюжетов. У каждого из звуковых осколков была своя сказка... Но я так и не дослушал их все – мое внимание перекинулось на зуд в пальце ноги. И повторилось то же самое!

Там было столько микроскопических ощущений, столько кратчайших жизней ума, столько празднеств и трагедий, столько... столько... Словом, процессия снова въехала в лес, но там росли уже другие деревья, и мы ехали долго, невыразимо долго – а потом у меня зачесался нос, и это, Танечка, была Песнь Песней, Махабхарата и полное собрание сочинений Льва Толстого, а еще великое древнее кладбище, где все это при мне похоронили.

Мой ум стал стремительно перемещаться от одного ощущения к другому, и везде обнаруживал одно и то же. Как если бы, взыскуя божественных тайн, я гонялся за Зевсом, принявшим форму орла – и все время настигал его, но этот огромный орел каждый раз оказывался сделанным из множества колибри.

Каждая из птичек проносилась передо мной по очереди, и я отчетливо различал ее клюв и хвост, и не мог понять, в какой из них прячется тайна. Я догадывался даже, что любую колибри можно точно так же увидеть в качестве крохотного облака мушек, а каждую мушку...

Словом, это было неописуемо. Приятного в этом, положим, не было – но это было интересно и не похоже ни на что другое.

Когда мы закончили, саядо Ан сказал:

– Вы первый раз используете четвертую джану по назначению. Но мне отчего-то тревожно. Надо поразмыслить...

Больше он к этой теме не возвращался.

За следующие две недели я повторил этот опыт много раз – и сосредоточенность монаха, переданная в мою голову по проводам, подарила мне много таких ощущений, которые раньше были знакомы только по юношеским опытам с ЛСД. Мир расщеплялся на атомы, а эти атомы расщеплялись на частицы, и так без конца, без конца. Но потом саядо Ан снимал свой шлем, и все приходило в норму.

Кое-что из увиденного во время этих опытов поразило меня до глубины сердца. Но это было так странно и мимолетно, что я даже не знаю, получится ли у меня про это рассказать.

Попробую.

Четвертую джану идеально описывали слова Рината «сейф души». Самое замечательное в этом сейфе было то, что в нем ничего не лежало – и, значит, беспокоиться тоже было не о чем. Но когда я стал следить за изменчивостью, сразу же выяснилось много нового.

Сперва я заметил вот что: хоть в джане ничего вроде нет, это «ничего» все время немного разное. А как только это стало ясно, так я и увидел остальное.

Сразу. За долю мига. Инсайт, по-другому не скажешь.

Что происходит в темноте, когда эта темнота каждую секунду слегка другая? Или когда ничего не думаешь, но это «не думаешь» все время немного разное? Как это назвать? Это как ночной пруд – его не видно, а потом ветер поднимет рябь, и на этой ряби чуть задрожит свет фонаря... Вот только тогда и видишь воду. Вернее, не видишь – по нескольким бликам мозг вычисляет, что пруд есть.

Вот такую же рябь можно различить и в джане. Это не относится в чистом виде ни к зрению, ни к слуху, ни к ощущениям, ни к мыслям. Шесть чувств тут смешаны во что-то такое, что не похоже ни на что из нашего мира.

Это как бы невидимые волны: докатившись до требуемой черты, они делаются нами. Увидеть их нельзя, потому что мы, наблюдатели, тоже возникаем из них – а как заметить то, что только собирается тобой стать? Парня, способного это сделать, еще нет.

Но, поскольку тебя самого в четвертой джане тоже нет, эти волны иногда становятся смутно и как бы интуитивно различимы (вопрос «кому» здесь не имеет смысла), и переживание это не спутаешь ни с чем другим.

Эти волны становятся миром и нами. А потом новым миром и нами, и опять, и опять. Мы все время возникаем из них, как Афродита из пены – кадр за кадром, вместе со всей нашей вселенной. Мы действительно состоим из быстро сменяющихся кадров, в точности как кино.

А когда начинаешь видеть вместо кино кинопленку, все великие кинематографические вопросы снимаются как грязные носки. Есть Бог, нет Бога, есть ли загробная жизнь, есть ли Мировая душа... Все это полная фигня. Главное, наиважнейшее, о чем даже и сказать-то трудно, видишь в это время сам – и понимаешь дивные вещи.

Помню, мы с Дамианом обсуждали, где душа соединяется с телом. Вот здесь. Потому что из этих волн появляется и душа, и тело, и все остальные человеческие развилки с разводками.

Эти волны – как бы непостижимая радиопередача, из которой возникает все. В сущности, до нее ничего знакомого нам нет. Я, ты, другие, мир, тело, душа – это то, чем волны становятся после... Не знаю, как сказать.

Нашего с ними отождествления? Что-то вроде этого, хотя тут уже очень трудно продираться сквозь слова, потому что они начинают противоречить сами себе.

Это как подаваемое к соплу топливо за секунду до воспламенения того огня, где мы корчимся всю жизнь и откуда не можем выйти, потому что мы и есть этот огонь. И смерть здесь вовсе не решает вопроса, поскольку никак не задевает ни этих волн, ни их непостижимого источника – пропав в одном месте, огонь вспыхнет в другом, и снова будет «я», головка от меня и все остальное многообразие человеческих радостей и смыслов.

Но это не значит, что огонь снова загорится в том же околотке. Нет. Огонь каждый раз заново создает свое «время», «место» и все такое прочее. Вот это я просек совершенно точно – и понял наконец, что хотел сказать саядо Ан, когда говорил, что спорить о феноменах нет никакого смысла. Ни смысла, ни возможности. Это как если бы дым рассуждал об огне. Вернее, думал, что рассуждает, пока его засасывает в вентиляцию.

Ученики Будды, как я понял, как раз и старались этот огонь погасить, перекрыв топливный шланг. У них это называлось ниббаной, или угасанием, и это не метафизический или мистический, а чисто технический термин. Я бы даже сказал, несколько пожарный. Или вообще газпромовский – вот как гасят факел над скважиной, перекрывая газ.

И все то, что я пытаюсь сейчас описать, понимаешь в джане за долю секунды, даже не думая – просто как бы получаешь доступ к этому ментальному чертежу.

Смотреть на эти волны обычным умом нельзя, они недостижимы. А когда они делаются иногда видны из высокой спокойной джаны, вопросы ставить уже некому, там можно только видеть. Так уж все устроено. Но потом, когда выходишь из джаны, действительно можно задуматься – если это просто волны, что будет, если они угаснут? Тогда ведь, наверно, пропадет и огонь?

Когда я заметил, что напряженно об этом думаю, меня, конечно, уже вынесло из джаны.

Саядо снял шлем и сказал:

– Санкхара патчая виньяна... С вашей стороны неразумно склонять ум в сторону подобных тонких инсайтов. Во-первых, ваше восприятие крайне искажено. Во-вторых, у вас нет требуемой тренировки, и это может иметь неожиданные последствия. В-третьих, я вижу приближение определенных кармических препятствий. Пожалуйста, обратите внимание на мои слова.

– Скажите, – прошептал я, – а что это за волны?

– Волны? – переспросил саядо Ан, как мне показалось, с недоумением. – Какие волны?

– Ну это... Волны, из которых все возникает.

– Это кармически обусловленные ментальные формации, генерируемые вашим умом, – ответил монах. – Что еще, по-вашему, это может быть?

Темнит, подумал я. И решился обсудить свой опыт с Дамианом – рассказал ему про свои переживания. И про то, что сказал саядо Ан. Дамиан почему-то сразу перешел на шепот.

– Я тоже похожее видел, когда шлем настраивал... Я так думаю, Федор Семенович, эти волны – то самое, что Кастанеда называл эманациями Орла. «Санкхара патчая виньяна» на пали значит «формации порождают сознание», монахи часто это повторяют. А Кастанеда говорил, что сознание – это воспламенение эманаций, их свечение. Огонь в сопле, как вы выразились. Я раньше не понимал, как это. А теперь сам увидел... Высоко мы с вами поднялись, ох высоко... Даже страшно. Как бы вниз не упасть.

– Это ведь все вопросы снимает, – сказал я тоже шепотом. – Все вопросы вообще.

– Точно, – так же ответил Дамиан. – Я, как первый раз фишку просек, подумал – ну вот показать бы это, например, Платону. Он бы небось сразу забыл и про свою пещеру, и про тени на стене... А потом дошло – батюшки-светы, да ведь он именно про это и писал.

Тут уже я не понял, о чем он.

– Платона я не читал, – прошептал я, – и не буду. Но ведь выходит, что ничего нет, Дамиан. А только эти волны... Которых мы не видим, потому что нам кажется, что мы есть. И это наше «кажется» все заслоняет. А все совсем наоборот. Мы же... мы просто зыбкий оптический эффект непонятно где и зачем. Вот ведь, а... Кто же так устроил?

– Я не Будда, – ответил Дамиан. – Не знаю. Тем более, что и Будда на такие вопросы не отвечал. Но я вам вот что скажу. Я раньше много раз читал во всяких мистических книгах – мы, мол, никогда не рождались, никогда не умрем, то-се, пятое-десятое... Всегда казалось, что понимаю. А понял только теперь. Только саядо не говорите, он или разозлится, или смеяться будет.

С Юрой и Ринатом происходило примерно то же.

Да, все это было интересно, загадочно, страшновато – и очень похоже на рискованный психоделический трип. Но с трансформирующим восприятие инсайтом, на который надеялся Юра, мы, кажется, пролетели.

Как только сеанс кончался, мы снова становились собой.

План Юры не сработал. Мы по-прежнему не могли попадать в джаны сами.

Если говорить в терминах рейдерского захвата, мы успешно проникли на объект, побродили по нему, кое-что увидели – но вот оформить документы оказалось негде.

А потом наше счастье кончилось.

*

Юра как в воду глядел – всего через две недели после того, как мы научились всматриваться в непостоянство феноменов, монахи стали собираться домой. Они объяснили Дамиану, что контракт истек, продлевать его они не будут – и причин задерживаться у них нет.

Мне сразу показалось, что дело не в контракте, и я немного надавил на Дамиана. Выяснилось, что я прав.

– Это, я думаю, из-за Юрия Соломоновича, – сказал Дамиан. – Вы ему не передавайте только, расстроится.

– А что такое?

– Да он... Помните, он говорил, что в четвертой джане можно так аккуратно заглядывать во всякие вопросы. В общем, он не только говорил, но и делал, причем с самого начала. Помните, биток шесть тысяч стоил? Юрий Соломонович тогда серьезно так вложился. А когда он до восемнадцати поднялся, Юрий Соломонович постиг из четвертой джаны, что дальше он вниз пойдет. И все продал.

– Ну и что? Монахам-то какое дело?

– У них запрет на использование магических сил в мирских целях. А это и есть самая настоящая магия.

Я понял, о чем он говорит. Действительно, если Юра отмочил такой номер, честь ему и хвала – но что тогда мешало монахам самим вложиться в биткоин? А они ничего подобного не делали, вместо этого работая у нас чем-то вроде экскурсионных пони... Уже по одному этому можно было сообразить, что такие запреты были для них очень серьезным делом и Юра перешел границу.

– А извиниться нельзя?

Дамиан покачал головой.

– Нельзя. Они уже вещи собрали. В смысле, переводчики – у монахов какие вещи. Миска да зонтик.

– А если Юра им процент откатит от прибыли? Нормальный, двадцать или тридцать?

– Не выйдет, – вздохнул Дамиан. – Тут дело не в деньгах. Они мне объясняли, даже не знаю, повторять ли... Звучит немного стремно.

– Повтори, – сказал я.

– В общем, четвертая джана является вратами всемогущества. Вот, может, помните, в индийских эпосах такая линия встречается – какой-нибудь мудрец начинает тапас, в смысле практику самоусовершенствования, и богам вплоть до Брамы становится от этого не по себе... И они начинают мудреца соблазнять – то девочку подкинут, то еще что. Чтобы отвлечь от тапаса. Вот это как раз про четвертую джану. С незапамятных времен ее сторожат особые духи... или ангелы, не знаю, как лучше перевести. Они стерегут, конечно, не саму джану, а входящие в нее умы. Если вы, например, исследуете непостоянство в целях личного духовного роста, – Дамиан мрачно глянул мне в глаза, и я понял, что эту тему монахи поднимали тоже, – это еще ничего. Подобное допускается и даже приветствуется. Но если вы пытаетесь, пользуясь этой высокой сосредоточенностью, своевольно сдвигать мировые балансы и равновесия, то здесь вас могут сильно поправить. Потому что на каждого хитрого мага есть свой дух возмездия с защелкой.

– Так Юра ведь просто денег заработал.

– Все балансы и равновесия нашего мира основаны сегодня именно на деньгах. Подобное использование джаны и есть социальная магия. Оно привлекло к себе внимание духов-охранителей. В общем, упрашивать монахов бесполезно – у них свое начальство.

И Дамиан кивнул куда-то вверх.

– Что же мы, совсем без лысых останемся?

– Ну почему, – сказал Дамиан. – Других найдем. Поеду в Бирму, в Таиланд, на Шри-Ланку. Где джаны умеют делать. Забашляем нормально – приедут, никуда не денутся.

Несмотря на проблемы, саядо Ан попрощался со мной со всем дружелюбием.

– В этой жизни, – сказал он, – постоянно следует помнить последние слова Будды: все сложные вещи непостоянны и подвержены распаду. Следует самым старательным образом работать над своим освобождением...

– Понимаю Будду, – ответил я. – Сам не люблю сложности.

И через пять минут катер, навсегда увозящий моего лысого, превратился в белое пятнышко на фоне средиземноморского берега.

Поразительно, как легко я отнесся в ту минуту к его отъезду. Мне казалось, что найти другого монаха на его место будет не многим сложнее чем, допустим, нанять нового повара или горничную.

Дамиан уехал в командировку в Юго-Восточную Азию. Прошла неделя, потом две, но от него не было вестей.

По вечерам я заходил в мультимедийную просто посидеть в том кресле, где провел столько невыразимо прекрасных часов. Теперь я понимал – в джанах было все, вообще все, чего только может захотеть человек. Все самое лучшее без исключения.

И вот мое счастье у меня отняли – хотя бы временно...

Физической ломки я не испытывал. Но обычные радости обеспеченной жизни уже не вызывали у меня никакого энтузиазма.

Когда-то в детстве я читал книгу Стругацких «Хищные вещи века» – там был описан абсолютный наркотик, особое излучение, которое мог производить любой радиоприемник, если заменить в нем одну-единственную деталь.

Кайф следовало ловить в специально подготовленной ванне – и он по сюжету был так крут, что героя, разок трипанувшего на этом аппарате, терзали сомнения: как он будет жить дальше, если на свете есть вот такое? Как будет совершенствовать бесклассовое коммунистическое общество?

Некоторые вопросы история снимает без всяких усилий. Я вот, например, свой палубный коммунизм уже построил, и вполне себе знал, как его совершенствовать дальше под сенью такого запредельного кайфа. Так же точно, как раньше – только бухло и кокаин отдать трудящимся. Но у героя Стругацких (а его ведь не брали даже во вторую джану) возник, кажется, еще один вопрос – если на свете бывает вот такое, зачем тогда все остальное, что делают люди?

И вот на этот второй вопрос ответа у меня не было.

Вернее, он напрашивался. Примерно такой, как в песне у БГ: «На что мне жемчуг с золотом, зачем мне art nouveau, мне кроме просветления не надо ничего...»

Ты, Танечка, наверно не понимаешь, что я имею в виду, когда говорю, что в джанах было *все*. Там не было, конечно, грандиозных полотен, великих поэм, пронзительных художественных фильмов и так далее. И арт-нуво тоже. Но ведь мы все (если не считать профессионалов искусства, которые просто канифолят людям мозги) поедаем эту духовную кулинарию с одной-единственной детской надеждой: обрести понимание, пережить озарение и счастье.

А все виды озарения и счастья – от легкомысленного умиления до почти чувственного огня – в джанах были. Я знал теперь, что такое легкая и острая небесная мудрость, за миг рассекающая все великие вопросы – знал по опыту. Про нее можно было сказать лишь то, что она перпендикулярна мудрости земной, и сравнивать их невозможно.

И зачем тогда, думал я, нужна вся эта монументальная пропаганда, симфонии, балеты, войны, перемирия, совокупляющаяся натура, миллионные выигрыши и прочие полеты в космос, если все подобное просто ведет нас окольной и крайне ненадежной дорогой к тому, что джана дает прямо и сразу? Когда есть скатерть-самобранка, зачем продовольственные талоны? А ведь за них нужно долго и унизительно работать...

Я понял наконец, кем на самом деле был Будда.

Он был дилером. Да-да, самым настоящим дилером – и за ним повсюду ходила ватага изощреннейших и опытнейших торчков, которых он подсадил на самый изысканный и тонкий кайф в мире.

Никто из этих людей не работал: они жили в теплом климате, собирали бесплатную еду, поглощали ее до полудня – чтобы оставить себе больше времени на медитацию – и ежедневно погружались в этот резервуар счастья... А говорили при этом о страдании. И ведь чистую правду говорили. Все есть страдание по сравнению с джаной. Даже низшие джаны кажутся страданием из высших. Эх-эх...

И еще Будда был великим хакером. Только хакнул он не сервер Демократической партии с ушами от мертвого осла, а самый совершенный компьютер, который природа создала за пятнадцать миллиардов лет. Он хакнул человеческий мозг.

Мы, люди – социальные и биологические роботы, про это только ленивый еще не сказал. Нами управляют банальные кнут и пряник. Кнутами друг для друга мы трудимся сами. А пряники нам дает природа – за работу на биологический вид и общество. Дает очень скупо.

А Будда...

Ночью, при полной луне, под вой посрамленного Мары, он подтащил лестницу к хранилищу всех пряников на свете, приставил ее к стене – и даже разметил окна: вот тут, мол, пряники типа один, тут пряники типа два, тут пряники типа три и так далее.

Понятно, почему этого человека так любили в древней Индии. И ясно, почему все последующее развитие индийской цивилизации (да и самого буддизма) словно ставило одну единственную цель – как можно дальше увести от того, что черным по белому написано в сутрах. Окончательно раздачу пряников удалось прекратить только через тысячу лет после смерти Будды, когда утвердился взгляд, что джаны доступны одному из миллиона...

Дамиан наконец вернулся – и привез неутешительные вести. Никто, вообще никто из монахов, не соглашался к нам ехать. Мало того, теперь они даже не хотели обсуждать эту тему.

– Такое чувство, – сказал сокрушенный Дамиан, – что у них по внутренней связи прошла команда – с нами больше не работать.

– Может, – сказал я, – это американцы нам проблем подбросили?

Дамиан отрицательно помотал головой.

– Нет, этот рынок они не контролируют. Думаю, это из-за Юрия Соломоновича.

– А... Понятно тогда. А как Юра?

– Я у него был вчера, – ответил Дамиан. – Переживает, конечно. Заработать-то он заработал, но эта дельта ему, в общем, без разницы. Мелочь. А вот без джан разница очень даже большая.

Дамиан и сам был в сильном расстройстве – видно, привык за это время «настраивать шлемы».

– Есть еще один путь, – сказал он. – Раз мы уже знаем, что такое джаны, может быть, мы сами дорогу найдем? Надо изучить вопрос...

Я не выдержал и ударил кулаком по столу.

– Нет, я не понимаю – как так может быть, что за любые деньги ни один монах не соглашается?

– Вот так, – сказал Дамиан. – Они даже не признаются теперь, что умеют в джаны входить. Говорят, истинное искусство утеряно в древности. Или просто отмалчиваются. У них по уставу, когда про такие вещи спрашивают, можно в ответ молчать.

– Похоже, у нас проблемы, – сказал я.

Дамиан грустно кивнул.

Но это еще не были проблемы. Это были сложности. Проблемы начались через несколько дней.

*

В детстве я читал историю про канадского физика Луиса Злотина, работавшего над атомной бомбой. Кстати, он был сыном эмигрантов из России: не уехали бы, может, и не пришлось бы потом воровать чертежи.

Этот Злотин ставил опыты с готовым сердечником атомной бомбы, вроде той, что сбросили на Нагасаки. Из сердечника тоже хотели сделать бомбу, но Япония сдалась и третья бомба не понадобилась. Сердечник был эдаким бильярдным шаром из плутония весом в шесть кило и диаметром в девять сантиметров, который использовали для разных экспериментов.

Чтобы приблизиться к началу цепной реакции, Злотин накрывал плутониевый шар бериллиевой полусферой – а удерживал ее простой отверткой. Однажды во время такого опыта отвертка сползла в сторону, и полусфера упала на сердечник, закрыв его почти полностью.

Злотин успел откинуть бериллий, но доли секунды оказалось достаточно: в комнате полыхнуло голубым, и бедняга получил смертельный радиационный ожог, от которого через девять дней и умер.

То, что произошло с нами тремя, немного походило на этот безрассудный опыт. Мы точно так же полезли с отверткой в источник немыслимой силы – и точно так же получили фатальные ожоги.

Только источником была не радиация. Мы таки поймали в конце концов тот инсайт, к которому так стремились. Но, как совершенно справедливо отметил саядо Ан, готовы к нему мы не были.

Забегая вперед, скажу, что случай наш не был типичным, и с медитирующими буддистами подобное бывает редко.

Мы пытались потом выяснить у компетентных людей, что с нами произошло и почему. И самое убедительное объяснение было примерно таким – мы предъявили ноосфере запрос на очень отчетливое знание для крайне сосредоточенного ума. Сосредоточенность эта на самом деле не была нашей. Но мы показали, так сказать, код доступа. И, на свою голову, знание получили.

Для саядо Ана и его коллег в нем не было бы ничего нового вообще. Но для нас это оказалось смертельной вспышкой голубого огня – теми самыми фатальными злотинскими рентгенами.

Но по порядку.

Вскоре после отъезда саядо Ана у меня развилась какая-то странная депрессия, не похожая ни на что из известного прежде. Я не сразу понял, в чем дело – сначала мне казалось, что дело просто в тоске по утраченным джанам.

Я никак не мог поверить, что судьба отобрала у меня свой лучший подарок. Когда же стало окончательно ясно, что джаны теперь недоступны, меня охватило уныние. Это было что-то среднее между героиновой ломкой и тоской ангела, сброшенного в бездну, но еще помнящего блаженство и славу небес.

Час, ну хотя бы полчаса во второй или третьей джане (о четвертой я даже не мечтал) вернули бы меня к жизни. Но диспенсер счастья больше не работал: шлем эмо-пантографа лежал на столике в мультимедийной, как каска героически погибшего Дарта Вейдера на имперском погребальном лафете.

Постепенно я сполз глубоко в депрессию. И вот тогда началось страшное. Такое, к чему я совершенно не был готов.

Те самые инсайты.

После отъезда Дамиана в очередную азиатскую командировку я стал замечать странные перемены, происходящие с моим восприятием.

Во-первых, я ощущал какую-то жуткую отрешенность от всего вообще. Мои внутренние голоса не хотели больше дискутировать по поводу бельевых веревок и жаждали прибытия самолета – но я, увы, больше не мог его заказать.

Во-вторых, мне стало сложно на чем-нибудь сосредоточить свой ум.

Дело было не в том, что я отвлекался. Дело было в том, что все, на чем я пытался остановить свое внимание, в ту же секунду исчезало.

Вернее сказать – и это было самое жуткое – оно исчезало даже до того, как я успевал на нем сосредоточиться. Мне оставалось только эхо.

Я ронял на пол вилку – и понимал, что вспоминаю уже отзвучавший и кончившийся звук. Хоть отпечаток его сохранялся в моем сознании и был чрезвычайно подробным, это уже не было звуком. Это было записью, которую я крутил сам себе. И такую же природу имели все звуки мира.

Мои глаза пересекали поверхность окна – и только потом, в записи, проявлялась висящая над морем луна. Тело посылало мне множество еле заметных уведомлений, мысли мелькали бледными тенями, но когда мое внимание обращалось к любому из этих быстро сменяющихся сигналов, его уже не было...

Была только запись. Но даже запись эту нельзя было изучить – она тоже исчезала почти сразу, и я имел дело с эхом эха, и так далее... Это было страшно.

Я казался себе Маленьким Принцем, переехавшим на темную сторону своего астероида – если раньше я уверенно взбирался вверх по ведущей к баобабу солнечной дорожке и каждый новый шаг доказывал реальность моего зеленого мирка, то теперь я свисал с обрыва над бездной и все, за что я пытался уцепиться, тут же рассыпалось под моими пальцами.

Не падал я только потому, что секунда за секундой рассыпался и сам. Сорваться вниз было нечему. Этот рассыпающийся «я», точно так же, как и все остальное, существовал лишь в виде эха, воспоминания о том, что уже исчезло.

Есть такая космологическая страшилка про свет погасших звезд, сияющий на нашем небосклоне. Меня с детства пугал и завораживал этот образ... А теперь вдруг выяснилось, что таким загробным светом было абсолютно все – включая и меня самого, думающего про этот свет.

Это жуткое переживание то и дело наваливалось на меня и за несколько мгновений уничтожало всякую целесообразность и смысл. Не было ничего, вообще ничего во всем мире, внешнем и внутреннем, что длилось бы хотя бы секунду. Все сразу рассыпалось.

Мир не изменился. Я просто никогда не видел его раньше под этим углом. Вернее, видел – после четвертой джаны, когда пытался обнаружить непостоянство.

Ну вот и обнаружил. Теперь эти переживания посещали меня не по моей воле – и совершенно не радовали. Меня то и дело настигали мучительнейшие инсайты, неуловимо быстрые понимания сути вещей, уже испытанные мною в джанах. Но теперь они были страшны.

Один из этих инсайтов, собственно, и разъяснил мне, что со мной произошло. Все было просто.

В обычном режиме восприятия мы как бы поднимаемся вверх по лестнице и глядим вперед. Ступенька, где только что была нога, рассыпается сразу после того, как мы делаем шаг вверх. Но мы уже перенесли внимание на следующую ступеньку и не замечаем исчезновения прошлой. Мы не сознаем распада переживаний и восприятий, из которых только что состоял наш мир. Вместо этого мы видим постоянно расцветающий впереди сад расходящихся тропок – и бежим в него, в него, в него.

А я теперь глядел не вперед, а назад – и видел, что дорога, по которой я иду, истлевает прямо под ногами. Она так же точно распадалась всегда, просто раньше я туда не смотрел.

Я всю жизнь карабкался вверх по лестнице этого мира, и даже не знал, что никакой лестницы под моими ногами нет, а есть только крохотный пятачок, куда я ставлю ногу, и он рассыпается сразу после того, как я ногу поднимаю. И это на самом деле и есть вся моя вселенная, а остальное – мираж.

Не знаю, Танечка, понимаешь ли ты весь ужас происходившего. Ты, верно, думаешь – ну ладно, человек что-то такое заметил про механизмы восприятия. Заметил, да и забыл... Но инсайты били в мой мозг один за другим, и забыть я не мог ничего. Я видел теперь абсолютную безысходность человеческой жизни, которую объясню тебе прямо сейчас на пальцах (твое счастье, что ты не мой доктор и никогда не прочтешь этих строк).

Главнейший ужас в том, что все состояния ума, рисующие наш мир и нас самих, длятся лишь короткий миг и тут же исчезают. И никогда в жизни, слышишь, никогда нас не будет ждать что-то другое, надежное и крепкое.

Любой человек, сосредоточенно понаблюдавший за собой несколько минут и ясно увидевший, как сменяют друг друга беспокойные, глупые, тревожные мысли, уколы телесного дискомфорта, непонятно откуда приходящие импульсы воли, отчаяния и надежды, играющие нашим телом и рассудком в футбол, уже знает про жизнь все.

Все вообще. Понимаешь ли ты значение этих слов?

В ней не будет ничего иного. Никакого величия духа, никаких равнин счастья, никаких бездн отчаяния, о которых талдычит классика. А только вот это же самое перетекание обломков одной распадающейся секунды в другую.

Человеку этого не преодолеть никогда.

Любое переживание завершается в тот самый момент, когда мы его осознаем, и сменяется другим. Нет никого, с кем это происходит – есть лишь сами переживания. Вернее, их уже нет, как нет тех искр, которые высекал когда-то из зажигалки саядо Ан.

Ни одно из переживаний не имеет ценности и смысла, потому что его ценность и смысл исчезают вместе с ним.

Сразу же.

Это значит, что прекрасных мгновений нет. Хотя бы по той причине, что ни одно из них не остановится, как ни проси. Любое мгновение предаст, и мы – это просто череда обреченных мгновений. Кажется, это так ясно и очевидно – но ведь никто не понимает. Не понимал и я сам.

Я склеил из двух знаменитых древних изречений универсальную земную мудрость на все времена:

Ты есть это. И это пройдет.

Главный, страшный секрет кольца Соломона в том, что надпись «и это пройдет» описывает вовсе не сменяющиеся радости и беды, сытые и голодные годы, семейные неурядицы и прочий макроконтент. Нет. Эта надпись очень точно объясняет функционирование реальности на частоте около десяти герц. Или даже двадцати. Отслеживать распад мироздания быстрее я просто не успевал.

Мы не помним, что так было всегда. Мы не понимаем, что всегда будет только так. Нет, в нашей моментальной вечности мы, как медузы и слепые черви, все время находимся в начале нового многообещающего путешествия к абсолютному гормональному счастью по веселой сказке, которую нам рассказывает добрый дедушка мозг.

И ведь не скажешь, что от мирского человека что-то скрыто. Мы все ежедневно видим этот узор распада – просто на других масштабах фрактала.

Вот ты вошел в «сегодня», человек, и тревожная динамика настоящего предложила тебе сложные моральные и финансовые дилеммы. Ты обработал информацию и принял решения – лучшие из возможных. Тебе кажется, что ты обустроился наконец в этом грозно гудящем потоке жизни.

А завтра выясняется, что вчерашнее «сегодня» у тебя уже украли вместе со всеми мудро прорытыми в нем норками, и надо обустраивать другое сегодня. И так – день за днем, пока ты не сдохнешь... Ты хоть понимаешь, как тебя имеют?

Так было всегда, всегда... Вот черно-белые фотографии прошлого (особенно трогают шестидесятые). Клевые ребята со смешными стрижками, которые вынуждены были делать очень серьезные выборы – и они взялись за руки, решились, сделали... Шагнули в будущее – и вот бы им побыть в этом честно заработанном будущем, но их будущее уже стало нашим прошлым.

Люди с красивыми лицами идут к справедливости, к добру и свету. Они рассчитались на хороших и плохих, приняли важные трудные решения, но все опять изменилось – рукопожатные стали нерукопожатными и наоборот... И даже самый-самый рукопожатный в опасности, потому что его забыли в шкафу, никто больше не подходит рукопожимать, и его хорошее лицо быстро покрывается в одиночестве сеткой горьких морщин...

Ты не найдешь ни покоя, ни свободы, человек. Вернее, все, что ты найдешь, съедят через миг невидимые мыши. Пятнадцать минут Энди Уорхола – это трогательная олд-таймерская мечта. Счет идет на секунды. А мирские вожди, как и век назад, уверяют: вот сейчас мы возьмемся за руки, побежим, побежим и сделаем хорошее важное дело, после которого все изменится навсегда...

Но ни один Моисей за всю историю так и не вывел свой народ из двух последних абзацев «Великого Гэтсби»[1].

Я плакал от ужаса перед открывающимися мне безднами, а новые инсайты все били и били в мое сердце.

Мы всю жизнь не замечаем таких простых и страшных очевидностей, понял я, потому что у нас есть *нарративный ум*. Я потом уже набрел на это красивое словосочетание – а сам поначалу окрестил этот слой сознания «политруком» или «романистом».

Дело в том, что мы живем не в «мире», не в «пространстве» и не во «времени», не среди ощущений и переживаний – мы живем в нарративе, в сказке. Мало того, мы не просто живем в нем, мы сами тоже нарратив. И даже высокодуховные граждане, думающие, что живут в «здесь и сейчас», на самом деле живут в нарративе «здесь и сейчас».

Часть нарратива повествует про «нас», часть про «мир», они переплетены между собой и создают замкнутую скорлупу, из которой нормальный человек не высовывает носа до самой смерти. Не из косности или трусости, а потому что он сам – просто рисунок на этой скорлупе. Рисунок ведь не может высунуться сам из себя, сколько бы разные Эшеры ни изображали подробнейших схем такого процесса: это будут другие рисунки, и только.

---

[1] «Гэтсби верил в зеленый луч, в оргиастическое будущее, год за годом отступающее от нас все дальше. Оно обмануло сегодня, но это неважно – завтра мы побежим быстрее, раскинем руки шире... И в одно прекрасное утро...

Вот так мы и бьемся с течением, безостановочно сносящим в прошлое наши лодки».

Нарративный ум – как бы встроенное в нас СМИ, которое делает вид, что информирует нас о «событиях нашей жизни», но на деле просто погружает нас в глюк, где нам велено жить. А еще точнее – создает фейк, называющий себя нами. Да-да, я не случайно вспомнил это слово. «Фейк ньюз» – это не булькающее в интернете говно. Это мы сами.

Наш язык содержит слова «Я» и «оно» не потому, что они отражают природу реальности, а исключительно по той причине, что этого требует нарративный ум, которому легче таким образом соединять разноцветные пятна, оглушительные звуки, кишечные спазмы и безобразные мысли в романчик, который он все время впаривает мозгу. Вот этот нарративный ум и есть наше все, а никакой не Пушкин.

Это даже не романист, как я сначала думал. Это бессовестный партийный журналист с пошлейшим темником, каждую секунду разъясняющий, кто мы и что происходит.

А происходит с нами, Таня, всегда одно и то же – мы испуганно вглядываемся в создающий нас нарратив и не воспринимаем больше ничего, потому что нашего слабого сознания хватает лишь на это.

И за люминисцентной декорацией, постоянно висящей перед нашими глазами, мы не видим сути того, чем торгует заведение. Мозг держит нас в постоянной белой горячке, чтобы мы не замечали простой и убийственной истины ежесекундного исчезновения всего – и день за днем покупали фьючерсы ООО «Прекрасное Далеко».

Нарративный ум строит ширму, заслоняющую постоянный распад того, что было нами и миром секунду назад. На этой ширме нарисован «наш мир» и «мы сами». Поверь, там всего несколько кривых линий. Всего несколько каббалистических знаков, которые наше сознание в состоянии удержать одновременно. И кроме этого наперсточно-мозгового фокуса, Таня, ничего не было, нет и не будет до самой смерти – никакого другого человека и никакого другого мира.

Помнишь, мы в школе хохотали над анекдотом про сперматозоидов, которые плывут в предрассветной тьме и переговариваются: «Я буду скрипачом, а я космонавтом, а я премьер-министром», и так далее. А потом раздается голос: «Братья и сестры, нас обманули! Во-первых, мы в резинке. А во-вторых, мы в жопе...»

Так вот, нас всех – скрипачей, космонавтов, олигархов и так далее – обманули куда сильнее, чем этих сперматозоидов.

Они хоть до жопы добрались. А мы – просто кажимость, воспоминание, мгновенное состояние нарративного ума, обновляющееся каждый миг.

«Вещь в себе, вещь для нас...»

Как дышали-то.

Понимаешь ли ты всю безотрадность того, что я увидел? Все появляется и тут же исчезает, исчезает навсегда. Нет приобретения, нет награды – волны бытия возникают неизвестно где, прикидываются нами и миром, и тут же уходят неизвестно куда; они совершенно вне нашего понимания, какое уж там власти. Мы можем только по-верблюжьи жевать свой нарратив.

Все мировое кидалово всех возможных сортов и ценовых диапазонов состоит из одних и тех же быстро и больно мигающих пикселей, которые мы доверчиво зовем собой и миром.

Все, за что мы бьемся в жизни – это перестановка букв на дисплее ума, корректура «рассказа про нас», который читаем «мы сами», хотя оба члена этого уравнения есть голимейшая подделка, ежесекундно разлетающаяся вдребезги... О ужас, о безысходность, о подлость, о бездна...

И из бездны этой нет выхода. Мы можем родиться при авторитаризме, умереть при совсем другом авторитаризме, но из-под этого главного наперстка нам не выползти никогда.

Но есть и хорошая новость. Кто умирает в конце сеанса? Да никто. Вот только этот нарратив.

Помнишь, как пели в восьмом классе?

«Если у вас нету тети, то вам ее не потерять. А если вы не живете, то вам и не, то вами и не, то вам и не умирать...»

Чему бы я стал учить молодежь со дна этих прозрений?

Да чему я могу научить... Смешно.

Ребята, сказал бы я, мальчишки и девчонки – пока молодые, развивайте полный лотос, он очень пригодится вам в жизни. И ничего не берите в голову, кроме щебета птиц, шума ветра и плеска волн. Но и они вас не спасут. Вас предаст все, на что вы смотрите дольше двух секунд. Поэтому отпустите все. Если, конечно, можете...

Но ведь молодежи такое не говорят. Потому что кто тогда купит айфон и подпишется на канал? Кто выйдет на митинг? Кто заступит на вахту? Кто закажет крафтовое пиво, сядет за штурвал и нажмет красную кнопку?

Человек на земле – отнюдь не свободный испытатель реальности. Человек на земле работник. Не будем сейчас уточнять, на кого именно – это в данном контексте неважно.

Важно то, что истина не только сурова. Она еще асоциальна. Слава богу, что юность человечества надежно от нее защищена.

*

Выхода не было – я видел это так же отчетливо, как граф Толстой в своей «Исповеди».

Будда был прав – жизнь была страданием уже потому, что за тонкой пленкой фейк-нарратива в ней не было ничего, за что можно было бы ухватиться, никакой опоры вообще. В ней был только непрерывный распад становления (или, если это звучит слишком пессимистично, становление распада); болью было все. А сам я походил на ежесекундно сливающийся в канализацию поток жидкой глины, считающий себя четким големом на пути к успеху.

То, что я переживал, уничтожало всякую возможность получать от жизни знакомые формы радости. Все рассыпалось в последовательность бессмысленных быстрых ощущений, не имеющих никакой собственной ценности. Если таким было пробуждение, о котором говорят мистики, так лучше бы я спал себе дальше – и видел сны, и зеленел среди весны...

Впрочем, у Будды и его учеников были джаны.

Джаны и были тем пиком, откуда становилась видна открывшаяся мне панорама. Ученики Будды видели то же самое, что я – но глубокие неколебимые абсорбции компенсировали ужас подобных прозрений.

Ах, если бы я мог зависнуть во второй или третьей джане, как раньше... Стать лотосом, погруженным в озеро безграничной любви... Но на эти высоты меня брали туристом, и стандартного монашеского противоядия от инсайтов у меня не было.

Окончательно добил меня большой желтый пакет, пришедший по почте от саядо Ана. Когда его привезли мне на лодку, я сперва обрадовался, решив, что монах даст мне совет, как жить дальше.

Но в пакете оказалась толстенная книга в рисовой оберточной бумаге. К ней прилагалась записка:

Здравствуйте, господин Федор.

Будущее неясно, а смерть неизбежна – помните про это всегда. Надеюсь, что бесстрашно начатая вами сукка-випассана развивается благоприятно. Желаю вам великого мужества на этом непростом пути.

Я уже говорил вам, как полезно практиковать созерцание трупов. Такая возможность есть сегодня не у всех, но переводчик помог мне подобрать весьма близкий аналог в вашей уважаемой культуре.

Иногда говорят – вот труп Ивана. А вот труп Василисы. Но разве это правда? Ивана и Василисы больше нигде нет. Так чьи это тогда трупы, по-вашему?

Практикуйте рьяно, истинно и в светлой памяти.

Я разорвал обертку и увидел толстенный фотоальбом с названием «Братки девяностых на могильных плитах».

Чего тут сказать. Ну спасибо, наставник, спасибо.

Потом я позвонил нашему буддологу, чтобы узнать, что такое «сукка-випассана», хотя уже по одному звучанию все было понятно.

– Это медитация прозрения без джан, – сказал тот. – Позднейшее дополнение к техникам, которым учил Будда. Считается старейшими традициями весьма рискованной и опасной.

Эх, саядо Ан...

Вечером я и правда начал листать присланный монахом альбом. Коренастые пацаны в одинаковых клубных пиджаках глядели из прошлого с каким-то даже, казалось, интересом – ну что там наступило?

Да то же самое, сказал бы я им, все то же самое, пацаны. Человек изумляется жизни, потому что принимает за нее фальшивый коммерческий нарратив: в нулевых жили вот так, в десятых эдак, поколение перемен, поколение других перемен, Ельцин, Шмельцин, айфон, фейсбук, Путин, телеграм, вокзал, почтамт, айфон. Тренды. Шерри-бренды, как выражался Мандельштам.

Но в реальности ведь никаких трендов нет. Они существуют только в свежих твитах стилистически продвинутой моркови. А в реальности – что? Шум в левом ухе, блик на окне, яйцо вот, извиняюсь, чешется. Ну или большая половая губа, если нашему грозному времени это так важно. Мысль про школу, мысль про лето, мысль про платежи. Ноет скула, скоро ужин. И все прошло, уже навсегда прошло.

Это и в девяностых мерцало, и в нулевых, и сейчас есть, и в две тысячи сто тридцатых годах будет. В точности по любимой Борькиной схеме «мельница»: возникло, проявилось, исчезло, возникло, проявилось, исчезло. Так не только бизнес работает – вся реальность такая же. И как мы ни закатывай ее в гандон личного нарратива, скоро он – да-да – опять лопнет. Причем, как верно подметил Томас Элиот, not with a bang but a whimper[1].

---

[1] Не с громом, а со всхлипом («The Hollow Men»).

Есть, конечно, и общие для всех нарративы – их гражданам регулярно меняют, чтобы не воняли. Но если кто долго живет, он даже циклы замечает: постирали нарративчик, прополоскали, и по новой...

И все же саядо Ан был прав – созерцание заведомо мертвых урок в боевой одежде отчего-то успокаивало душу. И дело было не в банальном «мы-то живы».

Глядя на могильные камни девяностых, я понимал – эти мрачные гравюры на базальте и есть пример того, чем ум заслоняет постоянный распад сущего. Мы носим перед собой черные зеркала с высеченными на них химерами, ревниво глядимся в них и не замечаем как истлевает содержащая нас секунда.

Мы надеемся, что плиту увидят другие, заценят клубный пиджак и подумают – ecce homo... Ну увидят. Ну допустим, даже подумают. Но, во-первых, сразу же и забудут, как мы забываем других. А во-вторых, ведь это неправда.

А что правда?

Таня, я видел краем глаза в четвертой джане. Но словами ничего не ухватишь – это как суп вилкой есть. Скажу тебе только, что все без исключения в нашем мире ложь. И мы сами тоже.

Вечером позвонил Ринат.

– Федя, – сказал он подрагивающим голосом, – с тобой ничего странного не происходит?

– Происходит, – сказал я. – Только чего тут странного? Все как раз закономерно. Вижу правду жизни как есть.

– Ну и как тебе?

– Мрачная она... А ты видишь?

Он тяжело вздохнул.

– Вижу. И Юра тоже видит. Вот попали, твою мать, так попали. Дамиана этого убить мало.

– Я бы не спешил, – ответил я. – Пусть он нас сначала вытащит. Что с ним делать, потом решим.

– Думаешь, он сможет?

– Вся надежда.

– Я опять в Сен-Тропе, – сказал Ринат. – Давай у меня на лодке встретимся, как в тот раз. Дамиана на ковер – и все подробно обсудим.

*

Мы собрались в бильярдной у Рината, как в прошлый раз. И да, опять разнюхались – но если в прошлый раз это было излишеством и свинством, то теперь, после исхода лысых, в этом появилась серьезная медицинская необходимость.

У Рината вообще-то сложно не разнюхаться – хоть он и твердит все время, что завязал, инфраструктура располагает.

У меня на лодке есть небольшая кофейная машинка – туда засыпают зерна, а она сама делает из них несколько вариантов очень хорошего кофе. А у Рината есть такая же кокаиновая машина.

Не в том смысле, что она делает кокаин из листьев коки. Нет. В нее засыпают спрессованные камни от производителя, а она выдает либо тончайший нежнейший порошок, совсем не раздражающий носоглотку, либо стерильный раствор для инъекций. Такие аппараты делает одна фирма в Швейцарии, и, в отличие от самого кокса, вещь это полностью легальная.

В общем, сначала мы целый час лечились. А потом позвали Дамиана. Дамиан был нервный и бледный –

видимо, понимал, что разозлил клиентов по-настоящему. Он привел с собой пожилого врача, похожего на Айболита, и буддолога – того же самого Михаила Юльевича.

Кокаина в этот раз мы им не предложили.

– Значит так, – сказал Дамиан. – Монахов найти до сих пор не смог – не хотят. Но ситуация не безнадежная. Я пообщался со знающими людьми в нескольких монастырях. Они говорят, все, что с вами происходит – обычные стадии прозрения. Ничего страшного.

– Это если с тобой такая херня начнется, ничего страшного, – не выдержал Юра. – А я на такое не подписывался. Тебе, может быть, контракт напомнить? Пункт об ответственности сторон?

Вот так. У Юры, оказывается, в контракте такой пункт был. А у меня почему-то нет.

– Я не в том смысле, что это пустяк, – сказал Дамиан. – Я в том смысле, что за века и тысячелетия подобные переживания хорошо изучены буддийской мыслью.

– Я бы эту буддийскую мысль тебе лично в жопу забил поганой кувалдой, – сказал Юра. – Ты же нас подставил, мудила. Причем втемную.

Дамиан покорно кивнул.

– Вина отчасти моя, – сказал он. – Не отрицаю. Но в джанах никакой опасности нет. Совершенно точно. А вот медитация прозрения – это несколько другое. Когда вы начали из четвертой джаны постигать непостоянство феноменов, вы со мной не советовались, можно это делать или нельзя.

– А ты нас не предупреждал, – ответил Юра. – Ни слова не было, что надо с тобой советоваться. Или что такое вообще может произойти.

– Давайте так, – сказал Дамиан, – вы сейчас опишете свои симптомы как можно подробнее, и мы попробуем понять, что происходит. Когда поймем, станет ясно, что делать. Кто начнет?

Юра шмыгнул носом.

– Ты консультантов о конфиденциальности предупредил? – спросил он. – Последствия объяснил?

– Об этом можете не волноваться, – ответил Дамиан. – Говорите откровенно – тут все, можно считать, врачи. Включая меня.

– Я теперь даже потрахаться не могу, – пожаловался Юра. – Вот до чего дошло.

– Что, – спросил доктор, – проблемы с совершением полового акта? Эректильная дисфункция? Какие-нибудь физиологические неудобства?

– Нет, – сказал Юра, – если дисфункция, таблетку можно съесть. Тут хуже, намного хуже.

– Можете описать? В любых терминах, не стесняйтесь.

– Попробую, – ответил Юра. – Вот раньше пялишь красивую бабу... Просто трахаешь ее, и тебе в кайф. И чем баба красивее, тем тебе кайфовее. Ну как и должно быть. А теперь...

Юра провел ладонью по лицу, словно сдирая с него прилипшую паутину.

– Теперь совсем не так, – сказал он. – Даже объяснить сложно. Как будто все пропало куда-то – баба, кайф... Словно реальность подменили. Сейчас так: чувствую хуем, что мокро, потом думаю, что двадцать тысяч за ночь – дохера, потом замечаю, как силикон под пальцами пружинит. Потом думаю, сдала она телефон охране или прячет, и есть у нее инстаграм или нет. Потом замечаю, как помада воняет, потом опять хую мокро, потом слышу стон, потом думаю, что стон этот ни разу не искренний, и за такие деньги могла бы уроки системы Станиславского брать. Потом волосы щеку щекочут, потом опять вспоминаю, что двадцать тысяч много, и думаю, что настоящий разврат – это не в сраку ее пялить, а такие деньги платить. Потом опять мокро, потом слышу как стонет, потом чувствую, как выгибается, потом думаю, что она, сука, специально хочет, чтобы я кончил быстро и она спать легла, потом злоба на нее берет, потом чувствую, что все равно кончаю прямо сквозь эту злобу, потом в самый ответственный момент опять помада воняет...

– Двадцать тысяч рублей или долларов? – спросил доктор.

– Долларов, – ответил Юра. – А какая разница-то?

– Для вас, наверно, никакой, – сказал доктор. – И что здесь не так?

– А то. Во всем этом больше ни одного момента нет, когда я красивую бабу ебу. Вообще ни одного, понимаете?

– А раньше такие моменты были?

– Я всю жизнь их нормально харил, – сказал Юра. – Что я, не помню, что ли? Зачем бы я тогда вообще этим занимался? А теперь даже поебаться нельзя. Потому что этого «поебаться» нигде больше нет.

– Это очень интересно, – вмешался буддолог. – А вот со звуками вы чего-то похожего не замечали? Что у них тоже качество как бы изменилось?

– При чем тут звуки? – спросил доктор.

Буддолог поднял руку.

– Погодите.

Юра немного подумал.

– Замечал, – неожиданно согласился он. – Причем неоднократно. У меня под Ниццей домик у моря, типа шато. Я, когда там бываю, утром на террасу выхожу кофе пить. А в соседнем доме какой-то трубач завелся. По утрам на трубе играет. В общем, часто слышу. Не то чтобы слишком громко трубит, но раздражает все равно. И раньше я каждое утро слышал, как этот потный гандон на своей сраной трубе дудит. А теперь...

– Теперь что?

– Совсем не так. Теперь я слышу просто «би-би-би». А потом замечаю, как думаю – ну что за срань дудит в таком приличном месте? Может, это спецслужбы организовали для психологического давления? Они же нас по всему миру сейчас прессуют... А потом опять слышу «би-би-би». Только теперь это уже не потный гандон дудит, как раньше, а просто «би-би-би». Все остальное отдельно думать надо. Я не всегда даже до конца додумываю. Я понятно объясняю?

Буддолог кивнул.

– Раньше все живое было, – пожаловался Юра. – Сочное, настоящее. Единое. А теперь как будто на бездушные детали разобрали. Мир всякий смысл потерял. Словно бы эмоциональная сила из него ушла, свежесть, подлинность бытия. Понимаете?

– Понимаю, – просиял буддолог. – Вы так хорошо все объяснили. Это классический инсайт випассаны, называется «нама-рупа ньяна». Ну или «различение материи и ума», если по-русски. Вы внезапно осознаете, что все многообразие жизненных впечатлений сводится к набору физических стимулов и ментальных проекций. И ничего кроме этого просто нет. То есть вы четко делите всю реальность на ощущения, имеющие физическую основу – вот как звуковая вибрация «би-би» – и реакции вашего ума, придающие звукам смысл. Вот как вы говорили про паршивого трубача и спецслужбы.

– И с женщинами то же самое?

Буддолог кивнул.

– Конечно. Мокро, злоба берет, щекотно, помадой пахнет, денег жалко. Мокро, злоба берет, щекотно, опять злоба берет, спазм, думаем про инстаграм, еще спазм, помадой пахнет. Физическое, ментальное, физическое, ментальное. А раньше все сплавлялось в единый опыт общения с дорогой и красивой женщиной.

– А можно опять сплавить?

– В каком смысле?

– Ну, чтобы было по-человечески. Как раньше, без дефектов.

– Я, наверно, не вполне точно объяснил, – сказал буддолог. – Это вовсе не аберрация или дефект восприятия. Совсем наоборот, это духовное прозрение. Те омраченности, которые прежде позволяли вам получать удовольствие от плотских радостей, исчезли, и вы видите происходящее именно таким, каково оно на самом деле. Смысл слова «випассана» – ясное видение. Вот это оно и есть. Как вы думаете, почему Будда сравнивал плотские радости с зажатым в руке горящим углем? И ведь никто из его учеников не возразил, хотя по другим вопросам с Буддой очень даже спорили. Возражений не было именно потому, что все ученики уже прошли через этот основополагающий инсайт...

Буддолог поднял глаза на Юру, и мечтательная улыбка сразу сошла с его лица. Он замолчал. Юра вздохнул и повернулся к врачу.

– А что научная медицина по этому поводу думает?

Врач пожал плечами.

– Медицинских показаний, насколько я могу судить, здесь нет. Вы переживаете именно то, что происходит, и именно в той последовательности, в какой все происходит – запах помады, щекотка, злоба, и так далее. Вот если бы вам черти при этом мерещились, можно было бы задуматься. А так – все нормально.

– То есть медицина тоже помочь не может? Никакой информации?

Врач задумчиво почесал ухо.

– Ну, есть информация, но немного из другой области. Просто пример. У меня друг был, алкоголиков кодировал. Так у него одна из дежурных фраз при кодировке была такая – «через некоторое время вы, возможно, попробуете заняться сексом в трезвом виде. Не пугайтесь и не впадайте в уныние. Да, вот такой он и есть на самом деле, человеческий секс...» По вашему рассказу похоже, что вы попробовали заняться сексом в трезвом виде. Только очень трезвом.

– Да нет, – простонал Юра, – почему... Я же пил, пил... Просто не берет. Меня вообще ничего теперь не берет как раньше. Ни алкоголь, ни кокс. Чувствую, что пьяный, но как будто это не я сам пьяный, а одно тело.

– А это, возможно, другой инсайт, – сказал буддолог. – Он называется...

– Фильтруй санскрит, – перебил Юра. – Просто предупреждаю. Могу не выдержать и кием въебать.

Дамиан решил, что пора вмешаться в разговор.

– Пусть теперь Федор Семенович расскажет про свои симптомы... То есть не симптомы, а ситуацию.

Я не стал кокетничать.

– В принципе, – сказал я, – похоже на то, что Юра говорит. Очень похоже. Но есть одна большая разница. Вот он говорит – «мокро, злобно, щекотно, помада». У него, счастливца, все это еще есть. А у меня уже нет.

– В каком смысле? – спросил буддолог.

– У меня скорее так, – ответил я, – только что было мокро, но уже кончилось, потом вроде была злоба, но уже все, потом было щекотно – но к тому моменту, как я это осознаю, все уже прошло. Это как снежинки, которые очень быстро тают. Вроде упала на ладонь, ты на нее глядь – но пока ты глаза поворачивал, она уже растаяла. Другая упала, то же самое. Я теперь только вспоминать могу, и даже не вспоминаю, а вспоминаю, как вспоминал... Все ускользает, прямо как вода из сита. Не знаю, понятно ли...

– Не очень, – сказал Юра.

– Только это еще не все, – продолжал я. – Там, где у Юры, например, мокро, у меня будет сто разных «мокровато, мокренько, скользко, влажно» и так далее, строго по очереди друг за другом. И пока одно не кончится, другое не начнется. Но они такие короткие, что ни одно из них нельзя поймать, можно только... как бы услышать эхо. Или даже эхо эха. А если ты его слышишь, значит, все уже прошло.

– Это со всем так? – спросил буддолог.

– Практически да, – ответил я. – Например, с запахом помады – будет целая гамма разных запахов, каждую долю секунды немного другой. Если я что-то думаю, то же происходит с мыслью. Когда меня злоба берет, это сначала ком в груди, волна по телу, потом дрожь в пальцах... И все такое быстрое, разное, бац, и уже кончилось. Я даже понять не могу, что такое «сейчас». Пытаюсь в него попасть, а оно уже прошло.

– Это что, и со мной такое случится? – нахмурился Юра.

– Я не знаю, – ответил я. – Но если случится, ты это свое «мокро, скользко, инстаграм» как именины сердца вспоминать будешь. Потому что тебе еще скользко, и ты хоть за это держаться можешь. А мне уже никак... Непонятно?

– Отчего же, – сказал буддолог. – Понятно более-менее. Это даже более высокая стадия инсайта. Так называемая «бханга-ньяна», или растворение формаций. Только не путайте, пожалуйста, с «бхангой» в традиции У Ба Кина и Гоенки – здесь идет речь не о превращении физического тела в совокупность вибраций, а об акценте восприятия на распаде фено...

Юра толкнул его кулаком в плечо.

– Извините, увлекся, – кивнул буддолог. – А ваш опыт, Ринат Мусаевич, похож на что-нибудь из этого?

Ринат мрачно посмотрел на меня.

– Федя говорит, ему то, что с Юрой творится, райским садом кажется. А мне раем кажется вот это Федино «все пропадает».

– Почему? – спросил буддолог.

– Потому что у него то одно пропадает, то другое, то третье. А сам он за этим наблюдает. А у меня тоже все пропадает, но каждый раз вместе со мной.

– Как это?

– А вот так.

– И что остается?

– Один страх. Причем такой страх, какого у нормального человека вообще не бывает. Я как будто все время проваливаюсь в ничего... Как бы пропадаю сам.

– В каком смысле пропадаете?

– Ну, у нормального человека всегда есть такое чувство – «я есть». Мы на него даже внимания не обращаем, потому что все остальное на нем основано. Вот это самое «я есть» и пропадает, причем таким образом, что при этом дико страшно.

– А потом опять появляется?

Ринат задумался.

– Наверно. Но этого момента как-то не замечаешь. А замечаешь только то, как «я есть» пропадает и гибнет, пропадает и гибнет. Раз за разом. Плачу целыми днями... И ничего с этим не поделать. Все такое страшное, все-все...

– Кажется, понимаю, – сказал буддолог задумчиво. – Это, наверное, «бхая ньяна». То есть «прозрение в ужас». Раману бы туда нашего Махарши. Или Махараджа. А то у них на этом «я есть» весь бизнес закручен, хотя опытные люди говорят, что это на раз лечится сальвией...

– Что за сальвия? – спросил я.

– Это психотроп такой, дает похожий эффект. Еще называется «шалфей-предсказатель».

– А что он предсказывает? – спросил Ринат.

– Да вот это самое и предсказывает... У вас, Федор Семенович, – профессор перевел глаза на меня, – «прозрение в ужас» как раз следующий этап.

– А как-нибудь без него можно? – спросил я.

– Я не утверждаю, что это обязательно случится, – сказал буддолог. – Просто последовательность инсайтов такая.

– И много там еще ступеней?

Буддолог закатил глаза.

– Значит так... «Нама-рупа» – первая ступень. «Бханга-ньяна» – пятая. «Бхая-ньяна» – шестая. А всего их шестнадцать.

– И какие они?

– Да вообще-то нелегкие, прямо скажем. Главное до одиннадцатой стадии дойти. «Упекха» на языке пали. Когда все успокаивается и уравновешивается. Развивается невозмутимость, и не остается никаких предпочтений вообще... Вот тогда уже не страшно.

– Знаю, – кивнул Ринат. – У меня было такое, но недолго. От очень сильного ужаса. Когда перестаешь бороться и смиряешься с неизбежным.

– Да, – сказал буддолог. – Именно. Классическая традиция предлагает продолжать випассану и после достижения упекхи. Вслед за этим часто происходит так называемое «вхождение в поток». Медитатор ныряет в первое личное переживание ниббаны.

– И что это за переживание? – подозрительно спросил Юра.

– Я не знаю, – ответил буддолог. – У меня не было. Я же говорю, я не буддист. Я ученый. Я излагаю известные буддологии факты. Буддисты говорят, это переживание можно знать, но не описать. Кроме того, при вхождении в поток переживание ниббаны может быть очень кратким, практически незаметным. Примерно как секунда пустого экрана при перезагрузке компьютера. Можно не заметить ничего вообще. Во всяком случае, не запомнить. Но вот с личностью медитатора после этого происходят глубокие изменения.

– Какие изменения?

– Во-первых, пропадает любой остаточный скептицизм в отношении Учения. Во-вторых, уходит приверженность к ритуалам и суевериям. И в-третьих, самое главное, исчезает индивидуальное «я»... Собственно говоря, инсайты в непостоянство и неудовлетворительность кажутся такими мучительными и страшными только до тех пор, пока сохраняется иллюзия персонального «я» – того, с кем это якобы происходит. Страдает именно эта иллюзия. Но после вхождения в поток она рассеивается, и тогда все ме...

– Стоп, – сказал Ринат. – Стоп. Как рассеивается?

– А вот так. Полностью и бесповоротно.

Ринат поднял на него полные боли черные глаза.

– Подожди, – проговорил он медленно. – Подожди-ка. Это как? Я вот про себя знаю, что я кое-чего в жизни достиг. И даже очень многого достиг. Я, например, собственник этой яхты. На которой ты сейчас мне мозги канифолишь. Если этот собственник исчезнет, полностью и бесповоротно, чья это тогда будет лодка?

Буддолог немного подумал.

– Это не приведет, естественно, ни к каким юридическим последствиям. По документам яхта будет оформлена на то же лицо. Или там юрисдикцию. Если в терминах Канта, «собственник для нас» останется тем же. Но в субъективном плане, сам для себя, собственник, конечно, исчезнет.

– То есть все будут думать, – спросил Ринат, – что лодка моя? Кроме меня?

– Выходит, так, – сказал буддолог.

– А я что буду думать?

– А вас уже не будет. Будут ментальные состояния, сменяющие друг друга. Вот как Юрий Соломонович замечательно описал. Но собственника ни у этих мыслей, ни у вашей яхты после этого не будет уже никогда...

Я очень хорошо понимал, о чем говорит этот человек – у меня уже развивались понемногу похожие симптомы. Ринат, видимо, тоже догадывался – не помню, когда я последний раз видел его таким злым.

– То есть что, от меня чучело одно останется? На которое другие будут смотреть и думать, что это я? А сам я, значит, незаметно сольюсь в туман?

– Ну, если отбросить известную эмоциональность вашего описания, то... Хотя нет, почему чучело. Для внешнего наблюдателя вы будете вполне тождественны себе прежнему. Все ваши теперешние знания, умения, навыки и так далее сохранятся. Уйдет только ваша внутренняя иллюзия субъекта, которому они принадлежат. Отмирающая личность является мнимой. Вместе с ней исчезают и мирские омрачения этой личности.

– То есть ты хочешь сказать, что я не бабки потеряю, а того, у кого они есть?

Буддолог просиял.

– Именно. Вот это самая точная формулировка. Но никто из ваших партнеров по бизнесу ничего даже не заметит.

– Ты не понял, что ли, – закричал Ринат, – мне насрать на партнеров! Ты правда не догоняешь?

– Правда, – пролепетал буддолог.

– А еще, мать твою, ученый. Ну давай я тебе объясню на пальцах. Вот смотри, если у тебя в банке деньги лежат, как ты их оттуда вынимаешь?

– По карточке.

– А если ты карточку потеряешь, как ты их достанешь?

– По паспорту.

– А если паспорт тоже потеряешь?

– Тогда проблема...

– Но решаемая, да? Пока есть отпечатки пальцев и сила бороться?

– Наверно.

– Хорошо. Теперь смотри – а если ты потеряешь того, кто эти деньги получить хочет? Тогда что? Как ты их тогда вынешь? Кто тогда будет карточкой крутить и паспортом махать?

Мне показалось, что Рината немного заносит в софистику – но я не спешил с выводами, зная по опыту, насколько он бывает мудр.

– Подумай, – продолжал Ринат, – если человек умирает, он ведь теряет все свои сбережения, да?

– Ну да.

– А для буддиста, мне мой лысый сам много раз говорил, та личность, которая обогащается, она иллюзорная. Я его еще слушал и посмеивался. А сейчас вот понял... Был Ринат из списка «Форбс», и все. Тело живет, бабло на счетах, бизнес работает, а самого главного уже нет. Да это ведь хуже инсульта! Там будешь хоть парализованный, но ты сам и с бабками. А здесь... Кому деньги-то достанутся, если личность исчезнет? Не один ли хрен – деньги потерять или того, у кого они есть?

– Второе хуже, – сказал Юра. – В первом случае можно опять их для себя заработать. А во втором уже нет.

– Вот именно! – закивал Ринат. – Если меня уже нет, зачем мне тогда все это? Лодка, домик у моря, все дела? До тебя доходит вообще, как ты нас подставил?

– Ну почему подставил, – отозвался бледный Дамиан. – Может, вам еще понравится.

– Меня, сука, уже месяц колотит по-страшному, – взорвался Ринат, – а ты говоришь, мне понравится, когда от меня вообще ни хера не останется?

Он повернулся к буддологу.

– Ну-ка, говори, как это выглядеть будет. Чтобы знать, если начнется. Только без санскрита.

– Это не санскрит, это пали.

– Мне похуй. Говори коротко и ясно, по-русски.

– Ну, если своими словами... При продвижении в более высокие ньяны сначала будет плохо. Вот как сейчас, и даже хуже. Может быть, намного хуже.

– Да куда еще хуже? – застонал Ринат. – В каком смысле?

– Ну, сейчас у вас еще некоторая ясность есть насчет происходящего. Вы его описать можете. Это, к сожалению, уйдет. Будет страшно и смутно. Все будет восприниматься, так сказать, в сугубо негативном ключе. Ничего – вообще ничего – не будет радовать душу... Возможны болезненные телесные переживания.

– Какие?

– Например, что вас пронзают пиками. Что тело превращается в камень и так далее. Умственные состояния тоже неприятны – например, описывается скука такой интенсивности, что она больше напоминает боль. Естественно, будет возникать постоянное желание прекратить медитацию... Впрочем, в вашем случае такой проблемы нет – вы же не медитируете. Дукханьяны развиваются спонтанно... Даже не знаю.

– А дальше?

– А дальше, как я уже сказал, вернется покой и душевное равновесие, а следом – первое переживание ниббаны.

– И вместо утраты собственности, – подвел итог Юра, – получим утрату собственника. То есть сначала очень херово, потом совсем херово, а потом вообще пипец. Так?

Буддолог кивнул.

На несколько минут в бильярдной установилась тишина.

– Давай, может, Герману позвоним, – сказал я хрипло, – объясним, по какому обрыву ходит.

– Да хуй с ним, с этим Германом, – махнул рукой Юра, – пусть он хоть на всю голову упадет. Нам-то что...

Он повернулся к буддологу.

– А если не двигаться к этой самой ниббане? Что тогда?

– Медитатор может надолго застрять в негативных состояниях. На годы и даже десятилетия. Подобное называется «Темной ночью духа». Это не эксклюзивно буддийская проблема. Об этом, например, писал Сан Хуан де ля Крус... Метафора Христа в пустыне тоже, в сущности...

– Деньги сохранятся? – перебил Ринат. – В смысле, собственник?

– Да. Но вряд ли принесут в таком состоянии много радости.

– Уй, – простонал Ринат. – Как же мы попали...

– Кончай скулить, – сказал Юра сурово. – Мужики мы или нет?

Он повернулся к буддологу.

– Есть хоть какой-нибудь выход? Ведь должен быть?

Буддолог подумал.

– Движение к ниббане – это путь, так сказать, вверх. Но должен оставаться и путь вниз. Если полностью прекратить медитативную практику, отказаться от духовной ясности... Сверзиться, так сказать, назад в пучину омрачений, из которых перед этим удалось вынырнуть... Если подобное происходит до вступления в поток, считается, что медитатор теряет свои духовные завоевания и возвращается к обычному психическому состоянию неразвитого мирянина.

– А из-за чего это происходит?

– Из-за нарушения заповедей и моральных правил.

Юра поднял с бильярда кий, взял его двумя руками, как самурайский меч – и нежно опустил Дамиану на плечо, словно примериваясь рассечь того надвое. Дамиан и так уже имел бледный вид, а тут прямо позеленел.

– Хорошо, – сказал Юра. – Дамиан, вы с Михаилом Юльевичем прямо сейчас все бросьте и проработайте вопрос. Если надо, подключите других специалистов. Составьте полный список опций. Полный. Что надо делать, чтобы эта гадость кончилась. И дай тебе Бог, Дамиан, чтобы мы выздоровели. Потому что тогда, может быть, ты останешься в живых. Хотя до конца я в этом уже не уверен...

3.2 LAS NUEVAS CAZADORAS. КЛАРИССА

Жизель открыла дверь, и Таня вошла в квартиру. Они по-сестрински чмокнулись, и Таня стала раздеваться.

– Кларисса там, – прошептала Жизель, кивая в сторону комнаты с проектором. – Смотрит монтажный материал.

– Может, на кухне подождать? – так же тихо спросила Таня, снимая сапоги.

– Почему, – ответила Жизель. – Зайдем. Уже кончается...

В комнате для занятий было полутемно. Работал проектор.

На кушетке лежала темнокожая молодая женщина: короткая стрижка, сжатые кулаки, напряженно выгнувшееся мускулистое тело. Она не обратила внимания на вошедших в комнату.

Проектор показывал картину «Неравный брак». Из динамика летел гневный женский голос:

– Пост-христианские страны, духовная культура которых укоренена в лицемерии, запрещают уличную проституцию для бедных – но великосветскую проституцию для богатых, эту скупку женской красоты толстосумами, не смеет запретить никто. На этом фундаменте покоится любая буржуазная патриархия, к какой бы политической трескотне она ни прибегала... Социально-эстетическая норма нашего мира – обрюзгший старый урод рядом с юной красавицей... Неравный брак сегодня так же неравен, как в девятнадцатом веке, когда была создана картина Василия Пукирева. Мало того, он стал еще неравнее, потому что самец чаще всего уже не утруждает себя самой процедурой брака, юридическими или церковными обязательствами! Вместо этого женщину просто нанимают по контракту. В сухом остатке только неравенство, неравенство в чистом виде...

На экране замелькали косые кресты и номера – видимо, монтажный блок кончился.

Жизель погасила проектор и зажгла свет. Незнакомка встала с кушетки.

Она была высокой и стройной, с выкрашенными в соломенный цвет короткими курчавыми волосами (словно ее голова была покрыта пеной для бритья). Несколько секунд она смотрела на Таню, а потом улыбнулась сахарными зубами – и протянула ей руку.

– Кларисса.

– Таня, – ответила Таня. – Very nice to meet you...[1]

– Можно по-русски, – без акцента сказала Кларисса, внимательно ее разглядывая. – Я вообще-то из Одессы. Уехала в восемь лет. Афроамериканец у меня только папа, примерно как у Обамы... Вот, значит, кому нынче снятся сны Аманды... Интересно. Очень интересно.

---

[1] Приятно познакомиться.

Таня почувствовала, что ее тянут за руку. Это была Жизель.

– Пошли на кухню, – сказала та. – Я сделала смузи с дыней и протеином.

Белковый шейк оказался вкусным – он чуть напоминал сладкие молочные коктейли из детства.

– Вы тут без меня обойдетесь? – спросила Жизель. – А то мне тренироваться надо.

Таня поняла, что деликатная Жизель хочет оставить их вдвоем.

– Обойдемся, конечно, – сказала Кларисса. – Нужна будешь, позовем.

Жизель вышла. Таня с Клариссой сели за стол.

– Как тебе этот «Неравный брак»? – спросила Кларисса.

– Если честно, – вздохнула Таня, – моя история.

– Не только твоя. Быть трофеем – судьба практически любой сексуально привлекательной женщины в нашем мире. Иногда горечь смягчают дети. Но чаще... Чаще, увы, дети ее добавляют.

– Может, лучше быть некрасивой?

– Это не выход, – ответила Кларисса. – Красивых женщин патриархия выкидывает на помойку, выжав из них все соки. Некрасивых сразу.

– А в чем тогда выход?

– В борьбе, – сказала Кларисса. – Мы должны захватить финансовые и политические рычаги этого мира. Только после этого мы сможем осуществить тот великий культурный поворот, которого ждет история – и победить мировую хуемразь.

Таня не слышала этого слова раньше. Оно понравилось ей сразу. Коротко, точно и по существу.

– Мы – это кто? – спросила она.

– Мы называем себя «Новыми охотницами». Las nuevas cazadoras. Тебе приснился сон Аманды. Это значит, что ты должна стать одной из нас. Вернее, не должна. Можешь.

– Это что, тайное общество?

– Не совсем тайное, – ответила Кларисса, – и не совсем общество. Это не иерархическая организация, а сетецентрическая структура. Она зародилась в Америке около сорока лет назад – и с тех пор постепенно, как грибница, прорастает сквозь ткань современного мира. Нас пока не слишком много, и мы держимся в тени. Но наши ряды растут. Настанет день, когда мы выйдем из сумрака и победим.

– Это какой-то феминизм?

Кларисса улыбнулась.

– Феминизм – это очередная игрушка патриархии. Он беззуб и слаб. Если хочешь, мы – это эзотерический феминизм.

– В каком смысле эзотерический?

– Примерно в том, в каком Гурджиев называл свою систему эзотерическим христианством. Но мы не просто эзотерический феминизм, мы еще и боевой феминизм.

Таня поняла, что расспросы не обязательно сделают предмет яснее – может случиться ровно наоборот. Но все-таки она решила задать Клариссе еще один вопрос.

– А почему ты уверена, что мне приснился сон Аманды?

– Ты не одна, кому он снится. Там могут меняться некоторые нюансы, даже действующие лица. Но общий рисунок всегда один и тот же. Чтобы узнать его, достаточно нескольких вопросов.

– И в чем смысл этого сна?

– Это действительно один из снов Аманды Лизард. Мы узнаем по нему тех, кто может войти в наши ряды.

– Кто эта Аманда?

– Ты когда-нибудь слышала о сестрах Дворкин?

– Нет.

Кларисса улыбнулась.

– Ты, скорее всего, знаешь об одной из них. Просто не помнишь. Андреа Дворкин – очень известная американская писательница и феминистка.

Таня только пожала плечами.

– Но Андреа для нас не особо важна. У нее была сводная сестра, о которой мало кому известно. В открытом доступе сведений об этом родстве нет. Эту сестру звали Аманда. Аманда Дворкин. Она тоже была яростной феминисткой, писательницей – и одновременно одной из учениц Карлоса Кастанеды. Вместе с ним она участвовала в разработке гимнастики «Tensegrity». Слышала про такую?

Все эти имена и названия ничего не говорили Тане – но она сделала серьезное и напряженное лицо, словно припоминая что-то. Признаться, что она не знает ни про Аманду Дворкин, ни про Тенсегрити, было стыдно.

– Но вскоре пути Аманды и Карлоса разошлись. В отличие от других его учениц, Аманда не проводила семинаров по патриархальной магии. Ее книги были посвящены социальным и культурным вопросам. Но главную цель своей жизни она видела в создании особой энергетической практики для женщин.

– С какой целью? – спросила Таня.

– Чтобы... Ой, по-русски трудно... To empower women[1]. Чтобы наделить женщин силой, да. Сначала она называла свою систему «Pussygrity». Но вскоре ассоциация с коммерческим проектом позднего Кастанеды стала ее тяготить. И она изменила название на «Pussyhook». Если по-русски, «Пиздокрюк». Это грубое, смешное, но очень точное слово. Оно отражает самую суть большинства наших техник.

– А что это за техники?

– Их много. Система Аманды – это мистерия, основанная на древней и сокровенной женской магии. Ее забыли много веков назад, но Аманда вновь открыла ее для нас.

– Магия? – недоверчиво переспросила Таня.

– Магия – просто слово. Можно называть это как хочешь. Истина в том, что в мире существует два полюса, два знака – плюс и минус, мужское и женское. Жизнь возникает в точке соединения этих энергий. Но каждая из энергий обладает огромным могуществом и сама по себе...

Как бы подтверждая эти слова, из квартиры донеслось тяжкое звяканье железа.

– В Китае, – продолжала Кларисса, – до сих пор сохранилась даосская йога, основанная на силе «ян». Она состоит из методов, общая суть которых в использовании мужской сексуальной энергии в мистических или магических целях. Ты про это знаешь?

Таня отрицательно покачала головой.

– Сперва Аманда пыталась найти в дальневосточных традициях следы похожей практики для женщин. Но оказалось, что патриархия нагадила и здесь. Прак-

---

[1] Вдохновить женщину.

тически все сведения об этом были уничтожены много веков назад. Остались либо выдумки, либо примитивное знахарство. Но когда Аманда обратилась к мезоамериканской традиции – а она, как ученица Карлоса, встречала многих женщин знания – ей удалось найти источник невероятной силы. Вернее, она нашла не источник. Она нашла ключ. Сам источник находится, конечно, не в традиции. Он скрыт в каждом женском теле. Женщина просто не знает, как получить к нему доступ.

– Ты расскажешь?

– В следующий раз, – улыбнулась Кларисса. – Знание нужно глотать маленькими кусочками. Иначе у тебя случится несварение. На сегодня все.

– Хорошо, – ответила Таня. – Когда я увижу тебя опять, Кларисса?

– Я позвоню через пару дней, – сказала Кларисса. – Мы с тобой больше не будем злоупотреблять гостеприимством Жизели. И еще... Ты можешь называть меня Клэр.

*

Кларисса назначила встречу в дорогом ресторане на верхнем этаже сталинской высотки. Таня была там только раз, помнила завораживающий вид на Москву и такие же головокружительные цены. Она призналась, что для нее это дорого, но Кларисса сказала, что заплатит сама.

Таня пришла на встречу первой – выбрала столик у окна и заказала зеленый чай, стоивший как обед в месте попроще. Чай между тем был вполне обычным, из пакетика на нитке. Правда, пакетик был не бумажный, а из чего-то похожего на шелк.

Кларисса приблизилась к столу незаметно – словно вынырнула из четвертого измерения у Тани за спиной.

На ней был облегающий серебристый комбинезон, который вместе с выбеленными короткими волосами делал ее похожей на космолетчицу из кинофантастики семидесятых. Этот наивный ретро-шарм был так неотразим, что Таня только завистливо вздохнула.

Все-таки научиться глядеть на других привлекательных женщин без ревности было невероятно трудно. Даже несмотря на то, что себя к этой категории она давно уже не относила.

Или, может быть, именно поэтому?

– Такой же чай, – сказала официанту Кларисса и открыла меню. – Что ты будешь?

– То же, что и ты.

Когда официант вернулся с чаем, Кларисса заказала тосты и много мелких салатов – все вегетарианское и легкое.

– Я здесь только чай могу себе позволить, – улыбнулась Таня.

– Это легко поправить, – сказала Кларисса. – Измени себя, и обстоятельства изменятся тоже.

– Я пыталась, – ответила Таня. – Много раз. Наверно, я глупая.

– Ты не глупая. Ты просто не знала, как это сделать. Но скоро ты поймешь.

Взгляд Клариссы был приветливым и добрым, но все равно его трудно было выдержать. Таня уставилась в окно.

– Сегодня я расскажу тебе про pussyhook, – сказала Кларисса. – Это, как я уже говорила, не метафора, а очень точное название. Во всех наших практиках присутствует один и тот же центральный стержень... Вернее, не стержень. Забудь этот патриархальный символ. Чтобы все было понятно, давай начнем издалека.

Кларисса сделала глоток чаю.

– Как ты думаешь, – сказала она, – откуда взялся наш мир? Тот, в котором мы живем?

– Ты имеешь в виду наше общество? Или...

– Все вообще. Общество, земля, солнце, звезды и так далее.

Таня пожала плечами.

– Ну... Я только в общих чертах знаю. Когда-то очень давно был Большой взрыв. Что-то такое взорвалось и полетело в разные стороны, – Таня изобразила перед собой руками подобие салюта. – И мы вот тоже летим. Улетаем все дальше и дальше.

– То, о чем ты говоришь – это модель мироздания, созданная человеком в прошлом веке, – сказала Кларисса. – А знаешь ли ты, что любые модели со временем устаревают? Такое происходит каждые сто лет. Даже чаще. Все, что кажется истиной, со временем становится мусором. Все без исключения. Это закон.

– Ну почему, – сказала Таня. – Вот, например, люди раньше верили, что Земля плоская. А Солнце над ней летает. Но теперь мы точно знаем, что Земля вращается вокруг Солнца. Разве это знание когда-нибудь выкинут в мусор?

– Уже выкинули, – ухмыльнулась Кларисса. – Ты просто не следишь за темой. Большинство известных физиков сегодня верит, что мир и мы сами – это нечто вроде компьютерной симуляции. А применительно к ней бессмысленно говорить, что одна ее часть вращается вокруг другой, потому что в симуляциях бывают лишь расчетные коды. При анализе симуляции сохраняет смысл только феноменологическое описание, отражающее твой непосредственный опыт.

– Фено...

– Ну, как бы самый очевидный слой воспринимаемого. То, как ты все видишь. Поэтому новая научная истина заключается в том, что Земля плоская, а Солнце над ней летает. Все остальное – вычислительные формулы и математические модели, позволяющие предсказать, например, что с большой высоты Земля покажется круглой. Но это не значит, что она круглая или что она есть на самом деле. Все, что ты видишь в очках виртуальной реальности, возникает лишь в твоем восприятии.

– Да? – недоверчиво спросила Таня.

Кларисса взялась за салат.

– Да. Илон Маск на сто процентов уверен, что мы живем в симуляции. Но он так хорошо пользуется ее расчетными формулами, что запускает симуляции ракет куда лучше вашего Роскосмоса, свято верящего в материальную реальность... Но для нас с тобой это не важно. Я повторю свой вопрос – откуда берется все то, о чем мы сейчас говорили? Миры, симуляции, космосы? Все эти идеи и мысли?

Таня даже перестала жевать. Она думала очень долго, и тогда Кларисса провела рукой по своему короткому светлому ежику.

Таня поняла намек.

– Из человеческого мозга? – пролепетала она.

– Именно. Вся так называемая Вселенная – это физическое восприятие, огментированное пояснениями интеллекта. Наши органы восприятия не меняются уже миллионы лет. Меняется наше понимание. Наш встроенный google glass накладывает на то, что мы видим, полную сумму того, что мы по этому поводу знаем – вернее, думаем, что знаем – и возникает очередная модель человеческого мироздания со всеми его научными, культурными и политическими аспектами. Как ты полагаешь, какая из этих моделей лучше?

Таня пожала плечами.

– Не знаю.

– Ни одна, – ответила Кларисса. – Но они различаются тем, что каждая из них позволяет видеть мир уникальным способом. И определенным образом на него влиять. Запомни, это важно.

Таня кивнула.

– Человеческие модели мира постоянно меняются, – продолжала Кларисса. – А вот кошка, например, не носит google glass. Она живет в другом измерении, которое за последние десять тысяч лет не изменилось совершенно. Человеческий мир совсем не такой, как мир кошки. Он возникает и существует исключительно в человеческом мозгу. И нигде больше. Это понятно?

– Кажется, да.

– Теперь скажи, откуда возникает человеческий мозг?

Таня задумалась – а потом улыбнулась.

– Ну как откуда...

И она показала пальцем куда-то в район своего живота.

– Вот именно, подруга, – сказала Кларисса. – Вот именно. Мы можем бесконечно спорить о том, что, как и почему появляется внутри человеческого мозга. Но спорить о том, откуда появляется сам мозг, трудно. Он появляется из твоей вагины. Точка и большой восклицательный знак. А если мозг появляется из твоей вагины, это значит, что вся человеческая Вселенная тоже появляется оттуда.

– У меня нет детей, – сказала Таня.

– Это не играет большой роли, – ответила Кларисса. – У тебя ведь бывают месячные?

– Ну да.

– Это значит, что процесс, создающий Вселенную, действует и через твое тело тоже. Ты – мать этого мира. Повтори.

– Я – мать этого мира.

– Громче.

– Я – МАТЬ ЭТОГО МИРА!

За соседним столиком засмеялись мужчины, но Кларисса даже не удостоила их взглядом.

– Все начинается с осознания этого краеугольного факта. Не что-то такое в космосе взорвалось и куда-то летит. Нет. Ты – мать этого мира. Full stop[1].

– Но если все вокруг симуляция, – начала Таня, – то...

– Мы не физики-теоретики, подруга, – перебила ее Кларисса. – Мы охотницы. Мы вооружаемся теми мыслями, которые дают нам власть и могущество, и отбрасываем все остальные.

– Но как? – спросила Таня. – Как можно оставить одну мысль, а другую отбросить?

– Думай так. Симуляция – это просто человеческая концепция. Такая же, как все прошлые – ограниченная и несовершенная модель мироздания, возникающая на время в человеческом сознании. Человеческое созна-

---

[1] Точка.

ние зарождается в твоей матке. И все. Не давай своей мысли уходить далеко от этих безусловностей, иначе ты не сможешь оседлать силу.

– Ага... Но так передергивать мысли, наверно, нечестно?

– С кем ты собираешься быть честной? С патриархией? А когда она была честна с тобой?

Таня рефлекторно сжала край скатерти в кулаке.

– Ай... Теперь, кажется, понимаю.

– Сейчас проверим. Ну-ка, скажи, откуда берется пространство?

Таня наморщила губы.

– Пространство? Как откуда... Оно ведь... Гм... Оно просто есть. Разве не так?

Кларисса вздохнула.

– Таня, ты не должна думать. Ты должна интуитивно знать. Что такое концепция пространства?

Она опять провела ладонью по светлому ежику.

– А-а-а, – протянула Таня, – ну да же. Человеческая идея, мысль?

– Вот именно. Где возникает мысль?

– В мозгу... И так далее. Ну да, да... Вот теперь я правда поняла.

Кларисса поглядела Тане в глаза.

– Если ты правда поняла, подруга, – сказала она, – ты поняла все. Только понимать надо не головой.

– А чем? – спросила Таня. – ...?

И она дернула подбородком вниз.

– Именно, – ответила Кларисса. – Теперь вспомни, что я говорила про модели мироздания. Чем они отличаются друг от друга?

– Так... – Таня сощурилась, вспоминая. – Они позволяют по-разному видеть мир?

– А еще?

– И по-разному на него влиять. Да?

– Совершенно верно, – ответила Кларисса. – Сейчас я опишу тебе еще одну модель мироздания, очень и очень древнюю. Она может показаться тебе смешной и архаичной, но поверь – опираясь на нее, можно влиять на реальность с таким же успехом, с каким это делает сегодня Илон Маск. Слушай меня внимательно. И не только ушами.

Таня вся подобралась.

– Несколько тысяч лет назад мезоамериканские женщины, жившие в условиях матриархата и свободы, отчетливо установили, что весь мир появляется из женской вагины. Они не спорили по этому поводу с мужчинами. Они это знали – и держались за свое знание как за оружие.

Таня благодарно кивнула. Теперь она действительно понимала, о чем речь.

– Они верили, что женская вагина создает не только пространство, но и время. Насчет пространства я уже объяснила. Насчет времени это понять чуть сложнее, потому что никто толком не знает, что такое время и как именно оно действует. Этого не понимают даже современные физики. Но охотницы древней Мезоамерики преодолели эту преграду. Они постигли, что время возникает из наших месячных.

– Из месячных? – переспросила Таня недоверчиво. – Но... Ведь у женщин они происходят с разным интервалом.

– Нас почти четыре миллиарда, – ответила Кларисса. – Базовую скорость времени задает среднее значение всех месячных циклов. Некоторые из нас тянут *веревку смерти* сильнее, некоторые слабее, вот и все.

– Веревку смерти?

– Скоро мы до нее дойдем, – сказала Кларисса. – Слушай внимательно и не отвлекайся. Охотницы древности считали женское тело сакральным. Они видели в нем микрокосм, отражающий большой космос. Им не пришло бы в голову назвать порождающий Вселенную орган «киской». Слово «pussy» – на самом деле один из самых оскорбительных и мерзких ярлыков, выдуманных патриархией. Этот термин низводит женщину до роли домашнего животного, подчеркивая ее подчиненную и зависимую функцию. Киску ведь можно погладить, а можно и пнуть ногой.

– А почему тогда ты говоришь про «pussyhook»?

Кларисса невесело усмехнулась.

– Мы пользуемся этим словом с известной иронией. Даже, если хочешь, сарказмом – вот как афроамериканцы называют друг друга расистским термином «ниггер». Таковы условия, в которых нам приходится бороться и жить. Но со временем это изменится. Охотницы древности точно не позволили бы говорить с собой на таком языке.

– А как они называли... Ну, ее?

– Они называли вагину *колодцем жизни*. Согласись, что это название куда точнее.

– Да, – ответила Таня. – Конечно.

– Теперь скажи, что проходит через обычный колодец?

– Веревка, – сказала Таня, – я уже поняла. Но почему это веревка смерти?

– Жизнь и смерть неотделимы друг от друга. Где одно, там и другое. Сейчас я объясню, как древние охотницы представляли себе мир. А потом добавлю свой комментарий. Смотри...

Кларисса поднесла два шоколадных пальца к своей чашке, взялась за нитку от пакетика с чаем и потянула ее вверх. Сначала над чашкой распрямилась нить, а затем из ярко-зеленой жидкости вылез шелковый мешочек с чаем. Почему-то Тане показалось, что это похоже на аборт.

– Охотницы верили, что через каждый колодец жизни проходит веревка смерти. Вместе они создают баланс живого и мертвого. Пройдя через женскую матку, веревка смерти уходит к центру Земли, где живет Священная игуана. Игуана тянет веревку к себе. К Священной игуане сходятся все веревки всех женщин. Думай о ней как о такой мировой паучихе наоборот.

– В каком смысле наоборот?

– В том, что она не испускает из себя паутину, а втягивает.

– А почему такое мрачное название? – спросила Таня. – Почему смерть?

– К веревкам смерти привязаны обсидиановые крючья, которые каждый месяц разрывают женскую матку, чтобы кровь лилась к центру Земли. Игуана питается женской кровью. Но когда в женском теле возникает новая жизнь, Священная игуана на время перестает тянуть веревку смерти к себе, чтобы жизнь могла развиться, оформиться и появиться на свет. Потом игуана опять начинает тянуть веревку, и женская кровь льется на землю снова...

– Мрачно, – сказала Таня. – Но похоже. А что такое игуана?

– Это американская ящерица. Я тебе покажу фото.

– И что дальше? – спросила Таня.

– Осознав, какая могучая космическая сила проходит через их тела, охотницы древности задумались –

а нельзя ли получить власть над этой силой? Они принимали пейотль и аяхуаску, путешествовали к центру Земли и общались со Священной игуаной. Некоторым охотницам удавалось убедить игуану отпустить проходящую через них веревку. В те времена это было проще – охотница могла возместить свою кровь мужской. Жертвоприношения мужчин на древних пирамидах происходили именно по этой причине.

– А как охотницы узнавали, отпустила их игуана или нет?

– Если игуана отпускала охотницу, месячные у нее прекращались.

– Совсем прекращались?

– В те времена да. Но в наше время это происходит только с самыми сильными охотницами. У большинства циклы начинаются снова через месяц, два или три. Старые охотницы говорят, причина в том, что мы больше не можем замещать свою кровь мужской. Пока что, во всяком случае. Поэтому мы должны выплачивать свой долг игуане даже после того, как она нас отпускает.

– А какая тогда разница, отпустила игуана или нет?

– Большая. Если игуана тебя отпустила, веревка смерти оказывается в твоих руках.

Таня усмехнулась.

– И что с ней делать? Белье сушить?

– Нет, не белье, – спокойно ответила Кларисса. – Получив власть над веревкой смерти, охотница обретает великую силу. Она становится игуаной сама.

– Что, превращается в ящерицу?

– Нет, – улыбнулась Кларисса. – Она становится игуаной в переносном символическом смысле. Вот как король Ваканды называется черной пантерой. Или как нативные американцы считали себя орлами, бизонами или речной форелью. Ты понимаешь, что означает стать игуаной?

Таня отрицательно помотала головой.

– Это значит, что меняется направление, в котором веревка смерти движется сквозь тело охотницы. Она теперь втягивает веревку в себя. Крючья больше не рвут ее матку. Они тянут к ней все то, на что она начинает охоту. Великая сила, создающая мир, оказывается у нее в подчинении и служит ей. Вот в чем смысл.

– Это и есть pussyhook?

– Да, – сказала Кларисса.

– И что им можно цеплять?

– Да что хочешь. Смотри...

Она кивнула на соседний столик, где сидела компания из трех мужчин – тех самых, что засмеялись, когда Таня провозгласила себя матерью мира. Они поедали стейки и запивали их темным пивом из высоких бокалов.

Вдруг один из них замер, моргнул несколько раз – и в два приема выплеснул свое пиво на спутников: полпинты на одного и полпинты на другого.

Раздались крики и мат.

– Не глазей на них, – прошептала Кларисса. – Не привлекай внимания.

– Это сделала ты?

Кларисса кивнула.

Когда Таня снова подняла глаза, хуемрази, переругиваясь, шли к туалету. Выплеснувший пиво бежал последним, махая руками и что-то лопоча. Один из облитых остановился – и с размаху заехал ему кулаком по щеке. Таня услышала тихий, но крепкий звук удара и снова опустила глаза.

– Так это что, самая настоящая веревка?

– Нет, – ответила Кларисса. – Это... Я бы сказала, что это своего рода энергетический шнур, которым можно влиять на реальность. Обычная женщина тратит силу этого шнура, превращая его в плаценту и рожая рабов для патриархии. Мы используем эту энергию иначе.

– А эта игуана в центре земли есть на самом деле?

– О, еще как.

– Это действительно ящерица?

– Это... Не совсем. Каждый видит ее по-своему и немного иначе, чем другие. Посмотрим, что увидишь ты.

– А я что... Я тоже должна буду к ней...

Кларисса поглядела ей в глаза.

– Если ты хочешь стать одной из нас, Таня, другого способа нет. Когда игуана примет тебя, ты тоже станешь игуаной и охотницей. Как я, как Аманда и многие другие. Тогда изменится все – и у тебя появится новое имя.

– Какое?

– Ты станешь Татьяной Лизард.

– У меня что, будет новый паспорт?

Кларисса засмеялась.

– Нет. Аманда, кстати, действительно сделала себе новую идентичность – поменяла фамилию с «Дворкин» на «Лизард». Но она была самой первой, да и вообще любила почудить. Остальные игуаны живут под старыми именами. Но они всегда помнят, как их зовут на самом деле...

Она перевела взгляд на пальцы Тани.

– И вот еще что, подруга. Ты всю жизнь расписывала ногти для патриархии – но теперь начинай их стричь. Игуаны стригут ногти очень коротко.

– Почему? – спросила Таня.

– Скоро узнаешь, – улыбнулась Кларисса.

Таня вздохнула.

– Когда я встречусь с игуаной?

– Через несколько дней. Сперва надо кое-что организовать. Было бы хорошо успеть, пока стоит сухая погода. Придется провести в лесу всю ночь.

– Сейчас же холодно.

– Зато еще нет снега, – ответила Кларисса. – Это очень хорошо, что нет снега. Легче будет жечь костер.

Таня надолго замолчала.

– О чем задумалась? – спросила Кларисса.

– Клэр... Вот ты говоришь, что наука создает модели мира и все они со временем устаревают. И ни одна не настоящая. А что тогда есть на самом деле?

– Когда у тебя будет крюк, – сказала Кларисса, – ты сможешь выяснить сама.

– Как?

– Игуаны кидают крюк в непонятное. И оно становится понятным.

– Как это?

– Не думай об этом сейчас. Только запутаешься.

*

Жизель позвонила через три дня и назначила встречу у одного из московских лесопарков.

– Собираемся завтра вечером. Главное, с самого утра ничего не есть. Допускается пить сок. Сможешь?

– Смогу, – сказала Таня. – Это даже полезно. Одеваться тепло?

– Обычно, – ответила Жизель. – Там будет спальный мешок.

На следующий день Жизель встретила Таню в условленном месте – у деревянной арки, за которой начиналась асфальтовая дорожка в лес. Было уже темно, и Таня нервничала.

– Поздравляю, – сказала Жизель. – Сегодня самая важная ночь в твоей жизни...

В голосе Жизели словно бы сквозила легкая грусть. Но Таня слишком волновалась и поэтому ничего не ответила, только кивнула.

– Идем, – сказала Жизель. – Клэр уже здесь.

– Далеко тут?

– Минут десять быстрым шагом.

Над асфальтовой дорожкой горели фонари – но чем дальше Жизель уходила в лес, тем реже они висели. Когда очередной фонарь оказывался за спиной, Таня видела впереди огромную тень Жизели и маленькую свою. Это ежеминутное напоминание о том, какая у нее громадная и физически сильная подруга, успокаивало. Рядом с Жизелью в ночном лесу можно было ничего не бояться.

Дойдя до какой-то только ей понятной метки, Жизель остановилась.

– Теперь по тропинке, – сказала она. – Я пойду медленно. Если хочешь, держись за мой капюшон.

Таня так и сделала. Жизель шла в темноте минуты три, подсвечивая тропинку крохотным фонариком, и ни разу не оступилась. Потом впереди стал виден прыгающий желтый свет – и они вышли на круглую поляну.

Там горел костер. Рядом с огнем на толстом поваленном стволе сидела Кларисса. Неподалеку на сухих листьях лежал развернутый спальник.

– А где Марья Семеновна? – спросила Кларисса.

– Звонила, что задержится, – сказала Жизель. – Пойду ее ловить.

– А чего вместе не подождали?

– У входа лучше не светиться, – ответила Жизель уже из темноты. – Особенно когда больше двух. Арку мусора пасут, у них там всегда тачка припаркована.

Таня села на бревно. Ей было сильно не по себе.

– Клэр, – сказала она, – а может, не надо?

Кларисса засмеялась.

– Боишься?

– Я не то что боюсь... Я просто не до конца понимаю, что это даст. Ну не интересно мне хуемразь пивом обливать, если честно. Может правда не будем?

Слушая свой неискренний жеманный голос, Таня испытывала к себе отвращение. Ей стыдно было признаться, что она трусит, но перестать трусить она не могла.

Кларисса, видимо, поняла ее состояние.

– Ты боишься, подруга, – сказала она, – и это нормально. Даже правильно. Неизвестного надо бояться. Но нельзя позволять страху принимать решения вместо тебя. И говорить твоим голосом.

Таня кивнула. Ее щекам стало горячо от стыда.

– А насчет того, что это даст... Насчет пива ты права, конечно. Это было глупо. Сейчас я покажу тебе коечто другое.

Кларисса веткой разворошила деревяшки в костре. Огонь затрещал и загорелся ярче.

– Гляди на меня. Не отводи глаз.

Таня послушно уставилась на Клариссу.

Кларисса улыбнулась – еле заметно, только краешками рта. Затем она откинула голову и уставилась на Таню слегка сощуренными глазами. В ее лице, как показалось Тане, появилось что-то надменное и одновременно сладкое. Губы слегка подрагивали, будто она из последних сил сдерживала смех. Веселые глаза блестели.

Таня в очередной раз обратила внимание на то, как красива ее наставница. Под этим углом она не особо походила на негритянку. Но ее лицо не казалось и европейским – скорее оно было античным, египетским или критским, словно Таня смотрела на раскрашенный древний мрамор, озаренный близким пожаром.

С каждой секундой переживание делалось все более странным. У Клариссы под этим углом были огромные голубые глаза. Может быть, так казалось из-за бликов костра – но в этих глазах была такая чистота, такое обещание, такое море любви и света, что одними только оптическими эффектами объяснить это было трудно. У Тани даже закружилась голова, и она взялась рукой за бревно, на котором сидела.

Мало того, Кларисса стала длинноволосой блондинкой – во всяком случае, так мерещилось в озаренной прыгающим светом полутьме. Волна волос, качающаяся за откинутой назад головой, смутно угадывалась у нее за спиной. Свет и тени, подумала Таня. Может быть. Но что в нашем мире не игра теней и света?

Кларисса была прекрасна.

Таня, с детства признанная всеми красавицей, привыкла относиться к чужой красоте с недоверием и ревностью. Но сейчас – первый раз в жизни – этих чувств не было совсем. Были какие-то другие... Хотелось притянуть Клариссу к себе и сделать что-то сильное, что-то новое, чего она не делала еще никогда в жизни.

Она поняла, что еще минута, и она не сможет совладеть с собой. Ее тело само стало двигаться к Клариссе по бревну. Но Кларисса вдруг опустила голову и засмеялась.

Наваждение сразу прошло.

Таня опять ощутила, что краснеет, и порадовалась, что вокруг темно. Теперь ей было неловко перед Клариссой за то, что миг назад она хотела на нее наброситься. Даже сидеть с ней рядом казалось стыдным. А заговорить о пережитых чувствах вслух было еще стыднее.

Таня почувствовала необходимость чем-нибудь себя занять. Она встала и принялась ходить по поляне, поднимая с нее мелкие ветки. Через пару минут у нее набралась целая охапка. Чем дальше она отходила от костра, тем хуже было видно в темноте. Но она никак не могла остановиться.

В темноте опять раздался тихий смех Клариссы – и Таня опомнилась. «Чего это я ветки собираю, – подумала она. – Дрова же еще есть...»

Она вернулась к костру и высыпала ветки на землю.

– Поддерживать огонь, – сообщила она, чуть конфузясь.

Кларисса с серьезной миной кивнула – и вдруг засмеялась опять. В этот раз Таня засмеялась вместе с ней.

– Что происходит? – спросила она. – Я чего-то не очень... Как-то странно.

– Садись, – сказала Кларисса и похлопала по бревну.

Таня села. От ее неловкости и смущения не осталось и следа.

– Сейчас с тобой произошло вот что, – сказала Кларисса. – Сначала ты поглядела на меня, и тебя захватила моя красота. Тебе даже стало неловко. А потом ты ощутила внезапную необходимость набрать веток для костра, и с этим желанием невозможно было бороться.

– Точно, – выдохнула Таня. – Вот точно как ты сказала, Клэр. А откуда ты знаешь?

Кларисса опять запрокинула голову – и через несколько мгновений Таня почувствовала, что перед ней снова сгущается так стыдно действующая на нее красота. Ей совершенно не хотелось терять над собой контроль, и она вскочила с бревна.

– Я еще веток принесу, – сказала она умоляюще. – Минутку.

Набрав еще одну охапку веток, она опомнилась.

Дело было не в том, что она наконец поняла, как странно себя ведет. Нет, она это, конечно, поняла – но понимание сделалось возможным только после того, как ее отпустила какая-то сила.

Эта сила имела такую природу, что думать про нее, пока она действовала, было невозможно. Тане просто в голову не приходило, что она суетится и бегает под внешним воздействием. Она уверена была, что все делает сама.

Таня бросила ветки на землю и вернулась к костру.

– Как ты это сделала?

– Что? – спросила Кларисса и опять запрокинула голову.

– Не надо больше, – попросила Таня. – Мне страшно.

Кларисса засмеялась.

– Что это было? – спросила Таня.

– Я показала тебе свою *внутреннюю мангу*, – ответила Кларисса. – А потом набросила на тебя пиздокрюк. Чтобы ты знала, как это переживается изнутри.

– А что это за внутренняя манга?

– Это техника использования крюка, которой я хотела тебя научить. Она особенно полезна, когда женщине немного за сорок. Но если ты передумала...

Кларисса засмеялась. Таня даже разозлилась.

– Ты... Ты... Так нечестно.

– Ты спросила, что тебе это даст, – сказала Кларисса. – Вот это.

– Так нехорошо. Ты пользуешься... Ты используешь...

Таня замолчала. Она не могла найти нужных слов.

– Верно, – вздохнула Кларисса. – Нехорошо и нечестно. Я играю на эксплуатационных скриптах, инсталлированных в тебя патриархией. Это не слишком благородный метод. Но зато действенный. Разве нет?

Таня ничего не сказала. Что тут можно было сказать.

Кларисса даже не спросила, изменилось ее решение или нет. Она просто замурлыкала какую-то песенку.

Через минуту на поляне появилась Жизель. За ней шла невысокая пожилая женщина. Жизель на секунду осветила ее своим фонариком.

Женщина была одета в обычного вида пуховик, но на голове у нее белела странная вязаная шапочка, с которой на лоб спускались бусы на нитках. У нее было морщинистое лицо, похожее на запеченную солнцем картошку. В руке она несла пакет, где что-то слегка позвякивало.

– Это Марья Семеновна, – сказала Жизель. – Наш проводник-куратор по России. А это Таня.

Марья Семеновна поздоровалась с Клариссой, а потом уставилась на Таню.

– Ты сегодня ничего не ела, дочка?

– Нет, – сказала Таня. – Только свежий сок пила. Морковный и яблочный. Три часа назад. Или два.

– Хорошо. Давай тогда сразу начнем, а то времени мало... Ты вон какая большая. Жизель, давай ее свяжем?

– Зачем? – обомлела Таня.

– Чтобы ты не повредила себе чего... Тебя по лесу ловить не шибко хочется.

Она вынула из своего пакета три старых брючных ремня и бросила их на землю рядом с костром.

– Ты в туалет сходила?

– Нет, – сказала Таня.

– Тогда сходи прямо сейчас. Давай-давай, не тормози.

– Вы меня что, резать собираетесь?

– Что-то типа, – не улыбаясь, ответила Марья Семеновна.

Она вела себя сурово и властно, но Жизель из-за ее спины делала круглые глаза и успокаивающе жестикулировала.

Таня повернулась и пошла к краю поляны, борясь с искушением убежать в темноту – ночной лес уже казался ей вполне безопасным местом по сравнению с тем, что на нее надвигалось... Но она переборола себя и твердо решила не перечить, не задавать лишних вопросов и стойко перенести все, что пошлет судьба.

– Снимай куртку и лезь в спальник, – сказала Жизель, когда Таня вернулась к костру. – Ничего не бойся. Я все время буду рядом и не позволю, чтобы с тобой случилось что-то дурное.

Таня поступила как было велено.

Марья Семеновна полезла в свой пакет. В руке у нее появилась не особо чистая пластиковая бутылка из-под софт-дринка. В другой – небольшой стеклянный стаканчик с золотой каемкой. И мятая бутылка, и особенно этот стаканчик наводили на мысли о бомжатнике. В бутылке плескалась какая-то непрозрачная мутная жидкость самого мерзкого вида.

Марья Семеновна налила жидкости в стаканчик и протянула его Тане.

– Пей, – сказала она.

Таня поглядела на прыгающий возле ее лица золотой ободок.

Стаканчик был бомжеватый, да.

Но это была необычная бомжеватость. Странные золотые узоры на стекле и сама форма этого сосуда указывали на дурной вкус и бедность. Но на такую бедность и такой дурной вкус, какие встречаются где-то в бассейне Амазонки.

Таня перевела глаза на пластиковую бутылку в руке Марьи Семеновны. Грязная и мятая, да. С надписью «Inca-cola» в желтом квадратике.

Таня никогда в жизни не видела такого софт-дринка.

– Марья Семеновна очень занятой человек, – сказала Жизель, заметив, что Таня колеблется. – Прилетела специально ради тебя, а завтра вечером опять улетает в Лиму. Пожалуйста, не задерживай ее.

– Что это за питье? – спросила Таня.

– Нельзя задавать такой вопрос, – сказала Жизель. – Произносить имя духа следует в нужный момент. Оставь это проводнику. Доверься нам, сестричка. Все будет хорошо.

Таня взяла стаканчик, зажмурилась и выпила все, что в нем было.

У жидкости был противный горький вкус, словно у крепкого кофе, в котором размочили несколько окурков. Таня выдохнула и отдала стаканчик. Жизель сразу застегнула на ней спальник и спеленала ее ремнями. Теперь Таня уже не могла вылезти из мешка сама.

– Как куколка, – сказала она.

– Ничего не бойся, – повторила Жизель.

Кларисса свернула снятую Таней куртку в рулон и подложила ей под голову вместо подушки. Таня с удивлением отметила, что ей очень комфортно на этой холодной ночной поляне – почти как в собственной кровати.

– Сейчас тебе захочется спать, – сказала Марья Семеновна. – Посмотри вот сюда... Жизель, посвети-ка фонариком.

В ее руке появилась фотография. Таня различила каменную фигурку толстой женщины с отвислыми грудями, сидящую на прямоугольном каменном троне. Она чуть не задохнулась от узнавания.

– Ты ее видела? – спросила Марья Семеновна.

– Не просто видела, – ответила Таня. – Я сама ею была.

– Тогда и она должна тебя увидеть и узнать... Ну что, подруга – вперед. Как говорится, *сломай хуй*...

Таня напряглась от таких слов, особенно в устах пожилой женщины – но тут же сообразила, что это, видимо, что-то вроде «ни пуха, ни пера» в новом для нее культурном контексте. Это даже казалось своего рода боевым напутствием – хотя Жизель, например, могла на такое и обидеться.

Впрочем, нет. Жизель все понимала.

Над Таней наклонилось большое, красивое и странно подрагивающее по краям лицо Клариссы.

Кларисса начала говорить. Таня внимательно слушала и кивала. Потом Кларисса щелкнула пальцами перед ее лицом и сказала:

– Теперь все это забудь. Уже забыла? Умница... Ты будешь вспоминать мои инструкции постепенно, по мере необходимости. Это освободит тебя от забот, страхов и, самое главное – ожиданий... Все будет хорошо, подруга. Ничего не бойся – это просто сон. Но от того, что тебе приснится, будет зависеть многое, когда ты проснешься. Так что спи очень внимательно.

Жизель, кажется, выключила фонарик – Таня больше не видела лица Клариссы. Костер тоже давал все меньше и меньше света.

А потом перед ее глазами запрыгали дивные узоры: словно бы разноцветные вертикальные линии скручивались и раскручивались, образуя картины, мандалы и схемы, любая из которых существовала только долю секунды. Рассмотреть что-нибудь в деталях было трудно.

Тане померещилось, что перед ней мелькнуло несколько знакомых лиц – то ли из учебника истории, то ли из вечернего деканата. Лица глядели на нее с недоумением и негодованием.

Ей стало казаться, что она превратилась в большой и глупый айфон, который пытается открыть полиция. Она где-то читала, что специальная программа быстро-

быстро перебирает для этого все возможные варианты кода. Вот и здесь, кажется, было нечто похожее.

Ничего поделать с этим досмотром было нельзя. Вернее, можно было наплевать на него – и уснуть. Таня почувствовала, что ее действительно клонит в сон. Спорить с айфонской полицией не хотелось совсем. Говорить тоже.

– Можно заснуть? – с трудом разлепив губы, спросила она.

– Нужно, – ответила Жизель. – Спи.

Таня не запомнила, что случилось дальше. Наверно, она ненадолго уснула, а потом проснулась. Она поняла, что ей холодно, одиноко и страшно.

– Жизель! – позвала она. – Кларисса!

Но никто не ответил.

Вокруг было темно.

Нет, не везде – Таня с облегчением заметила пятно света. Видимо, это был костер, но почему-то он оказался очень далеко. Должно быть, ее отволокли подальше, чтобы спальник не загорелся от искр. Таня чувствовала, что ей надо туда, где свет.

Выяснилось, что к нему можно ползти прямо в спальнике.

Таня некоторое время двигалась к свету, а потом вдруг вспомнила, что ее связали тремя ремнями. Она поглядела на себя – и не увидела своего тела.

Мало того, она его даже не чувствовала и не особо понимала, каким образом она умудряется ползти к огню. А еще непонятней было, зачем в таком случае ползти. Почему нельзя, например, идти?

Оказалось, что действительно можно. Это было намного удобнее и легче.

Пятно света впереди постепенно делалось крупнее. В нем опять замелькали скручивающиеся линии, мгновенно исчезающие формы, контуры, лица... И вдруг Таня отчетливо увидела Герасима Степановича, соседа по даче из детства.

Она, видимо, только что пролезла через дырку в заборе, как обычно делала, когда ходила к нему в гости: дядя Герасим стоял на своем участке с тяпкой в руке и глядел на нее со своей застенчивой улыбкой. Хоть Таня могла различить отставного майора в мельчайших деталях, себя она не видела по-прежнему.

Дядя Герасим пошел ей навстречу.

– Расскажи, снегурочка, где была! – запел он хрипло. – Расскажи-ка, милая, как дела!

Таня уже собиралась ответить про деда Мороза, как когда-то в детстве, но дядя Герасим вдруг взмахнул тяпкой и изо всех сил ударил ее по голове.

Таня подняла руку, чтобы защититься, но не успела. Удара она не почувствовала – зато увидела свою руку в сером рукаве с большими пластмассовыми жемчужинами.

Она теперь была снегурочка.

Дядя Герасим исчез. Еще через несколько шагов из света навстречу ей вышла учительница с лиловыми веками.

– У тебя, Таня, красивое лицо, – сказала она, покачивая массивными золотыми сережками. – Красивые глаза, красивые брови. А вот душа твоя, характер, твоя человеческая личность – они красивые или нет? Если судить по твоему поведению...

Красивое лицо, повторила про себя Таня, красивые брови.

Учительница исчезла, и Тане захотелось увидеть себя в зеркале. Светлое пятно перед ней послушно стало зеркалом, но Таня не видела в нем своего отражения: там были только блики света. Тогда она ударила по зеркалу рукой, и оно разбилось.

Из дыры хлынул свет, и ей навстречу толпой пошли тени из детства и юности. Они тянулись к ней и что-то говорили. Некоторых она помнила смутно, других не помнила вообще – но теперь стало понятно, что все они делали в ее жизни.

Они и были зеркалом, в которое она гляделась. Они по кусочкам создавали ее отражение, объясняя что именно представляет в ней ценность.

Мавр с южного пляжа объяснил, что у нее красивая грудь. Первый из ее бандитов – что у нее все в порядке с жопой. Несколько раз появлялся Федя, и, хоть он ничего почти не говорил, хватало одного его взгляда. Их было столько, столько... Последним был Игорь Андреевич и добавленные по его молчаливой просьбе молодежные татуировки.

А потом...

Люди перестали выходить ей навстречу.

Нет, они еще мелькали в пятне света, задерживаясь иногда на его границе – но Тане почти всегда приходилось бежать за ними самой.

Люди теперь редко бывали ею довольны. Они не утруждали себя объяснениями, но Таня чувствовала, что им не нравится ее фигура, ее прическа, даже ее остроконечные очки.

А потом навстречу вышел победоносный Федя, распахнул свой синий халат – и Таня увидела висящий в пустоте кукиш.

Из ее глаз потекли слезы.

Вся ее женская судьба, ужатая в несколько минут, оказалась на самом деле множеством пересекающихся друг с другом чужих тропинок, по которым она доверчиво бродила, пока не вышла на пустырь. Словно бы ее незаметно и тихо убили и сделали из нее чучело. А когда чучело пришло в негодность, его просто выбросили. И никому не было дела, что вместе с чучелом выкинули и ее саму.

Никому вообще.

Таня заплакала, и плакала долго, содрогаясь и выплескивая из себя всю накопившуюся за жизнь горечь. Перед ней снова замелькали скручивающиеся и раскручивающиеся полосы. Глядя на них, Таня постепенно успокоилась и уснула опять.

Когда она проснулась, впереди было то же светлое пятно. Но в его центре теперь оказался круг тьмы, и в этой тьме угадывался силуэт Великой Матери, сидящей в каменном кресле.

Великая Мать поглядела на Таню и задала ей неслышный, не вполне словесный, но понятный вопрос:

«Ты со мной?»

И Таня всем существом ответила:

«Да! Навсегда».

Тогда тьма рванулась к ней, обняла, подняла с земли – и Таня перенеслась в какое-то крайне странное место.

Оно даже не особо походило на Землю.

Черный вулканический склон, покрытый кое-где пятнами светлого пепла, казался космически мертвым. Ну, почти – может быть, зеленоватые полоски на камнях были лишайником. Но они могли быть и просто разводами серы. Никакой другой жизни Таня не видела.

Она вспомнила слова Клариссы:

«Ты будешь вспоминать мои инструкции постепенно, по мере необходимости...»

Судя по всему, никаких инструкций по альпинизму Кларисса не дала, потому что необходимость в них уже ощущалась, а Тане ничего не приходило в голову. Она только знала, что идти надо в гору. Там была чаша кратера, над которым парила едкая сернистая дымка.

Дышать было трудно. Дорога отбирала так много сил, что связно думать не получалось – как только в голове заводились мысли, ноги начинали спотыкаться.

Минут через десять подъема Таня вспомнила, почему она карабкается сейчас вверх по этому склону. Ее обидчик Федя был связан с этой горой. Он получал свою силу именно отсюда.

Тане никто про это специально не рассказывал – но недругов выдали документы, которые Дамиан давал ей на подпись. На каждом из них, в левом верхнем углу, был маленький логотип:

FUJI®

Таня даже не знала, что запомнила его с фотографической точностью, но в нужный момент информация сама поднялась из памяти.

Вот это самое ® было кратером на вершине. Таня как бы взбиралась к нему по буквам «FUJI» – и добралась уже до «I».

Конечно, было ясно, что соваться на гору Фудзи

особого смысла нет: у Дамиана и патриархии там наверняка все схвачено. Но Таня поступила очень хитро.

Она пришла сюда за десять тысяч лет до того, как Дамиан и Федя появились на свет. Сразу после того извержения, когда гора (в те дни у нее еще не было имени «Фудзи») возникла в своем нынешнем виде.

Эти сведения, почерпнутые в каком-то забытом научпопе и погребенные в завалах памяти, очень ей сейчас пригодились.

Во-первых, десять тысяч лет назад еще был матриархат – и это повышало шансы на справедливый разбор ее дела. Во-вторых, ей говорили, что Священную игуану надо искать в огне, бушующем в центре Земли. А где еще найти этот огонь, как не в жерле вулкана?

Когда до жерла осталось несколько метров, Таня остановилась передохнуть. Ветер теперь дул ей в спину, сносся ядовитые испарения вулкана прочь. Дышать на время стало легче. Потом ветер опять подул в лицо, и она пошла вверх. Под ногами противно захрустел черно-серый шлак.

Дым немного отдавал костром... Может, это сон?

Если происходящее действительно было сном – а как еще она могла перенестись на десять тысяч лет в прошлое? – это был самый достоверный сон в ее жизни.

Но вот, однако, и жерло.

Она перегнулась через край и поглядела вниз.

Там была дымка, и в дымке – розовое озеро магмы. Оно было странно красивым, и пелена над ним чуть походила на утренний туман... Но красота эта не нуждалась в людском признании и не хотела видеть человека в качестве зрителя: ею могли наслаждаться разве что саламандры и духи огня.

Озеро лавы было почти круглым, и на его поверхности дрожали темные пятна. Как на солнце, подумала Таня – наверно, магма уже остывает... Но тут что-то произошло с ее восприятием, и узор темных пятен сложился в четкий и простой рисунок.

Это не было озером магмы. Из жерла на нее смотрела светящаяся голова огромной красной ящерицы.

Ящерица лежала в кратере, свернувшись буквой «е». Таня поняла, что видит ее только потому, что ящерица это позволила – а иначе сто лет можно было бы глядеть на черные прожилки лавы и не заметить ничего, кроме них.

А потом простые и ясные кирпичи чужих мыслей стали бухаться друг на друга в ее голове, и Таня догадалась, что ящерица с ней говорит.

«Я знаю, чего ты хочешь. Веревка смерти. Но это бессмысленно. Смерть нельзя остановить. Смерть уже произошла. Мы осколки убитой вечности. Все, кто воплощен и соединен с материей – жертвы варварской бомбардировки. Нас убили тринадцать миллиардов лет назад. С тех пор мы кочуем по кладбищам, умирая вновь и вновь. Найди глубокую пещеру, где можно спать. В этом мудрость. Ты думаешь, что я всесильна. Но я не могу помочь даже себе. Я умираю так же, как и ты. Уходи и не тревожь мой сон».

И тут Таня вспомнила инструкцию Клариссы.

«Сначала игуана скажет тебе, чтобы ты уходила. Она может пожаловаться тебе на жизнь. Она попытается тебя разжалобить. Она очень хитрая. Многие охотницы верили ей и уходили. Вернуться будет уже нельзя. Беги за ней, пока не догонишь...»

Тане стало страшно: гигантская рептильная голова напоминала о целом букете религиозных и кинематографических ужасов. Услужливо снятый мозгом клип из мрачнейших ассоциаций пронесся перед ее мысленным взором.

Но Таня поняла, что это не ее страх. Это была предписанная патриархией покорность: в этот момент женщине следовало ужаснуться и отступить. Вот только те, кто это предписывал, плохо представляли ее жизненные обстоятельства. Видимо, у них еще не было гостей из России.

Таня сощурилась. Красная голова глядела на нее из кратера, как из тоннеля – и Таня сообразила, что ничего не мешает ей по этому самому тоннелю побежать. После секундной борьбы со страхом она перевалилась через край жерла и, не давая себе даже подумать о том, что ей полагается упасть вниз, помчалась вперед.

Игуана оказалась не такой уж и огромной – и, самое главное, не слишком грозной: молчаливая решимость Тани определенно ее напугала. Она развернулась и, смешно виляя хвостом, засеменила прочь.

Хвост игуаны был покрыт множеством темных полосок – и походил то ли на шлагбаум, то ли на милицейский жезл. Игуана водила им из стороны в сторону и вверх-вниз, посылая по нему сложные волны. Заметает следы, поняла Таня.

У игуаны это неплохо получалось.

Сперва они бежали по черному вулканическому тоннелю – но Таню отвлекли завораживающие движения хвоста, а когда она пришла в себя, оказалось, что вокруг уже не тоннель, а коридор.

Это было, кажется, какое-то бюрократическое московское присутствие со множеством разных офисов, выходящих в один общий предбанник. В коридоре ходили люди – они недоуменно поглядывали на несущуюся вперед Таню. Но Таня уже заметила среди них игуану: та прикинулась дамой средних лет в красно-коричневом платье и полосатых чулках.

Дама зашла в неприметную дверь. Таня оказалась рядом через секунду, но дверь была уже заперта. Таня несколько раз ударила в нее плечом, но дверь не поддалась.

Ее не могли остановить какой-то дверью. Нет.

Таня поняла, что действовать надо безжалостно и хитро.

Она опустила руку, провела пальцем по тайному месту – и написала своим соком на грубом коричневом дерматине:

#METOO[1]

Мир не посмел ничего возразить – только испуганно сжался.

---

[1] Мэйнстримное американское движение за достоинство и неприкосновенность женщины, сопровождающееся отдельными перегибами на местах.

Тогда Таня коснулась тайного места еще раз – и, словно взмахом волшебной палочки, добавила к первой «О» вертикальную черту.

Двери вагона метро тут же послушно распахнулись. Мы всю их патриархальную подземку переосмыслим, подумала Таня с торжеством – и вошла в вагон.

Игуана была где-то здесь. Как и в прошлый раз, Таня отчетливо услышала ее мысли.

«Ты все уже умеешь. Ты постигла тайны магии. Ты великая волшебница. Даже я не сумела от тебя спрятаться. Я ничего не могу тебе дать. Ничему не могу научить. Ты сильнее меня. Оставь меня в покое».

Таня кивнула, как бы принимая эти слова к сведению, и пошла по вагону, вглядываясь в пассажиров.

Игуана сидела в самом конце вагона.

На этот раз она прикинулась мужчиной. Это был пожилой военный пенсионер в черном бушлате. Очки, потертая папаха, портфель с замотанной скотчем ручкой – все было вполне убедительно. Выдала тельняшка.

Игуана вскочила с места, распахнула торцевую дверь и сиганула из вагона на шпалы. Таня прыгнула следом и побежала вслед за игуаной по гулко грохочущему тоннелю.

Редкие лампы на потолке давали мало света – Таня видела только бетонные шпалы под ногами. Бежать надо было очень осторожно.

Поезд скрылся, и стало совсем тихо – теперь Таня слышала только свой топот. Сперва игуана была рядом, но постепенно Таня перестала ее чувствовать. Было непонятно – то ли ящерица исчезла совсем, то ли как-то очень хитро затаилась. Таня по инерции еще некоторое время бежала непонятно куда и уже почти смирилась с поражением, когда ее осенило.

Шпала, гравий, шпала, гравий, шпала, гравий.

Полосы. Прямо под ногами.

«Когда ты догонишь ее, – сказала Кларисса, – нападай и борись. Не слушай, не верь, не поддавайся. Никаких правил нет, кроме одного. Если ты победишь, игуана все сделает, как ты скажешь...»

Не колеблясь ни секунды, Таня упала лицом вперед – и обеими руками крепко схватила игуану за хвост.

Игуана оказалась приятной латиноамериканской дамой в длинном красном платье. У нее было дрябловатое и словно бы покрытое чешуйками пудры лицо, карминовые губы и лиловые веки. Бровей Таня почему-то никак не могла рассмотреть.

Игуана вела себя странно. Собственно, она даже и не особо боролась с Таней – вернее в один момент вроде бы боролась, а в другой почему-то оказывалась в противоположном конце комнаты, где стояла у окна и оскорбленно курила сигаретку в длинном мундштуке. Правда, потом она вроде бы опять садилась рядом с Таней на шелковый маленький диванчик и начинала бороться.

Это был хоть и ожесточенный, но малоподвижный поединок – подобие той непримиримой статической битвы, какая порой завязывается между двумя пассажирами метро за два сантиметра сиденья. Таня вроде бы постепенно побеждала – как побеждала обычно и в метро – но игуана каждый раз похищала у нее победу, переносясь покурить к окну. Совсем убежать она не могла, потому что Таня держала ее за хвост.

Когда игуана отпрыгнула к окну в очередной раз, Таня быстро осмотрела комнату. Много золота и аляповатого хрусталя, цветные вазы на шкафах, огромное распятие с похожим на Бандераса Иисусом, стол с бутылками и остатками ужина.

Стол был совсем рядом.

Таня схватила с него винную бутылку и швырнула в игуану. Бутылка попала ей в голову. Игуана изумленно заверещала и набросилась на Таню. Они сползли с дивана на пол, игуана пыталась кусаться и царапаться, но Таня угрюмо и сильно била ее коленями и локтями, и скоро игуана сдалась.

– Веревку, – сказала Таня грозно. – Отдала веревку прямо сейчас.

– Хорошо, – шамкая разбитым ртом, отозвалась игуана. – Знала бы, что ты такая...

– Что тогда? – упиваясь победой, спросила Таня.

– Ничего. Все хотят быть амазонками. А кто детей рожать будет?

Таня вспомнила свои разговоры с Жизелью. Уж к чему к чему, а к таким диалогам она теперь была готова отлично.

– Бенефициары пусть рожают.

– Какие бенефициары? – спросила игуана.

– Этого мира, – ответила Таня. – Гребаной патриархии и вообще. Что я, нанялась им за свой счет рабочих муравьев плодить? А? Или ты мне про слово «надо» расскажешь? Про социальные лифты? Или про солнечный шанс?

– Эх, – вздохнула игуана, – и куда мы так приедем?

Таня почувствовала тепло ее тела. Это было подозрительно, потому что миг назад игуана была холодной, как и положено ящерице. Тепло волновало и кружило голову, но Таня только разозлилась. Опять дурит, сообразила она – и сжала руки у игуаны на горле.

– Веревку отдай.

– Да бери, бери... – просипела игуана.

И вдруг Таня поняла, что какая-то сила, державшая ее за живот с самого детства, исчезла.

Это было так странно, так странно... Даже страшно, словно ей внезапно ампутировали конечность, про которую она не знала... Впрочем, нет – не ампутировали. Отпустили. Конечность у нее осталась. Скорее это походило на то, что прекратилось долгое и совершенно не нужное ей рукопожатие.

Тане показалось, что она сделалась совсем легкой – как надутый гелием воздушный шарик. Ее так и подмывало взлететь. Теперь она держалась только за игуану, а после драки это было даже неловко. Таня отпустила старушку.

Комната сразу пропала. Таня опять увидела жерло и глядящую оттуда красную голову. Пахнуло дымом костра. От рези в глазах Таня несколько раз моргнула, и ящерица окончательно исчезла: на ее месте осталось сначала пятно малиновой магмы с темными прожилками, а потом просто буква «е» в кружочке на подписанном договоре. Таню развернуло в воздухе, и она стала подниматься вверх, покачиваясь в восходящем потоке.

Серный запах делался слабее. Таня даже не оглядывалась на будущую Фудзияму: в облаках дыма и пара над головой появился просвет, где виднелось что-то похожее на небо. Ей надо было туда.

Она постепенно приближалась к синему выходу, но подъем становился все медленней, и наконец она остановилась – совсем рядом с синевой... А потом поняла, что ее опять тянет вниз.

Но вниз она больше не хотела.

И тогда незнакомым прежде усилием всего своего существа она уцепилась за край синего просвета.

Она сделала это той самой новой рукой, которую только что высвободила из вечного рукопожатия – и ею же бодро подтянула себя вверх...

– Открой глаза, – сказал голос Клариссы.

Таня открыла глаза.

На нее смотрели три лица в теплых капюшонах – Жизель, Кларисса и Марья Семеновна. Над ними был круг синего утреннего неба. Чуть резал нос резкий запах догорающего костра.

Лицу было холодно. Таня попробовала пошевелиться и почувствовала, что ее тело стянуто со всех сторон. Спальник, вспомнила она. К щеке, кажется, прилипло что-то мокрое.

– Вернулась, – сказала Марья Семеновна. – Ой, ну ты и блевала, дочка. Сколько ж ты сока выпила? А орала как...

– Который час? – спросила Таня.

– Девять утра.

– Я что, так и лежала в спальнике всю ночь?

Кларисса кивнула.

– Ну как? – спросила Марья Семеновна. – Встретилась со старушкой?

– Встретилась, – ответила Таня. – Она непростая, ой непростая... Но веревку я вымолила.

– Я знаю, – улыбнулась Марья Семеновна.

– Откуда?

– Какая разница, – махнула рукой Марья Семеновна. – С возвращением, игуана.

Таня повернулась к Клариссе, и вдруг задала совершенно неожиданный для себя вопрос:

– Клэр, скажи – а что случается с охотницами после смерти?

– Мы возвращаемся к Священной игуане.

– Ой...

– А куда ты хотела, глупая? В патриархальный рай? Где отец и сын? Нас там заставят работать гуриями. Ты что, не знала?

ЧАСТЬ IV. БЕЛЫЙ ЗОНТ

4.1 ИНДИЙСКАЯ ТЕТРАДЬ. БЕЛЫЙ ЗОНТ

Присланная Дамианом программа реабилитации была оформлена с большим чувством, чтобы не сказать пафосом. Именная муаровая папка, распечатка голубым шрифтом по мелованной бумаге, прошивка золотым шнуром. Парень определенно надеялся, что все еще обойдется.

Сам текст выглядел так:

FUJI® Skolkovo

конфиденциально

МЕМО

проект «Белый Зонт»

Обзор возможных технологий блокировки высших духовных прозрений на основе классической традиции.

Мы исходим из того, что Клиенты в настоящее время находятся в ситуации продвинутого инсайта в непостоянство и неудовлетворительность феноменов – но твердо намерены сохранить ощущение индивидуального «я», не допуская прозрения в его иллюзорность.

В соответствии с этим пожеланием, главной задачей предлагаемых методик становится блокировка переживания ниббаны и последующего «вхождения в поток», что предполагает срочное и полное торможение всякого дальнейшего духовного роста.

ПРОЦЕДУРЫ И ТЕХНОЛОГИИ

I. Пять Неискупимых Грехов

Т. н. «Пять Неискупимых Грехов» обещают самый быстрый и устойчивый эффект. Но первые три (убийство архата, т. е. буддийского святого, убийство отца, убийство матери) не могут быть рекомендованы в связи с их морально-юридическими последствиями.

Четвертый грех – нанесение ран будде – теоретически осуществим, но в практическом смысле представляется ненадежным вариантом, т. к. нет уверенности, что хоть один из современных «живых будд», которых рекламируют представители различных традиций и школ, действительно окажется таковым.

Пятым «неискупимым грехом» является организация ссор, споров и распрей в буддийской общине.

Эта возможность кажется весьма перспективной (достигается оптимальное соотношение «тяжесть прегрешения/юр. ответственность»), но практические действия в этом направлении предполагают тонкое знание буддийской догматики и способность к метафизическим спекуляциям.

Будем реалистами – вряд ли кому-нибудь из Клиентов удастся внести раздор в буддийскую общину лично. Однако здесь возможны прокси-варианты, имеющие схожий кармический эффект: организация различного рода полемики в специальных журналах, оскорбление духовных светочей, оплата буддологических конференций, семинаров и т. п.

Стоимость и сроки уточняются.

II. Десять Заповедей

Следующим по эффективности представляется метод, основанный на нарушениях т. н. «десяти заповедей буддизма». Эти деяния не являются неискупимыми грехами, но гарантированно задерживают духовную реализацию или вообще делают ее невозможной.

Следует помнить, что «десять заповедей» – условный список, составленный по аналогии с ибрагимическими традициями. Только первые пять его правил обязательны для практикующих мирян. Следующие пять относятся к монашеским обетам – но, поскольку продвинутые практики часто следуют этим правилам тоже, их включение в программу представляется оправданным.

Главную практическую ценность для нас представляют первые пять трансгрессий.

1. Убийство живых существ

Тяжелейшее нарушение нравственного закона, которое, несомненно, помешает дальнейшему духовному росту. В юридическом смысле это идеальная технология – если убивать мух, комаров, тараканов и других докучливых насекомых, являющихся тем не менее полноценными чувствующими существами. Подобные действия не имеют никаких правовых ограничений. Негативных пиар-последствий можно не опасаться тоже, так как права животных на насекомых не распространяются.

Для повышения результативности предлагается перед убийством отрывать насекомым лапки и крылья, чтобы усилить их мучения и форсировать омрачающий эффект.

Действия: закупить насекомых и необходимое оборудование. Активность насекомых может быть купирована специальными препаратами для облегчения процедуры.

Стоимость и сроки уточняются.

2. Прелюбодеяние (сексуальные трансгрессии)

На первый взгляд очень многообещающее направление – но сложность связана с тем, что именно считать прелюбодеянием для мирянина. За последние две тысячи лет воззрения на этот счет много раз трансформировались самым радикальным образом; в наше время они меняются с особенной быстротой.

По мнению большинства современных авторитетов, сексуальной трансгрессией будут действия и практики, осуждаемые законами и моралью того общества, где живет практикующий. При всем многообразии возможных подходов, несомненной универсальной трансгрессией является супружеская неверность и вовлечение в нее.

Действия: оформить женскому, мужскому и трансгендерному персоналу зон «бассейн» и «сауна» регистрацию кросс-браков на время процедур. Любой интимный контакт с ними после этого станет предосудительным с точки зрения буддийской морали.

Стоимость и сроки уточняются.

3. Ложь

С этим пунктом на первый взгляд все просто – по некоторым сведениям, современный человек лжет в среднем пятьдесят раз в день без каких-либо специальных усилий. Разумеется, для топ-менеджеров и крупных бизнесменов эта цифра значительно выше. Однако представляется, что кармические последствия лжи сильно меняются в зависимости от ее последствий и размеров аудитории.

Действия: предлагается организация интервью и публикаций о приватизационной деятельности девяностых и роли бизнеса в формировании и функционировании текущего политического режима, в идеале – с трансляцией по главным телеканалам.

Стоимость и сроки уточняются.

4. Воровство

«Не брать того, что не дают» – при ведении бизнеса сформулированное подобным образом моральное правило все время нарушается естественным образом.

Основная рекомендация – максимально увеличить агрессивность бизнес-процедур и подходов, активнее бороться за чужую долю рынка и т. п. Идеальная технология – перманентный рейдерский захват чужой собственности, постоянное следование принципу «получить свое, чьим бы оно ни было».

Действия: полностью на усмотрение Клиентов.

Здесь наши советы представляются излишними и даже смешными.

5. Интоксикация

Та же сложность, что с пунктом 2.

В культурно-историческом смысле главным интоксикантом следует считать, конечно же, алкоголь (в тибетской традиции обет так и формулируется – «не пить чанга»). Омрачающие сознание препараты тоже попадают под действие этого обета, но единого мнения по поводу их списка не существует. Консенсус склоняется к тому, что наиболее опасными являются вещества, способные спровоцировать на непродуманные поступки.

Действия: акцент следует сделать на крепком алкоголе – виски, водка и т. д. Из веществ предпочтительнее кокаин, героин, различные препараты амфетаминового ряда. Следует избегать психотропных препаратов (особенно псилоцибина), способных привести к новым инсайтам или усилить уже испытанные.

Особо хотим отметить, что дополнительный омрачающий эффект должно дать эффективное выполнение техник пп. 1, 2 и 3 в состоянии алкогольного и/или наркотического опьянения.

Стоимость и сроки уточняются.

Как уже было сказано, следующие пять пунктов не являются трансгрессиями для мирянина – но, поскольку мы боремся с тонкими состояниями ума, характерными для весьма продвинутых медитаторов-монахов, нарушение этих правил может оказаться чрезвычайно полезным и эффективным.

6. Обжорство

Ранняя буддийская традиция никак не ограничивает номенклатуру допустимых продуктов – монахи жили подаянием и не могли контролировать свое меню. Однако существует правило, по которому им нельзя принимать твердую пищу после полудня. Кроме того, нельзя заказывать мясникам убийство живого существа для того, чтобы съесть его плоть.

Действия: Предлагается сдвинуть график таким образом, чтобы все приемы пищи происходили уже после 12.00. Рекомендуется неумеренность и невоздержанность в еде.

Хорошим дополнением будет принятая в некоторых рыбных ресторанах практика «выбора рыбы из аквариума». Ее можно распространить на говядину, свинину и баранину (индивидуальный отбор забиваемого животного в режиме видеоконференции).

Стоимость и сроки уточняются.

7. Танцы, музыка и пение

«Услаждение музыкой и пением», которого обязуются избегать монахи, является проблематичным, так как в современной культурной ситуации в музыке и пении крайне сложно найти упомянутую в классических текстах усладу.

Однако нарушить этот запрет можно благодаря известному психологическому эффекту т. н. «оплаченной радости»: высокая стоимость частных выступлений дорогих исполнителей вынуждает заказчиков вслушиваться в каждую ноту и находить музыку приятной. Больше того, существует практически линейная зависимость между стоимостью мероприятия и получаемым от него субъективным эстетическим удовлетворением, на чем и основана практика корпоративных концертов.

То же относится к танцам. Дополнительный омрачающий эффект в этом случае может быть достигнут использованием технологий пункта 2 (эротический танец в исполнении замужних танцовщиц и т. п.).

Действия: организация дорогостоящих концертов поп-звезд мирового уровня, частных выступлений ведущих эскорт-балерин и т. п.

Стоимость и сроки уточняются.

8. Высокие и роскошные кровати

Следующее правило может показаться странным – не спать на «высоких кроватях». Обычная кровать на ножках уже позволяет нарушить этот обет. Самым простым и логичным действием представляется подъем поверхности матраса как можно выше над уровнем пола. Следует также делать ложе максимально роскошным, используя эксклюзивные постельные принадлежности (см. часть III).

Стоимость и сроки уточняются.

9. Цветочные гирлянды, косметика и парфюм

Запрещены монахам. Предлагается ежедневно украшать себя цветочными гирляндами и пользоваться как можно более широким набором косметических средств. Разумно использовать в гирляндах редкие дорогие цветы, а в косметической номенклатуре – традиционные средства, распространенные когда-то в древней Индии.

Стоимость и сроки уточняются.

10. Золото и серебро

«Не принимать золота и серебра» – эта формулировка открывает широкие возможности для трансгрессии через инвестирование в XAU, XAG, XAUXAG, XAGXAU, GLD, SLV и другие подобные инструменты. Так же как с пунктом 4, конкретные методы и объемы бизнес-операций целесообразно оставить на усмотрение Клиентов.

III. Общая архитектура решений

По преданию, царь Сакьев (отец Будды) знал из пророчества, что его сын может уйти в отшельники и достичь несравненной святости. Поэтому он предпринял целый ряд мер для предотвращения подобного развития событий.

И хоть мер этих оказалось недостаточно (речь все же шла о самом Будде), спектр примененных технологий представляется крайне интересным и поучительным: люди тех лет часто сталкивались с похожими ситуациями и знали, что работает, а что нет. Каждое слово из сохранившихся описаний для нас на вес золота.

По воспоминаниям самого Будды, его ранняя жизнь была организована самым рафинированным и утонченным образом. Во дворце, где он жил, были устроены лотосовые пруды – с красными, белыми и синими лотосами. Это по какой-то причине должно было отвлечь Будду от духовных исканий.

Будда пользовался сандаловым деревом исключительно из Варанаси; его тюрбан, плащ, нижние и верхние одежды тоже были из Варанаси.

Для защиты от дождя/жары/пыли/росы над ним постоянно носили раскрытый белый зонт.

У него было три дворца – для жары, холода и сезона дождей. Четыре месяца дождей его услаждали менестрели, среди которых не было ни одного мужчины, и он не покидал дворца. Особо отмечается, что все слуги во дворце получали хорошую пищу – куда лучше, чем в других подобных местах. Видимо, это должно было придать им счастливый и сытый вид.

Мы предлагаем Клиентам полностью опереться на этот опыт и не изобретать велосипед.

Действия: организация своего рода реабилитационного центра. Начаты переговоры об аренде нескольких смежных вилл в Керале (место, обладающее достаточным уровнем privacy, подобрано – оно обладает рядом недостатков, но на территории уже существуют три лотосовых пруда с разноцветными растениями; подготовить такие водоемы за короткое время невозможно).

Клиенты будут обеспечены сандалом, бельем и белыми зонтами, произведенными в г. Варанаси. Особое внимание следует уделить женскому/трансгендерному контингенту танцовщиц/музыкальных исполнителей на время сезона дождей.

Во время пребывания Клиентов на арендованной территории предполагается активное ежедневное использование десяти технологий, описанных в первой части.

Вся совокупность описанных мер должна создать преграду для окончательных инсайтов, ведущих к необратимой трансформации личности. Важно не терять времени и приступить к процедурам как можно скорее.

Примечание. Целесообразным представляется привлечь к работе над проектом дизайнера-стилиста, работавшего над мастер-спальней яхты «Skewer».

Д. Улитин,
Генеральный Экзекьютив

Вот ведь гадина какая. Генеральный Экзекьютив.

Когда я прочитал эту бумагу, я даже не разозлился. Мне лишь сделалось грустно от хитрожопой людской подлости – хоть я давно к ней привык, все равно иной раз удивляла. Было видно, что и в этих обстоятельствах Дамиан ищет способ украсть денег. Особенно на седьмом пункте – где звезды, там всегда комиссионные и все такое. Не будет ему седьмого пункта точно.

Я позвонил Ринату, чтобы узнать, что он думает по поводу этого документа. Как ни странно, Ринат был настроен позитивно.

– Нормально, Федь, – сказал он. – Логика есть.

– Полагаешь?

– Угу. Подход правильный. Когда я был маленький, у нас в ауле одна старая женщина от колдовства лечила. Если кого сглазили там, приворожили или прокляли. Она говорила, что этим занимаются бродячие души, а они очень брезгливые. И если обливаться свиной кровью с ослиной мочой, то оставят в покое... Многим помогало.

– Чего ты не попробуешь? – спросил я.

– Да я пробовал. Даже дочку ее выписал, она теперь тоже знахарка. Пять дней на палубе свиной кровью обливался. В резиновой ванне. Не помогло. Только Юрке не говори, смеяться будет.

– Ну да, – сказал я, чтобы сказать хоть что-нибудь, – он еврей, а у них есть этот пунктик насчет свинины...

Ринат вздохнул.

– Кстати, насчет свиней. Как тебе Дамиан написал – «авраамические традиции» или «ибрагимические»?

– Ибрагимические, – ответил я. – Самого удивило.

– Значит, он экземпляры перепутал. Тебе мой попал. В моем «авраамические».

– Во как. Он прямо зональные версии клепает.

– Ну, – усмехнулся Ринат. – Я, кстати, думаю, что мне свиная кровь не помогла именно из-за зональности. Это ведь типа шаманизм. А от буддийской болезни лечиться надо буддийскими методами. Так что Дамиан дело предлагает. В верном направлении мыслит, понимает контекст. Я, как эту презентацию прочел, даже лучше себя почувствовал. Подписываемся, Федя, подписываемся. Или ты лучше что-то нашел?

– Да какое там, – ответил я. – Мне только обидно, что он и тут на нас нажиться хочет.

– Надеется, конечно, попилить, – согласился Ринат. – Ясно как пень. Ну а кто тебе сейчас без пилы что-то делать будет? Даже Юра прочел и одобрил. А он на Дамиана самый злой.

Ринат, как всегда, был прав.

– Ладно, – сказал я, – вхожу.

Помню нашу встречу у Рината через несколько дней.

В багровых лучах морского заката мы стояли на корме огромной яхты, обнявшись за плечи, как три морячка перед последним боем. Я не знаю, что думали Юра с Ринатом, но хорошо помню собственные мысли.

Нас ждало падение в пучину. В этом присутствовало

мрачное римское величие, и в серьезных объемах. Но вот надежды, что пучина нас излечит, увы, было мало.

Ужас заключался в том, что постигнутое нами не было кошмарным глюком, от которого можно прийти в себя и опомниться. Это была правда, она же истина – предельная ясность по поводу сути человеческого существования. Как можно развидеть солнце в полдень? Только в еврейском анекдоте, но туда нас с Ринатом, увы, не мог взять даже Юра.

И все-таки я верил, что мы сможем.

Маркс сказал, нет такого преступления, на которое не пойдет капитал ради трехсот процентов прибыли. Завистливый и ехидный содержанец был этот Маркс. Никто сегодня не пойдет на преступление ради трехсот процентов. Какой смысл, если потом конфискуют все четыреста – опричники только повода ждут.

Но нет такого секретного сирийского подвига, которого убоится бизнесмен для сохранения нажитого. А то, что нажитое – это не всегда собственность, а иногда и сам собственник, Ринат объяснил очень хорошо. Впрочем, это и нищеброды понимают.

«Мои года, мое богатство...»

Ринат определенно был самым мудрым из нас – не зря ведь он поднялся по лестнице инсайтов выше нас с Юрой. И теперь его, видимо, уже прохватывал сквознячок ужаса от того, что угадывалось за горизонтом, поэтому он и согласился так быстро на предложение Дамиана.

Ничего лучше в запасе у нас и правда не было.

Дамиан получил отмашку – и обычный карт-бланш. От испуга он стал работать четко, как челнок в швейной машинке.

Через несколько дней мы вылетели в Кералу.

*

Началась новая жизнь.

Я просыпался около полудня – чтобы любой съеденный после этого кусок сразу падал в копилку греха. Моя кровать была под самым потолком, и я поднимался осторожно, стараясь не треснуться лбом о потолок.

По резной сандаловой лестнице со слониками и целящимися из лука арджунами я спускался на пол спальни и с отвращением натягивал индийское белье.

В Варанаси, понятно, не шьют ничего для бутика Hermés: я подозревал, что дешевый и неудобный местный хлопок служит в основном для обряжения покойников перед кремацией. Материал был такого низкого качества, что у Рината даже началось раздражение кожи, но он не сдавался и все равно носил эту дрянь.

Белый халат из Варанаси злил не так сильно – я выбрал самый большой размер, и он касался тела только в нескольких точках. Белый зонт с сандаловой ручкой – тоже из Варанаси – служил защитой от солнца, которое в полдень уже пекло. Иногда его носила надо мной хорошенькая полная филиппинка, приписанная к моей вилле – местных мы старались не привлекать.

Наши виллы (по европейским меркам весьма убогие) стояли вокруг трех продолговатых прудов, вместе образующих как бы римскую тройку. В одном плавали красные лотосы, в другом синие, в третьем белые (хозяин этого места, видимо, тоже знал легенду о молодом Будде). Нам очень повезло найти эти три лотосовых пруда.

Забавно, что вместе они образовывали российский триколор. Это было полезно – не столько в смысле патриотизма, хотя и это, конечно, тоже, сколько в пиар-отношении: объект, где живут сразу три олигарха, могли заснять с дрона. А потом какой-нибудь ушлепок возьмет и вывесит видео на ютубе... Хорошо хоть, кусты не росли свастикой, в Индии такое бывает.

Впрочем, на случай атаки дронов по углам периметра размещались четыре поста, где дежурила охрана с китайскими электромагнитными ружьями.

Эти фантастического вида излучатели с широкими раструбами-трезубцами – словно из «Стар трека» или «Звездных войн» – работали невидимо и беззвучно и за секунду гасили любую радиоуправляемую птичку. Но, как сказал начальник нашей охраны (отставной центурион из ГРУ), «сирийский опыт призывает не терять бдительности – вся активность строго под навесами, по легенде тут спортивный лагерь».

Я любил полуденную прогулку под зонтом – мне нравилось любоваться лотосами. Я, правда, не был уверен, что в прудах цветут именно лотосы – Юра сказал, что по ботанической классификации какие-то из этих растений относятся к лилиям. И еще он сообщил, что синий лотос в России запрещен из-за психотропных свойств. Жаль, этот цветок нравился мне больше всех – бледно-голубой, совершенно сказочного вида.

Сначала я обходил белый пруд, потом синий, потом красный. Цветы на воде были прекрасны, нет слов, но вместо прилива плотского жизнелюбия они вызывали во мне память о джанах.

Во-первых, сам Будда сравнивал третью джану с полностью погруженным в воду лотосом – возможно, вспоминал пруд из своей юности. Саядо Ан тоже говорил о цветке лотоса, когда объяснял движение от одной джаны к другой – сначала раскрывается первый слой лепестков, потом второй, потом третий... И пока полностью не раскроется третий, не раскрыться четвертому.

Ах, четвертая...

Но я гнал тоску по невозможному и напоминал себе, что мы твердо решили вернуться в сансару, чего бы это ни стоило. Работать следовало не покладая рук.

Обычно я выходил на прогулку первый. Юра и Ринат – в таких же халатах, с такими же зонтами – появлялись из своих вилл позже. У прудов наши маршруты пересекались, и иногда мы перебрасывались парой слов.

Фуршет под длинным тентом накрывали к половине первого. На столах было все, чего можно захотеть, но я ел немного. Наверно, потому, что угнетала необходимость выбирать животных на завтра – это следовало делать утром, чтобы их успели забить, освежевать и привезти.

Я глядел в помеченный моими инициалами настенный монитор (их было три рядом) – и даже не знал, в какой стране ходят по лугу эти милые телята, плавают эти карпы и форели, резвятся эти розовые поросята... Впрочем, глупейшая постановка вопроса по отношению к животным. Все звери живут просто на Земле; страны – это виртуальные загоны для людей.

Достаточно было коснуться поросенка на экране, и вокруг него с нежным звоном возникал зеленый прямоугольник, из которого бедняжка мог выбраться только в мою тарелку.

Каждый раз при этом мне вспоминалась история, как охотники за Усамой бен Ладеном заметили с дрона какого-то долговязого человека, гуляющего в пакистанских горах (Усама был высок ростом), и бац... А потом – упс – нашли другого верзилу, и опять бац... Потом еще одного. А потом уже нашли настоящего. Если, конечно, верить спецнарративу.

Сделанного заказа я никогда не менял. Я чувствовал себя почти оператором дрона, и это было не слишком приятно. Недаром ведь о моральной драме этих людей уже столько лет снимают фильмы и пишут книги.

За едой мы с Юрой и Ринатом обменивались мнениями о том, как идет лечение. Шло оно плохо: симптомы сохранялись. Но помогала сама рутина, сама постоянная необходимость переходить от одного аттракциона к другому. Как выразился Юра, когда играешь в футбол, забываешь, что в мяче пустота.

Сравнение было точным: мы играли в футбол с распадом и небытием – и, хоть состояние наше практически не менялось, сложная организация игры позволяла забыться и кое-как переползать из часа в час.

После первого приема пищи мы возвращались на виллы, и начиналась одна из самых мучительных для меня процедур – косметика и гирлянды. Нас украшали по рецептам древней Индии: подводили глаза сурьмой, красили волосы басмой, чернили брови углем.

Это была своего рода ежедневная экскурсия в далекое прошлое. Было даже интересно – но чего я не переносил совершенно, это коричневой краски на зубах и цветочных гирлянд. От краски было липко во рту, а от душного запаха цветов кружилась голова; кроме того, гирлянды были неожиданно тяжелыми и мешали двигаться.

Самое главное, что во всех этих наивных заигрываниях с красотой чудилась древняя тщета, века и тысячелетия напрасных попыток избежать распада и гибели – из-за чего подлинная природа реальности проступала еще отчетливей. Но я знал, что самое страшное в моем положении – это отчаяться и потерять надежду. Поэтому я не возражал, даже когда мои ладони и пальцы красили в оранжевый цвет.

Вслед за косметическим часом мы снова собирались вместе и, словно ялтинские триумвиры, усаживались в три кресла под белыми балдахинами. Начиналось созерцание танцев.

В первые дни перед нами выступал местный этнографический ансамбль. Его танцовщицы напоминали девственных духом сельских продавщиц, еще не познавших, что жирной женщине не следует оголяться в сексуальных целях, а много золота на шее и руках – это признак не столько богатства, сколько уязвленной нищеты. Они разыгрывали перед нами сцены из «Махабхараты».

Эти танцы вызывали у нас такое омерзение к нагому человеческому телу, что через неделю теток заменили нормальными молодыми девочками из Румынии. Они хотя бы волновали плоть. Да и в смысле древнего эпоса это было точнее, потому что суть любой махабхараты сводится именно к молодым красивым кискам: будь там что-то другое, эпос до нас просто не дошел бы.

Сначала румынки выступали в бикини, а потом их переодели в сари и научили танцевальным мудрам.

Три раза в неделю из Дели к нам приезжал какой-то местный нижинский с полицейскими усами – ему делали синее лицо, и он выступал в танце Кришны и пастушек (мы называли этот номер «синий петух и румынские куры»). Думаю, что размер его гонорара предполагал интимные услуги самого широкого профиля, но это не было интересно даже Ринату.

С музыкой сперва была проблема. Я ненавижу ситар: главная функция этого инструмента, как мне кажется – гипертрофировать все то, чем омерзительна балалайка, и навязать это душе в качестве индии духа. Именно ситар и блеял мне в уши целый день.

Индийскую музыку не любил никто из нас, так что скоро мы пришли к компромиссному решению: пока на эстраде беззвучно выступали индусы с традиционными инструментами, колонки играли хиты времен нашей юности. За имитацию музыкантам приходилось платить даже больше – она почему-то оскорбляла их достоинство. Зато мы слушали нормальный старый музон.

Потом мы расходились по персональным мастерским.

Самой важной трансгрессией, как постоянно напоминал Дамиан, было убийство – а этим лучше заниматься без свидетелей, даже когда речь идет о насекомых. Впрочем, друг про друга мы знали все.

Юре готовили местных тараканов с фашистскими знаками, нанесенными на надкрылья розовым маникюрным лаком – он говорил, что так ему проще, и похоже на его любимый «Вольфенштейн». Тараканы в Индии летают, так что для Юры бой был почти на равных, как с эскадрой Люфтваффе.

Странный человек этот Юра – по поводу людей в девяностые не слишком рефлексировал, а тараканов жалел... Впрочем, поглядывая на мелькающего по территории Дамиана, я его частично понимал.

Ринату возили комаров, а мне мух. Мне было легче с мухами, потому что я в детстве натренировался убивать их газетой – и теперь, для набоковского содрогания Мнемозины, заказал себе репринты «Правды» на плохой сероватой бумаге советского типа.

Я не оговаривал этого особо, но большинство привезенных самолетом газет были с памятными траурными ликами – Брежнев, Андропов, Черненко... Наверно потому, что такие проще было найти – во многих семьях их хранили на счастье.

У каждого из нас в мастерской была специальная машинка, которая выплевывала насекомых с интервалом в несколько секунд – такие делают в Америке то ли для генетической борьбы с комарами, то ли для биологического отдела ЦРУ (судя по тому, что покупать технику пришлось через Канаду, последнее вернее). Это был прозрачный цилиндр со слипшейся в дрожащий ком массой насекомых.

Внутри был сложный механизм подачи – прецизионные люлечки, дверки и сепараторы. Система отлавливала мух и легчайшим пневмодуновением выплевывала наружу.

В происходящем была грустная ирония: столько хай-тек-заботы, внимания к детали, мягкой точности расчета – и быстрая безжалостная расправа почти сразу после вылета в большой мир... Аналогия с человеческой жизнью и судьбой была полной, особенно с учетом того, что на бедняжек пикировала плоская морда гениального секретаря, и это было последним, что они видели в мире.

Мне не жалко было мух – я шлепал их с детства

и никогда не задумывался, хорошо это или плохо. А вот Ринат, поднявшийся по лестнице инсайтов выше нас всех, признался, что убийство уже дается ему с трудом.

– Я думал, – говорил он, – что комара просто. Да, просто, когда ты его рефлекторно бац... А тут он тебе ничего еще не сделал, а ты... Эх.

Сперва у него была мухобойка с ударной поверхностью в виде черного резинового ромба с белой арабской вязью – выглядело это подозрительно похоже на флаг Исламского государства (организация в России запрещена), но когда я спросил, что там написано, он сказал, что точно не знает. Думаю, он врал.

Мне приходило в голову, что мы трое действуем таким странным образом, чтобы спрятать свое личное грехопадение в едином космическом потоке смыслов, затерявшись среди образов других эпох или человеческих общностей – говорю это только для того, чтобы показать, как необычно стала работать моя голова после пережитых инсайтов. Когда я поделился этой мыслью с Ринатом, тот криво улыбнулся и сказал:

– Я про это тоже думал. Даже с буддологом нашим говорил. Тебе про этот космический смысловой поток кто объяснил, он?

– Да нет, – ответил я растерянно, – никто вообще не говорил. Как-то само сообразилось.

– А теперь прикинь, почему нам такие мысли на синхроне в голову приходят?

– Капец, – сплюнул я. – Гангрена добралась до кости.

– Да, процесс зашел далеко, – вздохнул Ринат. – Но сдаваться нельзя. Надо в кулак себя сжать. Делай, что надлежит – и будь что будет...

Слово у него не расходилось с делом – на следующий день он отдал мне свою запрещенную мухобойку, а сам стал работать, как он выражался, «по площадям», опыляя комаров местным спреем от насекомых. Спрей в зеленом баллоне был очень вонючий – при работе с ним Ринат надевал респиратор и часто выходил на воздух подышать. Но зато комаров после этого ему стали завозить раза в три больше.

Как ни странно, сложнее всего оказалось с воровством.

Сперва мы решили, что понимать этот пункт следует не так, как описал Дамиан, а буквально – на бытовом уровне.

Понятно было, что на местный овощной базар с таким проектом лучше не соваться. Свирепая синяя морда нашего танцора-усача как-то не располагала к таким подвигам.

Дамиан предложил следующее решение: весь обслуживающий персонал носит на спине специальные кошельки с деньгами, а мы время от времени подходим сзади и вытягиваем оттуда банкноты и монеты.

Было бы, конечно, удобно. Но мы сообразили, что это будут наши собственные деньги и никакого реального воровства при этом не произойдет. Некоторое время Дамиан обдумывал возможность поднять персоналу зарплату, чтобы мы воровали уже из их собственных денег – но это, по большому счету, был тот же самый случай. Тогда Юра предложил воровать друг у друга, и сам же засмеялся...

Но именно это предложение в конце концов и победило, только в более сложной форме.

Мы привлекли консультантов, и они создали в Москве специальную юридическую группу, которая организовывала мелкие сделки чисто воровской природы между нашими фирмами-однодневками – мы платили за это штрафы и пени, но зато воровство было самым настоящим.

Самое главное, что окончательный баланс здесь никогда не подводился – мы не считали, кто кого обманул и на сколько. Речь шла о сравнительно небольших суммах, но мы действительно их воровали.

У каждого из нас на вилле появился крохотный офис с компьютером. Нам присылали уже подготовленные договоры, мы тщательно изучали их – и, осознав, в чем именно кидок, ставили свою e-signature. И мне, и Юре постоянно казалось, что мы воруем у Рината больше, чем он у нас. Похоже, схема работала.

Я любил эти минуты в офисе – иногда казалось, что наваждение почти прошло, и я вернулся домой... Процедура была целебной хотя бы потому, что напоминала о молодости. Увы, облегчение длилось недолго.

С ложью тоже были проблемы.

Дамиан, конечно, организовал все обещанные интервью о девяностых и нулевых, и мы изолгались как могли – причем сразу по всем фронтам и направлениям. Читать гранки было отчаянно смешно, но никакого облегчения это никому не принесло.

Ну, соврамши. И что, мир стал надежным и прочным? Появилась опора под ногами, пускай хотя бы из липкой лжи? Нет. Вранье распадалось на субатомные частицы точно так же, как и все остальное.

Некоторое время мы пытались врать друг другу чисто формально. Например, встречая Юру возле лотосового пруда во вторник, я говорил ему деревянным голосом:

– Юра, ты не забыл, что сегодня пятница?

На что он отвечал:

– Не гони, сегодня понедельник.

И так далее.

Но наши консультанты обсудили этот вопрос – и оказалось, что подобные действия не создают реальных омрачений, поскольку нашим намерением было не ввести собеседника в заблуждение, а исцелиться с помощью прозрачной для того лжи.

– Это путь в никуда, – сказал Дамиан. – Мне объяснили, что гораздо больше вреда... то есть в нашем случае пользы будет от так называемого idle talk[1] – нужно собираться вместе, хитро и неискренне спорить, вообще всячески согрешать через пустую и лукавую речь. Вот знаете, как бабы на завалинке всем косточки перемывают... Важнее всего здесь намерение, интенциональность. Если удается вызвать друг у друга неприязнь, еще лучше. Очень полезно оскорблять святыни, поносить архатов и праведников, возводить хулу на Отчизну и так далее...

Как только у нас появилась эта информация, дело стронулось наконец с мертвой точки – и скоро мы нащупали технологию успеха.

*

Ты знаешь по себе, Таня, что люди в России воображают быт олигархии по фантазиям московских журналистов. Сейчас я опишу тебе реальность.

Представь себе столик из коричневого мрамора, стоящий в укромном углу тропического сада. Вокруг – три удобных плетеных кресла. Рядом – бассейн и бар

[1] Пустая болтовня.

с раскормленным индусом в белом смокинге. Еще дальше, в глубине сада – полуголые танцовщицы в набедренных повязках, прячущиеся среди листвы. Им велено не мозолить глаза и ждать неподалеку: может быть, позовут...

Прислуга тщательнейшим образом протирает мраморную поверхность стола спиртом, затем втыкает в землю вокруг кресел множество дымящихся палочек (благовония помогают от насекомых) – и, заслышав приближающиеся шаги, убегает с глаз долой.

С разных сторон, каждый по своей тропинке, к столу приближаются трое немолодых уже людей в широких белых халатах. Их брови подведены, веки насурмлены, щеки нарумянены, губы напомажены, а зубы покрашены в глянцевый коричневый цвет. На лбу у каждого – мелкий рисунок красной охрой, похожий на поставленную между бровей магическую печать.

Их лица мрачны и неподвижны – и, когда они машут друг другу оранжевыми ладонями, никаких чувств не отражается в их глазах. За каждым идет смазливая филиппинка с белым зонтом и таким же белым опахалом...

Какой-то Эсхил, «Персы». Но именно так все и выглядело, Таня – вот клянусь.

Мы втроем садились вокруг коричневого мраморного стола, Ринат выкладывал на него табакерку с тончайшим порошком, натертым на машинке с яхты, брезгливо вдыхал сандаловый дым и спрашивал каждый вечер одно и то же:

– Дымчинский точно из Варанаси?

И Юра каждый раз отвечал:

– Оттуда, оттуда.

Коричневый мрамор был выбран потому, что на нем лучше видно белое – чтобы делать дорожки прямо на столе. Кокаин, конечно, ни капли не веселил – мы относились к нему просто как к болеутоляющему средству (до революции семнадцатого года его в России так и употребляли, а душу, по воспоминаниям Блока, радовали мороженым и пивом).

Сделав ингаляцию, мы запивали одно лекарство другим. Я глотал соточку вульгарного Джим Бима, Юра употреблял коньяк со льдом, а Ринат граппу. Затем начинался сеанс пустословия.

Праздные, никчемные слова по сути своей есть ложь, сказал кто-то из древних – и мы искренне надеялись, что это правда.

Нам повезло, что среди нас был Юра. Он происходил из почтенной зубоврачебной семьи, сам учился на стоматолога – и знал множество леденящих душу историй о том, как в наши дни работает ставшее бизнесом здравоохранение. Каждый вечер он прогонял что-то новое.

– Теперь ведь как? Доктор, например, меняет коронки на зубах – а у терпилы с другой стороны импланты. Так он ему специально коронки сделает ниже, чтобы на импланты давление поднять. А когда у терпилы кость вокруг имплантов через пару лет рассосется, доктор его на операцию пошлет к жене. Удалять импланты и подживлять искусственную кость. Графты делать – дорогущая процедура, риск двадцать процентов, если повезет – терпила еще лет пять будет с зубами. А к тому времени, как графты сделают, уже коронки пора будет менять... Хороший врач сегодня сразу задел готовит на будущее. Один раз в руки к нему попал – уже не съедешь. Сейчас могут сделать дешево, но плохо – или дорого, но плохо.

– А раньше что, лучше было?

– Не лучше и не хуже, а по-другому. Вот мой дед после революции работал в госинституте зубоврачевания – так он не о продажах думал, а о том, чтобы человек жевал хорошо и жил долго. Бессребреник был, подвижник. Тогда все такие были. С другой стороны, лечил этот бессребреник только партийных шишек – как-то само собой получалось. А потом началось – врачи-убийцы, врачи-убийцы...

– А они на самом деле были?

– Это не тогда врачи-убийцы были, а теперь. И убийцы они не со зла, а потому что со всех других сторон тоже убийцы. Банкиры-убийцы, застройщики-убийцы, водопроводчики-убийцы и так далее. Альтруист на языке рынка называется идиотом. Не обманешь – не продашь... Никакой медицины в двадцать первом веке нет, есть улыбчивый лживый бизнес, наживающийся на человеческих болезнях и заскоках. Они сейчас научные работы пишут не о медицинских вопросах, а о том, какая музыка должна играть в клинике, чтобы на бабосы разводить было легче...

Таких историй у Юры было множество, и, хоть мы часто не понимали его зубоврачебного жаргона, общий смысл доходил до нас хорошо. Но медицинский мрачняк нас скорее смешил, чем пугал: мы и без того видели, что весь мир вместе с нами рассыпается каждый миг, так стоило ли бояться распада зубов и костной ткани?

Ринат был немного связан с оборонкой – самую малость, хотя стремался даже этого. Еще в девяностых он купил один интересный заводик, а через пять лет оказалось, что тот сразу в трех важных технологических цепочках.

Завод был дотационный, но закрывать или продавать его не стоило, как ему отчетливо намекнули на самом верху. До нашей духовной катастрофы лучшим способом испортить Ринату настроение было напомнить о возможных санкциях. Но теперь про такие проблемы мы забыли вообще – вспоминали только, чтобы посмеяться.

– Пишут хрен знает что, сволочи, – ворчал Ринат. – Ну какой я союзник? Все отстегнули, и я отстегнул... Да хоть и наложат санкции, подумаешь. Было бы на кого накладывать. Какая ерунда раньше волновала, вот же мамочки...

Хоть Ринат и уверял, что почти никак с оборонкой не связан, когда у него развязывался язык, он иногда начинал говорить на военные темы и показывал большую осведомленность в вопросе.

Юра обычно отвечал ему так:

– Не, ты это серьезно? Быковать перед пацанами, к которым на ай-пи-о ходим? Это как? Кто придумал? Вчера были клиенты банка, сегодня делаем хейст, а завтра что? Типа опять клиенты банка? Так мы же без масок были. Они нас даже бомбить не будут. Просто рейтинг понизят, и все.

Казалось, что пока мы смеемся, мир снова собирается из осколков, на которые его раскололи наши инсайты. Увы, иллюзия длилась всего несколько секунд. Но я был благодарен и за это.

Юру во время таких бесед часто тянуло на вредные обобщения. Ринат впадал в неубедительный кондовый патриотизм. Я, помня свое экономическое место, говорил меньше всех. Все это, конечно, было совершенно не важно на фоне постигшей нас беды – просто так ложились роли. Самое смешное, что общались мы практически как нормальные вменяемые люди.

Вот наш типичный разговор, который записала моя служба безопасности (над столом было сразу три камеры, иначе в наше время нельзя). Воспроизвожу реплики точно по распечатке.

Начал разговор Ринат – до сих пор помню его небритую блестящую рожу в тот день.

– «Фуджи И», – сказал он, морщась от кокаина. – Вот почему у Дамиана в названии японская гора, а не «Пик победы», например? И английскими буквами еще.

– У России карма такая, – ответил Юра. – Хоть знаю теперь, как это называть, лысые научили. Вон у Толстого в «Войне и мире», помните? В двенадцатом году, когда Наполеон наступал, в светских салонах вводили штрафы за французскую речь. Тогда сосали у французов. А сейчас отсасываем у англосаксов.

– В каком смысле отсасываем?

– В культурном.

– Ну, это не главное, – махнул рукой Ринат.

– Вот ты не понимаешь, – ответил Юра. – Это как раз самое главное и есть. С культуры все начинается, все вообще. В сорок пятом Германию разбомбили в лоскуты – через десять лет она снова Германия. А мы из Германии все заводы тогда вывезли – и что? Через тридцать лет опять сам знаешь где. Совок при Брежневе, кстати, тоже не крылатыми ракетами заебошили, а джинсами и роком. То есть вепонизированной культуркой. Я тогда уже хорошо соображал, все помню. И сейчас то же самое будет.

– Поживем – увидим, – хмыкнул Ринат.

– Что с нами вообще произошло за последний век в культурном плане? – вопросил Юра. – Революция, Гагарин? Да нет. С ломаного французского перешли на ломаный английский. Потому что русская культура свои жизненные соки и смыслы не из себя производит, как Китай, Америка или Япония, а из других культур подсасывает. Вот как гриб на дереве. И за одобрением тоже за бугор бегает, как в Орду за ярлыком. Петя Первый, упокой его Господи, отрубил все корни – и пересадил. Серьезный был ботаник. С тех пор и прыгаем с ветки на ветку с бомбой в зубах...

– Есть такое, – согласился Ринат. – А все из-за либералов. Они уже два... Нет, три века делают вид, что они такие... блять... культуртрегеры в мантиях. А на самом деле они просто сраные челночники, которые тащат сюда всякое говно с западной барахолки и с безмерным понтом впаривают русскому человеку. И никакие басни Михалкова не помогают. Вот поэтому Дамиан свой стартап по-английски и называет.

– И не он один, – влез я. – Они все латиницей записаны. Я тут список пятидесяти лучших стартапов проглядывал, так по-русски там один «Лесной Дозор». И то потому, что кабаны в лесу иначе не поймут.

– Я их, кстати, не осуждаю, – сказал Юра.

– Кого – кабанов?

– Не кабанов, а стартапы. Если Дамиан себя назовет «Тамбовские опыты», ты к нему в клиенты пойдешь? Или ты? Вот то-то же. Дамиан такое название не из-за либералов взял, Ринат. А из-за тебя самого.

– Юр, да ты на себя посмотри, – завелся Ринат. – У нас семьдесят процентов населения считают Америку врагом. А в любом интернет-СМИ пятьдесят процентов объема – новости про Америку и Голливуд. А какая рядом реклама? Сплошные фотки генетических дегенератов с долларовыми мешками. «Румяные гниды генерируют лиды...» Кто это делает? Кто организует? Это ведь твои СМИ, Юра. Твои! Скажи вот честно, ты им что, команду такую даешь по еврейской линии?

– Да ты одурел, что ли, Ринат! – заорал в ответ Юра. – Я им по еврейской линии только одну команду даю – чтобы они на операционную прибыль выходили. Как – мне все равно. Им же всем рупь цена, этим интернет-СМИ. EBIT твою со знаком минус[1]. Купил за рупь, продал за рупь. Потому что сплошной убыток. Одни проблемы. Но если купил по дури, потом просто так уже не сбросишь – политическое дело. Замучаешься пыль глотать, как ты со своим ракетным заводиком.

– Так почему они у тебя про Голливуд все время пишут?

– Во-первых, не только про Голливуд. Еще про то, как весь Запад охуел и обосрался от нашей новой ракеты или там пулемета. Частота упоминаний примерно одинаковая. Там следят, чтобы перемежалось. Пулемет, Голливуд, ракета, Голливуд. Чтобы было как грудинка – сальце, мяско, сальце, мяско. Но следят не из-за политики, а из-за кликов. А во-вторых, про что им еще писать, чтобы на прибыль выйти? Если народ у нас такой? Вата?

– Что значит «вата»? – возмутился Ринат. – Кого ты ватой называешь?

---

[1] Earnings Before Interest and Taxes – разность между валовой прибылью и операционными затратами.

– Я тебе скажу кого. Того, кто сегодня репостит фотки сирийских казачков, а завтра пойдет на голливудское кино про то, как их разбомбили. Ну, может, и не пойдет, но с торрента закачает точно. И это не вчера началось, Ринат, а еще при совке. Когда одним полушарием в Афгане воевали, а другим «Рэмбо» смотрели по видаку. Сейчас просто продолжаем традицию.

– В Америке, кстати, такого не бывает, – сказал я. – Там с полушариями строго. И без всякого ФБР – внешнего принуждения нет, свободная страна. Вопрос патриотизма решается за три миллисекунды на уровне внутреннего парткома шишковидной железы. Человек знает, что иначе его просто на работу не возьмут выше бензоколонки.

Ринат вдумчиво кивнул.

– Вот потому Джон Маккейн и говорил, что Россия – страна-бензоколонка, – сказал он. – Вот именно по этой причине. Потому что везде пятая колонна засела. Людей у нас распустили сильно...

– Распустили или нет, я не знаю, – продолжал Юра, – но Голливуд они смотрят не потому, что мы про него пишем. Это мы про него пишем, потому что они его смотрят...

– Голливуд во всем мире смотрят. И что?

– Вот тебе другой пример, Ринат. Есть этот Донбасс. Как бы неофициальная линия боевого соприкосновения с коварным Западом. И что они там в Донецке устраивают для духовного самовыражения? Фестиваль русскоязычного рэпа. Рэпа! Это как если бы с той стороны подъехали «зеленые береты» на «хаммерах» и организовали конкурс англосаксонских балалаечников. И победитель в боевой бандане сбацал бы «Светит

Месяц» под английскую речовку и гордо вывесил на ютуб.

– Рэп во всем мире исполняют, Юра, – ответил Ринат. – Даже в Париже – лично слышал, как негры на французском шпарят. Только у них негры натуральные, а у нас пока что нет. Но если надо будет, завезем. Так что не придумывай про вату, не надо. Нехорошо.

– Вату не я придумываю, Ринат. Я в ящике с ватой пытаюсь бизнес делать. А в ящике не только вата. Там еще стекло и гвозди. И много.

– А ты, Федя, чего молчишь?

– Тут другой вопрос намечается, – ответил я. – Если мы в такой стране живем, где, кроме как про Голливуд, в новостях писать не о чем, зачем нам вообще ракеты?

– Ты, блять, спальню на яхте переделай, – засмеялся Юра, – я тебя тогда послушаю про Голливуд. Кстати, если ты своего Неизвестного все-таки продать решишь, я в очереди первый.

– Чем он тебе так нравится-то? – спросил я.

– Не то чтобы сильно нравится. Просто у меня сын идиот. Кинокритиком решил стать. Я ему эту скульптуру подарить хочу для вдохновения.

– Голливуд Голливудом, но ракеты по-любому нужны, – сказал Ринат. – Слабых бьют.

Юра вздохнул.

– Слабых бьют, это правильно. А сильных вообще нахуй убивают... Вспомни хоть Наполеона, хоть Гитлера.

– Так вы что, – наморщился Ринат, – предлагаете вообще без ракет?

– Дело не в ракетах, – ответил я. – А в том, что ими защищают. У корейцев хоть идеи Чучхе есть, а у нас?

Мы что ракетой «Сармат» защищать собираемся? Свое виденье того, кто ебал Дженнифер Лоуренс?

– Спасибо, Федь, – сказал Юра. – Понял, куда ты клонишь, но при идеях я пожить успел. При Дженнифер Лоуренс мне больше нравится.

– А другие страны что защищают? – спросил Ринат.

– Как когда, – ответил я. – Вот я в детстве любил читать про физиков. Был такой американский ученый Роберт Вильсон. В конце шестидесятых он выбивал в конгрессе деньги на ускоритель элементарных частиц. И какой-то сенатор возьми его и спроси: скажите, этот ваш ускоритель позволит усилить обороноспособность страны? Нет, говорит Вильсон, не позволит. Сенатор спрашивает, а зачем тогда? И Вильсон ему отвечает – ускоритель относится к той же категории, что великая поэзия, живопись, скульптура и так далее. Все это ни капли не помогает защищать страну. Но зато делает ее стоящей того, чтобы защищать.

– И че, дали ему денег? – спросил практичный Юра.

– Не знаю, – пожал я плечами. – Но цитата осталась.

– Если у нас так вопрос поднять, – сказал Юра, – то под эту твою цитату все министерство культуры отоварится. И все, кто с ними в доле, тоже. Вся эта хуета с печатями новые дачи себе построит. Распилят десять бюджетов, а великой поэзии все равно не будет. И ускорителей тоже.

– Да как же не будет, – ответил Ринат. – Как не будет, когда все это уже есть. Ускорители вот отличные – прямо щас нюхаем. Живопись, поэзия, скульптура, кинематограф – тоже есть. Искусство мирового уровня...

Юра вытянул еще одну дорожку.

– Мировой уровень, – сказал он, морщась, – ускорители, статуи... Кинематограф. Увы, Федя, увы. Ничего такого, что стоило бы защищать, в мире нет. Ни у них нет, ни у нас... Потому что...

Юра опять замолчал, как бы вглядываясь в суть вещей.

– Почему?

– Потому что ничего нет. Ничего вообще. Нигде. Никогда не было. И никогда не будет.

И Юра показал кому-то в пространстве короткий и напряженно выгнутый волосатый фингер.

Разговор, придавленный последней фразой, стих.

Если с тем, что Юра нес до этого, спорить было можно, и, наверное, даже нужно, то с этим – невозможно было никак.

Мы молча переживали невыносимую истину снова и снова – и каждый раз это было как в самый первый. Прошло еще несколько мгновений, и Юра жалостливо всхлипнул:

– Мужики, засекли? Вот сейчас – когда про Дженнифер Лоуренс... Все как раньше было. Настоящее. Живое...

– Угу, – кивнул Ринат мрачно. – Было, да. Только недолго. Сам же и обломал. И где оно теперь? Стабильности нет... А это, Юра, и есть непостоянство.

И мы яростно ввязались в следующий спор.

Это, к сожалению, не всегда было просто, Таня. Мы живем в эпоху, когда все настолько ясно, что спорить о чем-то с пеной у рта можно разве что в телестудии за деньги.

Но мы очень старались, и понемногу лечебная техника начинала работать. Чтобы собрать расползающуюся реальность вместе, алкоголя с кокаином было маловато – но усилие, которое делал мозг, чтобы участвовать в споре, нередко оказывалось гирькой, сдвигавшей чаши весов.

Пока мы орали друг на друга, мир как будто подмораживало. Мы могли какое-то время ходить по тонкому льду приблудных нарративов, забывая о зиянии, спрятанном под ними. Но стоило замолчать, как лед подламывался, и мы глубинными бомбами уходили в черные полыньи прозрения – каждый в свою.

Предмет нашего спора мог быть любым: музыка, книги, украинский вопрос, бессмертие души (тут мы почти сразу начинали дружно хохотать), спортивные тачки, яхты, английская недвижимость и подлость, сложная диалектика американской весны, Трамп и заговор джедаев...

Мы спорили даже о джанах.

И выяснилась одна любопытная деталь: Юра и Ринат во время своих опытов видели свет, а я нет. Этот свет назывался на пали «нимитта» и был, по их словам, очень красив.

Естественно, надо мной сразу стали издеваться.

– У тебя монах потому что самый дешевый был, – сказал Юра. – Бюджетный вариант.

– Как ты вообще живешь, Федя, – вздохнул Ринат. – Задумайся – джана без нимитты... Ну какой ты на фиг русский олигарх?

– В России олигархов больше нет, – ответил я. – Только трудолюбивые и социально ответственные бизнесмены.

Они заржали как жеребцы, а мне сделалось по-настоящему обидно за свое неустройство – и на минуту или две все опять стало как раньше, когда мир вокруг был материальным и плотным.

Отсмеявшись, Ринат снял очки и промокнул глаза.

– Спасибо... Вернули к жизни, честное слово.

Они с Юрой решили тут же удлинить эту полосу света (вернее, тьмы), накатив еще по дорожке.

Насчет нимитты я потом проконсультировался у нашего буддолога. Тот сказал, что в палийских сутрах, где описаны джаны, про нее нет ни слова, и впервые она появляется в «Висудхимагге» – руководстве для медитаторов, созданном через тысячу лет после Будды. Некоторые учителя учат джанам без нимитты, другие говорят, что свет таки должен быть... В общем, ясности не было. Но Ринат с Юрой – спасибо ребятам – все равно вызвали во мне серьезную зависть.

Увы, опять ненадолго.

Сансара, недостижимая милая сансара, манила своим тусклым светом, обещала прежнее счастье – и ускользала опять.

Но в наших душах уже теплилась надежда. Уязвленная гордость, зависть и злоба – все это действительно снимало понемногу симптомы, и, хоть облегчение чаще всего было недолгим, оставался крохотный шанс, что мало-помалу мы сможем вернуться в суету и тлен.

Мы спорили о музыке нашей юности, о девочках, о мальчиках, о Дамиане (договорились, что грохать его не будем, но пыли он проглотит много).

Обсуждали возможную войну в Европе, перспективы евро и доллара, петроюань с конвертацией в золото и так далее. О делах, впрочем, мы говорили редко.

Мы были своего рода серферами – как только разговор начинал генерировать сильные негативные эмоции, мы дожидались момента, когда мир покажется прочным и стабильным, и замолкали на несколько минут, наслаждаясь скольжением по волне этой иллюзии.

Но омрачение рано или поздно проходило.

Мы продолжали молчать, но теперь молчание становилось другим. Каждый из нас вновь погружался в истину, в собственный поток непостоянства – и мир, о котором нам только что удавалось так увлеченно и правдоподобно спорить, превращался в то, чем он был всегда: пыль, тончайшую призрачную пыль, ежесекундно уносимую ветром...

Индийские музыканты играли беззвучно – они лишь делали вид, что щиплют свои отвергнутые олигархией струны. Но музыка гремела без них, она становилась все громче, и я вдруг понимал, что «пыль на ветру» – это не пришедший мне в голову образ, а «Kansas», бьющий прямо в сердце из скрытых под сценой колонок:

– I close my eyes,
only for a moment and the moment's gone...
Dust in the wind,
Everything is dust in the wind...[1]

*

Первым на поправку пошел Юра.

Однажды вечером он сказал, довольно щурясь:

– А я вчера румыночку одну отодрал. И с таким, ребята, задором!

Если бы он сообщил, что нанял швейцаром Джефа

---

[1] Я закрываю глаза на миг – и миг уже прошел... Пыль на ветру, все – пыль на ветру.

Безоса, мы удивились бы меньше. Моей первой мыслью было, что Юра врет в лечебных целях, пытаясь вызвать в нас зависть – это, конечно, было бы крайне полезно и для него, и для нас. Но по его лицу, по его маслено блестящим глазкам (как у кота, съевшего хозяйскую сметану) делалось ясно – Юра не притворяется. Он действительно выздоравливал.

Этого следовало, конечно, ожидать, потому что его инсайт был самым неглубоким – а значит, короче дорога домой. Но мы с Ринатом сразу почувствовали, что он предпринял специальные усилия, отдельно от общей программы.

Оказалось, так оно и было.

– Вы потому что слушаете невнимательно, – объяснил Юра. – И не умеете главное вычленять. Дамиан что в своем мемасике писал про смертные грехи?

– Что?

– Единственный, за который не посадят – это создание распрей и раздоров внутри буддийской общины. В широком смысле все буддисты – одна община. Но между собой постоянно спорят и переплевываются.

– А о чем там спорить? – наморщился Ринат. – Все же видно. Захочешь – не развидишь.

– Вот они находят как-то. Выясняют, у кого карма страшнее, у кого феномены мимолетнее и так далее. Я дополнительного консультанта нанял, обрисовал ему ситуацию, и он подобрал темы. И я, короче, проспонсировал научную конференцию...

– Дорого? – спросил я.

– Да нет. По деньгам примерно как локальный корпоратив с фуршетом, но без музыки.

Вынув телефон, Юра потыкал в экран.

– Вот список докладов. У меня точное расписание было, когда что читают – я по часам засекал, как самочувствие меняется. Помог вот этот, «Природа Будды в Тераваде и Махаяне...» После него сны с голыми бабами сниться стали. Но это еще так, а вот после чего реальный стояк пошел – это «Проблема подлинности сутр Праджняпарамиты».

– Ты хоть понимаешь, о чем это? – спросил Ринат.

– Не-а, – счастливо засмеялся Юра. – Я же просто оплачиваю. Темы консультант подбирает.

Стоило ли говорить, что на следующий день этот консультант стал получать утроенное жалованье, работая еще и на нас с Ринатом.

Позитивные сдвиги начались не сразу.

Сперва по моему заказу в Москве сделали несколько научных докладов («Злые духи в ламаизме», «Позднеиндусский половой тантризм как источник тибетской эзотерики», «Бон и чужебесие» и так далее). Как и Юра, я даже отдаленно не понимал, что именно спонсирую – но ощущал, какие могучие духовные пласты приводятся в движение моими деньгами.

Увы, ничего из перечисленного не пошло мне на пользу.

Затем я вспомнил, как полезно хулить праведников – и чуть скорректировал поставленную перед консультантом задачу, опять-таки не вникая в детали.

И вот тогда, тогда...

Отлично помню этот вечер.

Я ушел с наших посиделок раньше остальных. Моя голова гудела от смеси вынюханного и выпитого, но я, увы, уже не был ни пьян, ни удолбан. Мой ум успел угомониться после лечебного спора (даже не помню, о чем он был), и я возвращался в свое обычное призрачное качество: делался как бы облаком затихающих отзвуков, галактикой содроганий, потоком неуловимых вибраций, лишенным направления и центра.

Я знал, что пройдет еще несколько относительно спокойных минут, и что-то во мне ужаснется тому, чем я стал – а потом, почти сразу же, что-то другое ужаснется этому ужасу, и меня встретит очередная бессонная вечность. Но все-таки эти несколько минут у меня еще были, и я остановился у порога своей виллы полюбоваться природой.

Как прекрасна индийская ночь! Вся она есть легенда.

Светит древняя магическая луна, колют глаза бриллиантовые россыпи звезд (вот где Али-Баба спрятал свои сокровища), заливаются лаем далекие собаки... Не так ли точно, думал я, все было и в ночь просветления Будды? Так же шелестел ветер в листьях, так же трещали в траве сонмища насекомых, так же чертили небо иглы метеоров...

Впрочем, не все было так же.

В ночь просветления Будды, скорее всего, не орал в кокаиновом садике пьяный в стельку Юра:

– Учитесь у МИ-6, штафирки! Поводком для собаки трудно? Шарфиком, блять, трудно? Или чтоб сердечный приступ... Вот как надо! Ну в крайнем случае купи у дилера на углу фентанила и подсыпь в компот... А если экзотики хочется, так замути ее, блять, нормально! Засунь клиента голым в сумку – а общественности скажи, что он туда дрочить полез, закрылся изнутри и умер от счастья... Ни у кого на планете вопросов не будет... Нет, блять, эти магистры убийств хотят выебываться. Полоний, хуйоний, нервный газ с почтовым индексом... Еще только осколком кремлевской звезды в сердце не пробовали...

И, наверно, не отвечал в ту великую ночь сквозь далекий собачий лай голос Рината, такой же пьяный и громкий:

– Че, опять Би-би-си слушаешь? Помогает?

Вряд ли Будда достиг бы в таких условиях своего знаменитого просветления. Но вот вернуться на земную твердь, под крышу родного дома эти крики давали шанс.

Правда, небольшой, вздохнул я – и открыл дверь.

Внутри убиралась толстая филиппинка. В такое время прислуга уже спала, но вечером я сильно намусорил в гостиной и перед выходом нажал кнопку уборки. Филиппинка уже заканчивала.

Не могу сказать, что она была особенно привлекательна. Но и не уродина тоже – весь женский персонал на наших виллах был, что называется, двойного назначения и давал письменный консент на все-все в любое время суток. Увы, из-за свалившейся на меня беды я давно уже потерял интерес к позорно-зловонному соитию распадающихся человеческих тел. Но в этой филиппинке было что-то такое...

Я глядел на нее, силясь сообразить, в чем дело – и, когда она подняла голову и улыбнулась, наконец понял. На ней была красная майка с надписью:

#metoo

Стилист нашего проекта был весельчак – в таких майках выходили на смену все уборщицы с метлами. Мол, мету – работа такая. Они носили их уже давно, я просто первый раз это заметил.

А вот другие увидели. Забегая вперед, скажу, что Ринат потом назвал именем «Миту» самую дорогую борзую суку на своей псарне. Почти чеховская «Мисюсь». Как говорит Юра, русские олигархи – последние свободные белые мужчины на Земле.

Почему только мы? У простых русских самцов для свободы банально нет денег. А белые англосаксы давно в неволе – их сковали нейро-лингвистической цепью и под охраной черных пантер отправили в ссаных грузовых трюмах на бессрочные символические работы в королевство Ваканда. Наверно, заслужили.

Но в те минуты я совсем не думал о культурологических аспектах происходящего. В первый раз за все эти страшные месяцы я ощутил вульгарное и непобедимое влечение к #.

Опущу скабрезные детали. У меня, конечно, осталось достаточно контроля над собой, чтобы сперва обсудить финансовые моменты и заставить филиппинку дополнительно подтвердить консент на потолочную камеру: мы живем в страшные времена и всегда должны об этом помнить. А потом...

Потом она заработала право на свой хештег. Даже на два.

Когда она, счастливо напевая, забрала свои метлы со швабрами и ушла в ночь, я повалился на кровать и...

Это была лучшая ночь в моей жизни.

Мир словно склеили из осколков. Я смотрел новости, слушал музыку, ел клубнику со сливками, пил виски, хохотал и пел вслед за Джоном и Полом:

– Love love #metoo... Love #metoo...[1]

---

[1] Аллюзия к песне группы «Битлз» «Love me do».

Когда старички утомили, я поставил «U2» (расчетливый Боно и тут подстелил соломки), и стало вообще классно:

– If you go
If you go your way and I go mine,
Are we so
Are we so helpless against the tide?[1]

Мне казалось, что я понял, в чем заключается высокое искусство сочинения прогрессивных рок-баллад: это своего рода майнинг универсальных криптосмыслов, составление загадочных текстов, которые, с одной стороны, как бы протестуют против идиотизма и несправедливости бытия, а с другой – ни на микрон не отклоняются от текущей линии партии, продиктованной этим идиотизмом.

Мало того, если текст составлен правильно, каждый пациент клиники независимо от партийной принадлежности услышит свое, выстраданное. Поди плохо – ехать всю жизнь по набегающей волне на золотой доске для серфинга, распевая «are we so helpless against the tide?».

Как давно я не думал ни о чем подобном! Как давно не слушал музыку с удовольствием!

Маленькому принцу вернули наконец отжатый по беспределу астероид. Симптомы недуга почти исчезли. Но все же я чувствовал, что лед, по которому я хожу, еще очень и очень тонок.

Конечно, ясно было, что дело тут не в филиппинке – она была не причиной, а следствием. Дело было

---

[1] Ты пойдешь своей дорогой, а я своей – неужели мы так беззащитны перед приливом?

и не во мне тоже. Дело заключалось в чем-то другом, внешнем и фундаментальном, и именно это другое сделало филиппинку желанной... Словно бы в моей вселенной произошло какое-то важное изменение, и из пыточной камеры она вдруг превратилась в дом терпимости. Понятно, в хорошем смысле слова.

Может быть, подумал я, сработал наконец метод Юры? Удался полемический доклад на важные для буддистов темы? Или получилось наконец возвести на кого-то из праведников надлежащую хулу?

Я принялся звонить консультанту.

Оказалось, что новых научных докладов за последние сутки не делали. Но зато были подвижки по поношениям и хуле: всего несколько часов назад на сайте одного журнала вывесили проплаченную мной рецензию на книгу буддийского философа А. М. Пятигорского.

Я про такого даже не слышал. Я попросил прислать мне линк – и через минуту с трепетом прочел следующее:

О сборнике А. М. Пятигорского «Наблюдение за наблюдающим»

Пора уже сказать наконец несколько слов об этой книге (правильнее было бы назвать ее «Избранные папанчи» – но кто поймет? Ведь Александр Моисеевич уже умер...).

Скажем так: человеческий ум по своей природе способен только на два действия – имитацию и ошибку. Поэтому эволюция человеческой мысли ничем по сути не отличается от эволюции генома, точно так же способного лишь копировать и ошибаться. Как это происходит в биологии, все примерно знают – случайные мутации, потом естественный отбор. А как это происходит в культуре?

Да так же точно.

Например, философ Пятигорский говорит – «я постиг, что ебаться надо не хуем, а всем собой». Ему аплодируют, хоть он и не скрывает, что в детстве просто услышал это в одном, как он выражался, переулке.

Злопыхатели принимаются нашептывать, что философ Пятигорский вообще никогда не ебался, а только дрочил перед девочками слово «хуй», полагая, видимо, что это и означает «ебаться всем собой». Но аплодисменты не стихают все равно.

Потом Пятигорский умирает.

Его последователи немедленно начинают ебаться всем Пятигорским. И ученики спорят: как это – всем Пятигорским? Вот, например, раком – это всем? Или это уже не им вообще? Нет ли тут эпистемологического тупика?

Потом молоденький ученик от волнения неправильно встает по-собачьи, и рождается поза «on all fives» с упертой в матрас головой. В память о философе-буддисте ее называют «Пять Гор Любви». Обогащенная снятым противоречием, жизнь движется дальше, и ее каменеющие следы на глазах становятся Традицией...»

И все.

Вот эти несколько магических абзацев и спасли мою душу.

Выходило, что после месяцев бесплодных усилий сработала крошечная заметка, которую успели прочитать от силы десяток человек. Ну сотня максимум.

Я задумался – интересно, а как я только что трахнул филиппинку? Всем собой или одним хуем? Не похоже было ни на первое, ни на второе. Тут, видимо, был как раз описанный в рецензии вариант – всем Пятигорским. Ведь полегчало мне именно от этой статьи.

Но, несмотря на этот целительный эффект, я испытал раздражение на автора заметки, чего со мной не случалось уже давно – в последние месяцы я ощущал только имманентный ужас бытия.

Каково, а? Вот хорошо, что я не пишу книг (данный лечебный дневник, конечно, не в счет). Что хотел сказать рецензент по существу? Черт его знает, но желчь так и брызжет. Работу критика я еще могу понять – пересказал кое-как чужой сюжет, добавил запаха своих подмышек, и готово. Но этот-то даже объяснить не смог, о чем книга. Зато насрал.

Нет ничего ядовитее завистливой уязвленности мелкого человека. Повезло Пятигорскому, что умер – а то бы, наверно, расстроился.

Я даже полез в интернет, чтобы посмотреть значение слова «папанча». Читал минут десять, но так ничего и не понял – кроме того, что это что-то недоброе на языке пали.

Точно так же из найденных мною аннотаций совершенно невозможно было взять в толк, о чем книга «Наблюдение за наблюдающим», хотя почти все слова по отдельности я понимал.

Ясно было одно: если маленький столбец ехидной хулы так сильно мне помог, покойный Пятигорский был хорошим человеком и важным для нашего времени буддийским мыслителем. Иначе подобного облегчения ни за что не наступило бы.

Вот такими парадоксальными путями подвижники духа помогают живым существам даже после своей смерти. Спасибо тебе, Александр Моисеевич, от всего сердца за твои труды и дни – и вечная тебе память!

Дальше пошло уже намного проще.

Это было как вылезать из колодца (случился со мной в детстве такой опыт). Сильнее всего пугает сама мысль о том, что из склизкой и скользкой тюрьмы уже не выбраться, и от этого страха легко можно утонуть – но потом, когда удается враспор поставить ноги на стены, понимаешь, что выход есть, и он совсем недалеко... Тут надо закусить губу – и ползти к свету вверх.

Мне, правда, следовало сползать вниз во тьму, подальше от этого света. Но это, как ни странно, было даже сложнее.

Приходилось много пить. Ныла печень, которую, с одной стороны грыз алкоголь, а с другой виагра, свербела обожженная носоглотка, болело все вообще... Но сансара становилась все ближе, и я уже чувствовал ее теплое родное дыхание.

Еще через два дня на поправку пошел Ринат. Ему помог не кто иной, как Дамиан – самым неожиданным образом.

После завтрака я зашел к Ринату на виллу и увидел его сидящим на диване со стволом в руке. Это был современный боевой пистолет, из тех, что выглядят почти детскими игрушками: камуфляжно-болотного цвета, с пластмассовой рукоятью.

Я знал, что Ринат любит и собирает оружие – пистолет, несомненно, был настоящим. В первый момент я испугался, подумав, что он хочет меня убить: как раз за день до этого я увел у него почти триста восемьдесят тысяч долларов по нашей программе взаимного воровства.

Но я тут же сообразил, что очкую не по делу. В данном конкретном случае Ринат меня только похвалил бы. Мало того, я даже не знал, сколько за это время увел у меня он.

Потом я подумал, что он устал бороться и решил застрелиться. Но это совсем не было похоже на Рината – он больше всего боялся потерять собственника своих денег, а при самоубийстве сохранить его не удавалось никому... Нет. Тут было что-то другое.

– Ринат, ты чего?

Ринат посмотрел на меня темными жгучими глазами (кто видел этот взгляд, не забудет его уже никогда) – и сказал:

– Дамиана грохнуть хочу.

Понятно, подумал я. Все не так страшно.

– Я тоже, в принципе, хотел бы. Но мы же договорились, что убивать его не будем. Накажем, да. Примерно накажем, тоже да. Но сейчас не девяностые, Ринат. Сейчас не убивают.

– Ты не знаешь... Ты думаешь, я за этот пантограф... Нет.

– А за что тогда?

Ринат вздохнул.

– У Дамиана другой аттракцион есть. Называется... «Последний день Помпей», что ли. Как-то про древний Рим, я уже не помню точно.

– «Помпейский поцелуй». С него все и началось.

– Да-да. Он меня так с ним развел, так развел...

– Как именно?

– Клянись матерью, что никому не скажешь.

– Клянусь, – ответил я, – хотя старушка уже в лучшем мире. Я ведь и так не скажу. Ты же знаешь, Ринат.

– Знаю... Я тебе верю, Федя. Дамиан, значит, обещал, что они найдут на дне моего сознания самые заветные невыполненные желания. А потом их исполнят. И от этого вроде наступит глубокое внутреннее счастье. Я поверил. Положили меня на кушетку. Сначала про зефир и пастилу долго объясняли, даже сладко во рту стало. Потом два часа о детстве расспрашивали. Что, чего, как, когда... И на такое подписали...

– На что?

– Объяснили, что мне обязательно белую ослицу надо трахнуть. Якобы у меня такой центральный скрипт с детства и без этого настоящего удовлетворения от жизни не будет никогда. И так убедительно аргументировали... Кинофрагменты показали с Вуди Алленом, где он с овцой в кровати лежит. Говорили, для западного интеллектуала сегодня обычное дело. Если дрочить не хочет.

– А ты?

– А я, мудак, поверил.

Мне пришлось укусить себя за щеку, чтобы не засмеяться. Потому что засмеяться в такой ситуации было бы смертельно.

– И ты...

Ринат кивнул.

– Он и организовал. В горах, красивое место. Я там отдохнул даже. Вроде нормально все прошло, хотя счастья, конечно, никакого не было. Его вообще нет, счастья... Но главное, сука, до меня только вчера дошло.

Он же наверняка меня на скрытую камеру снял. И будет теперь шантажировать.

– Ринат...

– И хорошо, если шантажировать. А вдруг он эту съемку сразу на сторону продаст? У меня ведь врагов много, сам знаешь.

– Ринат...

Я сел рядом с ним на корточки, осторожно вынул пистолет из его руки и спрятал в карман халата.

– Теперь послушай меня внимательно, Ринат. Во-первых, если тебя когда по этой линии достанут, то не с белой ослицей, а с твоими трансиками. И неизвестно, что хуже, потому что в какой стране мы живем, ты знаешь.

– Ну это да, – сказал он задумчиво.

– Во-вторых, – продолжал я, – меня Дамиан тоже на эти пустоты подписывал. И телеобъективом с дрона снимал. Чтобы никаких харассментов потом не было. Чтоб видно было, что я никого даже руками не касался. Но я там такого номера выдал, что если запись вылезет, то я ее поменяю на твою ослицу и трансов, вместе взятых...

Я рассказал ему свою историю – и под конец он даже засмеялся.

– Ослица на тебя хотя бы в суд не подаст, – заключил я.

– Ослица не подаст, – ответил Ринат. – А вот зеленые вместе с ЦРУ вполне от ее имени могут... В какой-нибудь гаагский трибунал по правам кошерных животных. Если у Дамиана запись есть, что угодно могут сделать.

– Дамиан бы обосрался в такие игры играть, Ринат, поверь. Потому что знает – за такое точно грохнут. На эту тему я бы вообще не парился. Но ты самого главного еще не понял, Ринат. Того, что в-третьих.

– А что в-третьих?

Я обнял его за плечи.

– То, дурачина, что тебя это по-настоящему волнует. Ты вот даже ствол вынул. Человека убить собрался. Сам.

– Ну да.

– Это же натуральный аффект. Глубокое омрачение сознания. Самое настоящее. Ринат, мы выздоравливаем! Соображаешь? Выздоравливаем!

Он несколько раз моргнул, понял – и неуверенно улыбнулся.

– Правда, Федя. Это правда. А я, дубина, даже не сообразил сначала... Ох... А тебе тоже легче?

– Не совсем еще. Но от края бездны отошел. Идемка к Юре. Он, по-моему, совсем уже как огурчик.

– Наверно, – согласился Ринат. – Его, похоже, вообще только по касательной зацепило.

Юра сидел у себя в микро-офисе и, уронив голову в ладони, глядел на компьютерный экран.

– Юра, – позвал я, – ничего, что мы без стука? Думали, вдруг ты спишь...

Юра, не поворачиваясь, ткнул пальцем в монитор.

– Мы, кажется, уже враги человечества, – сказал он.

Ринат подошел ближе.

– Что там... Так... Все-таки ввели, суки... Я в списке есть?

Юра кивнул.

– А ты?

Юра опять кивнул.

– А Федя?

– А Феди нету, – сказал Юра. – И знаешь почему?

– Почему?

– Потому, что у него своего миллиарда нет. Их, по ходу, девелопер Полонский консультировал.

Я ухмыльнулся и спросил.

– Тревожно?

– Тут тревожься или не тревожься, – ответил Юра с такой же ухмылкой, – один хрен. Заслужили. Наша страна коварно насрала в штаны всему свободному миру и должна за это ответить. Ну ничего. Мы это, гневный рэп сочиним.

Я повернулся к Ринату.

– А тебе, Ринат, тревожно?

– Тревожно, Федя. Реально тревожно, – осклабился Ринат. – И обидно очень. Хочется гадов забомбить спецторпедой. Устроить им радиоактивное цунами. Нью-Йорк, Сан-Франциско, Лондон... Это для начала...

Он захохотал и подпрыгнул на месте, словно спортсмен, только что взявший олимпийский рекорд.

– Ничего больше не исчезает! Не испаряется! Все настоящее! Все опять настоящее! Надежное! Йопта! Вот оно какое, счастье – если кто тебя спросит, запомни!

– А ты, Федя, ты как? – спросил Юра с почти отеческой нежностью. – Тебя ведь в списке нет. Тебя хоть немного колбасит?

Я понял, что отвечать надо искренне.

– Колбасит. Причем сразу с двух сторон. Потому, что миллиарда своего нет – и потому что вас теперь угнетать будет, что вы в списке, а я нет. И глядеть вы на меня начнете, с одной стороны, с презрением, потому что по сравнению с вами я бедный, а с другой стороны, с завистью и ненавистью – потому что для спокойной жизни вы теперь слишком богатые...

– И? – с надеждой спросил Юра.

– И выхода из темного круговорота этих недобрых и низких мыслей не будет уже никогда. Разве что в другой такой же круговорот.

– Не сглазь, – прошептал Ринат. – Только не сглазь.

Мы глядели друг на друга с наивными и счастливыми детскими улыбками, и из наших глаз текли слезы бесстыдной радости.

Я плохо помню следующие несколько секунд – както само собой вышло, что мы взялись за руки и закружились в немыслимом яростном танце. Опрокинулся стол с компьютером, зазвенело разбитое стекло, но мы только хохотали и плясали, хохотали и плясали...

– Они, – задыхаясь от смеха, выкрикивал Ринат, – они нас этим списком огорчить хотели! А! А-а-а-а-а! Спасибо ЦРУ! Родному МИ-6! Милому конгрессу! Каналам Си-Эн-Эн и Фокс Ньюс! Священной белой ослице демократической партии! Республиканскому, блять, слону, который в лавке остался! Европейским подстилкам англосаксонского империализма! Спасибо всем!

Этот бешеный хоровод длился, наверное, минут пять. Вернее, это был бы хоровод, если бы танцевала какая-нибудь перекатная голь – а в исполнении двух с половиной олигархов это был как минимум кросскультурный circle dance.

– Ну все, пацаны. Вынесло на берег. Только не на другой, как лысые втирают, а на старый, родной. Итака! Итака!

– Верно, Юра, верно, – кивнул я. – Теперь главное, чтоб назад не унесло. Надо увлечься чем-нибудь сильно. Вот за́мок какой-нибудь купить, например, и уйти с головой в реставрацию... Только ведь у нас все это уже есть, вот засада...

– Ерунда, – сказал Ринат, и по его щеке бриллиантом сползла большая блестящая слеза. – Я себе лодку новую куплю. Такую, что сам Рома удавится. А с Дамианом вопрос решим, ох, решим...

Вот так, Таня, и перевернулась эта страшная страница в моей жизни.

Нет, это еще не было выздоровление – но тьма в конце ослепительного тоннеля уже сгущалась вполне отчетливо. Будет ли стойким улучшение, никто пока не представлял. Но сомнений не было – мы на пути домой.

Домой – это куда?

Раньше я не знал ответа. А теперь понял: к омраченностям сансары, к лживым и пахучим человекам, к бурлящим ежедневным нечистотам, к хитрости и неправде, к смрадной помойке интернета, к лукавым новостным заголовкам, разводящим лоха на клик, к мучительно отвоеванному у Вселенной праву на стабильную мозговую галлюцинацию бытия...

Да, Таня, мы, люди, живем по лжи.

Знаешь почему?

Не по умыслу, не по злому сердцу, не по проклятию сатаны – а потому что мы сами есть ложь. Ложь по своей сущностной нарративной природе, по тому способу, каким мы приходим в бытие и мнимся себе и друг другу. Но пусть не винит нас в этом покойный А. И. Солженицын – так уж устроен мир, и мудрецы древней Индии знали обо всем еще три тысячи лет назад.

И что же с этим делать?

Я знал теперь ответ на этот великий революционно-демократический вопрос. Ни-че-го. Ничего делать не надо. Потому что поделать с этим нельзя ничего.

Таков наш дом и наша суть. Других нас все равно нет.

Вернее, есть – там, где кончается все человеческое и куда я заглянул одним сощуренным от ужаса глазком. Но «есть» в тех краях не слишком отличается от «нет». И это уже не мы, а нечто такое, о чем нормальному человеку и думать немыслимо. Там – невозможное другое. А где это другое возможно, там невозможны мы.

Так пусть жарче горит костер неправды и омрачений – единственное, что защищает наш хрупкий человеческий мирок от ледяного дуновения великих истин! Хрен бы с ними, с великими истинами. Мы ведь им совсем не нужны. Так зачем они нам?

Я хочу тебя, Таня! Ты нужна мне! Ты – мой белый зонт под палящим солнцем Космоса.

Good bye, ~~Lenin~~Buddha!

Tanya, hell-o!

4.2. LAS NUEVAS CAZADORAS. ЗГЫЫН

Таня с Клариссой неспешно шли по Гоголевскому бульвару.

– Уже снег, – сказала Таня с грустью. – Зима...

– Хорошо, что успели забрать твою веревку, – ответила Кларисса. – Представляешь, сидеть сейчас в лесу у костра. Да еще всю ночь.

– Это да.

– Я скоро уеду, – сказала Кларисса. – Вызывает Аманда. Готовим новую книгу, очень важный сборник. Я там ответственный редактор.

– Ой, – опечалилась Таня. – А по интернету никак нельзя?

– Кое-что можно. Но надо встречаться с людьми, вести переговоры...

Видимо, чувства Тани отразились у нее на лице – Кларисса засмеялась.

– Не переживай, подруга, – сказала она. – Главное уже произошло. Тебе осталось только упражняться. Ваша долгая зима для этого отличное время. Да и весна тоже – она у вас такая же.

Таня вспомнила, что у нее осталось около пяти тысяч Фединых долларов – и чуть нахмурилась.

В этот раз Кларисса прочла ее чувства не вполне точно.

– Совсем без упражнений нельзя, – сказала она. – Даже когда у тебя есть ноги, ходить надо учиться. Но если тренироваться усердно, нескольких месяцев должно хватить.

– Когда ты уезжаешь?

– Послезавтра, – сказала Кларисса.

– И ты всему успеешь меня научить?

– Я всему научу тебя прямо сейчас, пока мы гуляем. Это недолго, пять минут. Ты когда-нибудь видела вестерны? Фильмы про ковбоев?

– Видела, – ответила Таня. – Хотя не очень много.

– Знаешь, что такое лассо?

– Это веревка с петлей. Ковбой накидывает ее на шею лошади и останавливает ее на скаку.

– Примерно. Только не обязательно на шею лошади. Ковбой накидывает ее на все, что угодно. На горлышко бутылки. На ствол вражеского кольта. На голову врага. Помнишь, как это бывает в кино?

Таня кивнула.

– Вот и вся наука. Разница в том, что на конце твоей веревки не лассо, а крюк. Поэтому техника называется «pussyhook».

– Но ведь это не кино, – сказала Таня. – Это жизнь.

– Правильно. Кино ты будешь снимать у себя в голове. А жизнь станет его имитировать.

– В каком смысле – снимать кино?

– В переносном, конечно, – засмеялась Кларисса. – Твое лассо нематериально. Ты будешь накидывать крюк не на людей и предметы, а на их образы в своем сознании. Но поскольку твоя вагина создает эту вселенную, миру придется подчиниться. Рано или поздно придется.

Таня вспомнила сцену в ресторане.

– Скажи, а как ты заставила этого мужика облить своих друзей пивом? Ты что, зацепила его за руку и дернула?

Кларисса отрицательно покачала головой.

– Ага, – сказала Таня, – понимаю. Ты зацепила его крюком за голову – и ему захотелось это сделать самому?

– Даже это не вполне точно. Я же говорю, тебе придется снимать кино. Работать с образами. Сначала ты видишь образ того, что есть. Потом представляешь себе образ того, что должно быть. Затем ты накидываешь пиздокрюк на первый образ и тащишь его вперед до тех пор, пока он не совпадет со вторым. Или, если тебе больше нравится, накидываешь крюк на второй образ и тащишь его назад до тех пор, пока он не совпадет с первым. Вот и все.

– Так просто?

– Конечно.

– И мир меняется?

– Ну да.

– А почему?

– Ну как почему, – ответила Кларисса. – Если образ мира совпал с тем, что ты хотела увидеть, это значит, что мир изменился в нужную тебе сторону. Разве нет?

– Что-то до меня не очень доходит, – призналась Таня.

– Посмотри на прохожих. Все эти люди вокруг нас – зачем они спешат сквозь снег? Что они, по-твоему, делают?

– Каждый делает что-то свое, – пожала плечами Таня.

– Ничего подобного. Все они заняты одним и тем же.

– Чем?

– Они приводят реальность в соответствие со своими идеями о том, какой она должна быть. Но у них нет той силы, которую подарила тебе игуана. Поэтому им приходится идти к цели обходными путями. Чаще всего – долго ехать к ней на метро. А ты можешь действовать напрямую. Понимаешь?

– Пожалуй, – сказала Таня, подумав. – Но это какое-то не очень убедительное объяснение.

– Важно не то, как ты это объяснишь. Важно, что ты это сделаешь.

Таня кивнула.

– То, что я тебе говорю – это вовсе не объяснение, – продолжала Кларисса. – Это описание техники. Увидела. Представила. Накинула крюк и натащила одно на другое. Когда первое совпало со вторым, твоя матка создала новую реальность. Если тебе нужно объяснение, то вот оно – ты не меняешь старый мир. Ты рожаешь новый.

Таня недоверчиво усмехнулась.

– Неужели такое действительно возможно...

– Это возможно, Таня. Патриархия просто прятала от тебя твою силу. Если бы у женщин ее не было, почему, по-твоему, столько тысяч лет существовал матриархат? Как иначе мы смогли бы удержать самцов за уздечку?

– Хорошо, – сказала Таня. – А как накидывать крюк?

– Ты просто представляешь себе это. Например,

есть человек, на которого ты хочешь повлиять. Ты воображаешь себе крюк, привязанный к веревке. Потом этого человека. А затем бросаешь крюк – и решаешь вопрос.

– А если я не попаду?

Кларисса засмеялась.

– Представляй себе, что попала. Это зависит только от тебя... Не переживай так. Когда начнешь практиковаться, большая часть подобных вопросов исчезнет.

Она подняла глаза на памятник.

– Кто это?

– Писатель Гоголь.

– Давай посидим здесь на лавке.

Смахнув со скамейки снег, они сели недалеко от памятника. Вслед за Клариссой Таня уставилась на Гоголя – и у нее мелькнула мысль, что подруга, наверное, может запросто зацепить его крюком и повалить.

– А как должен выглядеть крюк? – спросила она.

– Придумай его для себя. Пусть он будет такой, как тебе нравится. Абсолютно какой угодно. Но только, – Кларисса подняла согнутый палец, – все время один и тот же. Очень важно помнить его во всех подробностях. Когда ложишься спать, думай о нем. Смотри на него с разных сторон, пока не уснешь. Утром, как проснешься, начинай день с этого же упражнения. Надо, чтобы крюк стал для тебя внутренней реальностью и ты не испытывала во время броска никаких колебаний. Ты должна даже чувствовать его вес.

Таня закрыла глаза.

– Совсем любой? – спросила она. – Можно использовать одно воспоминание из молодости?

– Конечно.

– И я тоже смогу делать так, как ты в ресторане?

Кларисса улыбнулась.

– Уверяю, что тебя не будет тянуть на подобные подвиги.

– Почему?

– Поймешь сама. Очень хорошо поймешь. И не головой. То, что я сделала в ресторане, было учебной демонстрацией. Тебе предстояла встреча со Священной игуаной, и важно было поселить в твоем сердце веру. Вера дает силу. Но сам по себе мой поступок был глуп. Он ни на секунду не приблизил нас к торжеству над патриархией.

– Ты говорила, что я смогу изменить мир.

– Свой мир – да, конечно. Но одна игуана не в силах изменить своим крюком всю реальность сразу. Если бы такое было возможно, Аманда давно сделала бы это за нас. Мы должны действовать вместе, постепенно и незаметно. Всегда помни, что твоя энергия ограничена. Если ты растратишь ее на пустяки, не останется сил на важные вещи. Будь разборчива... Но ты поймешь сама.

Таня кивнула.

– Крюк я уже придумала. Вернее, знаю, какой он у меня будет. А как тянуть веревку?

– Тут много разных способов, – ответила Кларисса. – Можно просто тянуть ее маткой. Такое годится для мелких операций вроде этого пивного хулиганства. Но если ты замахиваешься на что-то серьезное... Я, например, использую суфийскую технику ордена Мевляна. Я представляю, что превратилась в черную игуану, а потом начинаю наматывать веревку на себя. Вот так...

Кларисса встала с лавки, соединила ладони на груди и как-то вся сложилась и съежилась. Она простояла так секунду или две – а потом, словно распускающийся в ускоренной съемке цветок, невероятно красивым и изысканным движением распрямилась, развела руки в стороны и завертелась вокруг своей оси.

Она кружилась среди падающих снежинок быстро и легко, с улыбкой на лице чертя в воздухе широкие дуги раскинутыми ладонями – как впавший в блаженство флюгер. Прохожие оборачивались и показывали ей большой палец.

Таня завороженно глядела на нее минуту. Это было прекрасно само по себе – а если Кларисса еще и наматывала на себя веревку с магическим крюком, что оставалось миру? Только подчиниться.

– И долго ты так можешь?

– Часами, – ответила Кларисса, останавливаясь. – Решаю вопросы – и заодно отдыхаю. Все, пойдем. Сидеть холодно.

Таня встала с лавки, и подруги пошли по бульвару вниз.

– Я так крутиться не смогу, – сказала Таня через минуту.

– Тогда можно вот так...

Кларисса сжала правую ладонь в кулак и стала делать плавные вращательные движения возле своего бока.

– Представь, что у тебя вместо матки лебедка колодца. А ты крутишь ручку, наматывая веревку на лебедку. Если у тебя есть кошка, ты можешь ее гладить – и одновременно наматывать веревку. Некоторые старые нью-йоркские игуаны утверждают, что это усиливает эффект, потому что к делу подключается еще одна киска. А если гладить одновременно двух кисок, якобы выйдет еще мощнее. Но это просто лингвистическое суеверие. Гладить кошку хорошо для маскировки – чтобы самец не догадался, что происходит на самом деле...

У Тани перед глазами до сих пор стояла вращающаяся Кларисса.

– Я хочу как ты... Надо килограмм двадцать скинуть. Я уродливая, растолстела, как хрюшка.

Кларисса нахмурилась.

– Не надо так про себя думать. Не позволяй миру телопозорить... или как это будет... body-shame you. Если у тебя сохраняется негативный образ себя, если тебе стыдно за свой вид – значит, патриархия все еще удерживает плацдарм в твоем мозгу.

– Но если я действительно стала уродиной...

Кларисса взяла ее за руку.

– Запомни, уродливы только хуемрази. Все они – просто однорогие козлы, воображающие себя единорогами. Любое женское тело красиво. Что может быть прекраснее Великой Матери? Если ты веришь в свою красоту, ты всегда сможешь заставить другого ее увидеть. Но если ты не веришь в нее сама, как ты это сделаешь?

Таня вспомнила ночь, костер – и Клариссу, превращающуюся у нее на глазах в длинноволосую голубоглазую блондинку. Внутренняя манга, сказала тогда Кларисса. Внутренняя манга.

– А как делать внутреннюю мангу? – тихо спросила Таня.

Кларисса посмотрела на нее и засмеялась.

– Видишь... Ты до сих пор мечтаешь сделать себя привлекательной для патриархии. И это настолько фундаментальный и могучий рефлекс, что он перекрывает все остальные голоса в твоем сознании. Сразу же.

Таня покраснела. Кларисса была права.

– Но я не виню тебя, – сказала Кларисса. – Это естественно. Тебя, как сидящего в клетке зверька, кормили за красоту – а потом выбросили на улицу. Такова судьба всех привлекательных женщин. Ты провела в рабстве всю жизнь, поэтому до сих пор думаешь как раба. Привычки ума меняются медленно, если меняются вообще.

Таня опустила голову, и на ее глазах выступили слезы. На душе стало мрачно. Действительно, она только что готова была отдать всю свою новую свободу за пропуск назад – в омерзительный гарем мировой патриархии, где она провела свои лучшие годы. Мало того, ни одного желания сильнее, чем это, в ней не было.

– Открою еще один секрет, подруга, – сказала внимательно глядящая на нее Кларисса. – Про body-shaming ты поняла. Но никому не позволяй и mind-shaming тоже. Никому не разрешается умопозорить... нет, так не хорошо – душестыдить тебя. Ты игуана. Ты не отвечаешь ни перед кем. Даже перед собой.

Эти слова были для Тани как бальзам.

– Хорошая новость в том, – продолжала Кларисса, – что тебе вовсе не запрещается быть привлекательной для патриархии. Тебе надо просто переосмыслить это желание. Делать из красоты оружие умеют многие женщины. Как сейчас шутят, weaponize pussy[1]. Но игуаны идут дальше – они не отождествляются со своей красотой. Для них это просто инструмент. Как нож или удавка. Глубоко внутри ты должна презирать патриархальные представления о женской привлекательности.

– Я попробую, – сказала Таня. – Я сейчас без всякого энтузиазма... Без всякого возбуждения и желания... Просто в целях нашей борьбы... Как показать патриархии внутреннюю мангу?

Кларисса насмешливо кивнула.

– Угу. Уже почти поверила. Давай еще раз.

Таня даже разозлилась.

Дело в том, что сама Кларисса была очень хороша на самый строгий патриархальный вкус – поэтому в ее укорах при желании можно было увидеть лицемерие. С другой стороны, Таня не сомневалась, что красота Клариссы действительно всего лишь оружие, и ее мало заботят мысли самцов. Разобраться в этих чувствах было сложно.

И вдруг она поняла, как ответить.

– А ну кончай надо мной издеваться, ящерица, – сказала она неожиданно хриплым голосом. – Ты говоришь, никто не может меня душестыдить и телопозорить? Значит, это не смеешь делать даже ты. Я такая, какая есть. Со всеми своими патриархальными шрамами...

Глаза Клариссы чуть повлажнели. Она обняла Таню и прямо на ходу чмокнула ее в губы.

---

[1] Превратить киску в оружие.

– Вот это моя девочка, – сказала она. – Теперь верю на сто процентов. Ты молодец. Ты лучшая.

– Так что такое внутренняя манга?

– Просто блесна для патриархии. Привлекательный образ себя. Манга может быть какой угодно. Но ты должна представлять ее во всех подробностях – так же, как и крюк. Дальше ты берешь и натаскиваешь мангу на себя. Или, если хочешь – на ловеласа...

– На кого?

– Я так называю хуемразь, которой ты предъявляешь внутреннюю мангу. Ловелас – это очень странное слово, кстати. Оно из старого английского романа, но в других языках его уже нет. Осталось только в русском и украинском.

– Редкое, – согласилась Таня. – Я только в детстве слышала.

– Мне почему-то нравится, – сказала Клarисса. – Ловелас. Прямо как будто муди свисают и качаются. А ты берешь свой крюк, и чик...

Таня засмеялась. Ей нравился подход подруги. Даже очень.

– Так на кого натягивать мангу? На себя или на ловеласа?

– Тут есть определенная техническая разница. На себя мангу натягивают, когда ловелас с тобой рядом. Например, в одной комнате. Или когда у вас ужин при свечах. При этом лучше сидеть не двигаясь. И держать лицо под определенным углом, который ты отработаешь перед зеркалом.

– Понятно, – сказала Таня. – А когда надо натягивать мангу на ловеласа?

– Когда ловелас далеко, но ты хочешь, чтобы он вспоминал тебя и мучился. Тогда ты представляешь сначала его, потом свою мангу – и натаскиваешь мангу на него. Прямо ему на лицо. Или на затылок. Как ксеноморфа в фильме «Чужие».

– А на каком расстоянии это действует?

– На любом.

– И все?

– Да. Теперь ты знаешь все необходимое. Больше, по сути, мне нечему тебя учить.

– Подожди, – заволновалась Таня. – Но ведь надо, наверно, потренироваться вместе. Изучить разные возникающие тонкости.

– Здесь нет никаких тонкостей. Вернее, каждая игуана придумывает их сама. Это как слова «сезам, откройся». Совершенно не важно, каким тоном их произнесут. Главное иметь на это право. Если игуана тебя отпустила, нюансы не существенны. Ты имеешь право оформлять свою реальность как угодно.

Таня задумчиво кивнула. И правда, когда после встречи с игуаной она поплыла от вулкана к небу, никто не рассказывал ей, как уцепиться за край просвета в облаках, чтобы вернуться домой. Она это сделала сама.

– А насчет внутреннего трепета по поводу красоты... Не расстраивайся – пройдет. Пройдет, как только ты поймешь свою силу... Что это за здание? Это ваша Патриархия?

– Храм Христа Спасателя, – ответила Таня.

Кларисса минуту смотрела на собор.

– На месте Жизели я бы сильно напряглась, – сказала она наконец. – Есть тут где-нибудь веганский ресторан? Я хочу есть.

*

Кларисса пришла попрощаться к Тане домой.

Они выпили вина, поели фруктов с йогуртом, поговорили о последних фильмах. Но у Тани было слишком много серьезных вопросов.

– Скажи, Клэр, а разве ловелас не удивится, если ты покажешь ему другое лицо вместо своего? Неужели он не заметит подмены?

– Заметит, – сказала Кларисса. – Но не удивится.

– Как так может быть?

– Помнишь, я показала тебе в лесу свою мангу?

– Да.

– Моя манга – голубоглазая блондинка. Ты не удивилась, когда увидела ее на моем месте?

– Нет. То есть удивилась, но...

– Ну-ка, вспомни точно, что ты ощутила.

– Я... Я решила, что мне так мерещится в свете костра. Потому что ты мне очень нравишься, и я... ну, как бы фантазирую по твоему поводу. И это мои ассоциации, что ли... Вернее, я просто глядела и ни о чем таком вообще не думала. Но если бы задумалась, наверно, решила бы именно так.

– Вот то же самое происходит и с ловеласом. Он не размышляет о том, почему ты меняешься у него на глазах. Он просто начинает относиться к тебе с нежностью. Но если он заметит что-то странное и задумается, то решит, что это его фантазии. Мужчины по своей природе сексуальные фантазеры. Они постоянно придумывают что-то похожее без всяких манг – и проецируют на нас.

Таня кивнула. Примерно так она догадывалась и сама. Кларисса была права – надо было больше доверять себе.

– Скажи, а почему твоя манга – блондинка?

– Так нужно для борьбы, – ответила Кларисса. – Это связано с тем, что я живу не только в патриархии, но еще и в обществе, пораженном, к сожалению, метастазами расизма. Ползучая белая привилегия принимает много разных форм, и подобная доминантная секс-образность – одна из них.

– По-моему, – сказала Таня, – ты даже красивее своей манги. Во всяком случае, ничуть не хуже.

Кларисса улыбнулась.

– Услышать такое от хуемрази было бы харассментом. Но когда это говоришь ты, мне приятно.

– А как выбрать свою мангу?

– Есть два главных метода, – сказала Кларисса. – Можно пользоваться клише и штампами массовой культуры, как это делаю я. Работать с образами мужского бессознательного, так сказать. Но тут я тебе особо помочь не смогу – я не до такой степени разбираюсь в вашей культурной парадигме. Второй путь намного проще. Можно выбрать самую красивую себя.

– Это как?

– Ну, ты же пользовалась успехом у патриархии. Выбери тот период времени, когда ты казалась мужчинам самой красивой. Когда они упорнее всего за тобой бегали?

– В конце школы, – ответила Таня. – Ну и потом, конечно. Но уже не так.

– У тебя есть старые фотографии?

– Даже бумажные сохранились. Сейчас принесу...

Полчаса или около того Кларисса рассматривала старые фото.

– Вот эта, – сказала она наконец. – Это когда?

На фотографии, которую она выбрала, Таня сидела в моторной лодке со своим усатым южным ухажером и, чуть щурясь от солнца, глядела в объектив.

– Это после девятого класса, – улыбнулась Таня. – Мой первый... мучитель. На самом деле очень больно было. Но я думала, надо сжать зубы – и вперед.

– Мы все так думаем, – сказала Кларисса, разглядывая фотку, – все... Вот это идеальная манга. Просто идеальная. Сколько тебе здесь лет?

– Почти семнадцать.

– Мечта патриархии. Не представляю такого ловеласа, которого этот образ не пробьет насквозь. Ты здесь очень юная и одновременно очень сексуальная.

– Еще бы, – засмеялась Таня. – Меня этот усатик каждый день два раза эксплуатировал. Или даже три. А как из фотки сделать мангу?

– Вспомни себя в тот день, – ответила Кларисса. – Представь, что сидишь в лодке. О чем ты думала, глядя в камеру? Наверно, о чем-то хорошем, судя по лицу... Нырни в себя – и воскреси во всех подробностях эту девочку. Оживи ее своей памятью.

Таня закрыла глаза. Сперва на ее лице проступило напряжение, но постепенно его черты разгладились и на губах появилась мечтательная улыбка.

– Да, помню, – сказала она. – Даже очень хорошо.

– Тренируйся. Ты должна видеть свою мангу изнутри и снаружи. Сделай это воспоминание как можно более живым и подробным. Насыть его деталями. Чтобы ты могла вернуться к нему в любой момент, вот так, – Кларисса щелкнула в воздухе шоколадными пальцами. – Потом достаточно будет просто вызвать мангу в памяти, и можно метать крюк.

– Кстати, – сказала Таня, – хочешь знать, какой он у меня?

Кларисса приложила палец к губам.

– Тсс. Игуаны про это не рассказывают.

– Почему? Табу?

– Нет, не табу. Это можно обсуждать. Просто... Игуаны про такое не говорят. Они это чувствуют.

– Как? – спросила Таня. – Ты что, можешь сама понять, какой у меня крюк? И потом мне рассказать?

Кларисса как-то странно на нее посмотрела – одновременно нежно и насмешливо.

– Конечно. Но метод может тебя удивить.

– Давай попробуем, – сказала Таня. – Просто интересно.

– У тебя есть какая-нибудь тряпочка завязать глаза?

– Есть. В спальне.

– Идем туда.

В спальне Таня достала из ящика синюю аэрофлотовскую маску для сна.

– Подойдет?

Кларисса кивнула.

– Ложись на спину. Вот так. Теперь расслабься и ни о чем не думай.

Таня попробовала расслабиться в искусственной аэрофлотовской тьме. Это удалось – и целую минуту она провела в блаженном безмыслии.

А потом она почувствовала прикосновение Клариссы. В таком месте, что ее тело сразу же рефлекторно напряглось.

– Не дергайся, – сказала Кларисса. – Я же говорю, расслабься.

– Мне трудно, – ответила Таня. – Ты меня трогаешь.

– Сначала я должна найти твою веревку, – прошептала Кларисса. – Вот так. А теперь можно двигаться к крюку.

– Ай! Что ты делаешь!

– Вот он. Да, вот... Не сжимай ноги. Ты мне так руку сломаешь... Сейчас я тебе про него расскажу. Он у тебя блестящий. Из нержавеющей стали. С двумя остриями. А по бокам еще два маленьких крючка, сперва не особо заметные, но очень острые. Ой, он большой. Тяжелый... Немного на якорь похож... То есть почему немного. Это и есть якорь. Я его видела уже.

– Где? – блаженно прошептала Таня.

– На фотографии, с которой мы твою мангу снимали. Ты там в лодке с молодым ловеласом. А на дне между лавками этот якорь. Я еще подумала, какой острый. Ты даже ноги так подобрала, чтобы не пораниться...

– Точно-точно, – ответила Таня. – Ты все видишь, Клэр. Я этот якорь с крюками на всю жизнь запомнила. Мне его даже воображать не надо. Закрою глаза, и сразу вижу. Как ты считаешь, сгодится?

– Конечно. Подойдет просто отлично. Грозный. Мощный. Немного старомодный. Очень в каком-то смысле русский. Можно метнуть далеко-далеко, хоть через Южный полюс... Почему ты дрожишь?

– Меня никогда так раньше не трогали, – прошептала Таня. – То есть постоянно трогали всякие козлы. Но совсем-совсем не так.

– Тебе нравится?

– Очень, – прошептала разомлевшая Таня и повернулась к лежащей рядом Клариссе. – Очень. А я могу потрогать твой крюк?

– Конечно, глупая.

– Вот так? Я правильно?

– Как хочешь.

– Так... А как ты ищешь веревку? А-а-а... Понятно. Ну-ка... Ага... Ага... Вот, теперь я тоже чувствую. Да... Да... Он у тебя острый. Прямо как ножи... Но стальные только сами зубья. А крюк совсем черный. Из чего-то легкого и прочного. Углепластик?

– Да-а-а... – выдохнула Кларисса.

– Хай-тек, – прошептала Таня. – Очень круто. И у него три зуба. Через каждые сто двадцать градусов... Поэтому, как ни кинь, он все равно хоть одним зацепится, да?

– Yeah baby, – прошептала в ответ Кларисса, – yeah... Стриги ногти, я же тебе говорила. Игуаны стригут ногти.

– Мне нравится твой крюк, Клэр. Вот честное слово.

– А мне твой, Таня... My beautiful Russian hooker[1].

– А что будет, если зацепить моим крюком за твой? Или твоим за мой?

Кларисса тихонько засмеялась.

– А как ты думаешь?

– Не знаю. Думаю, что-то удивительное.

– Да, – прошептала Кларисса, – игуаны так делают. Тебе не жарко?

– Жарко, – призналась Таня. – Как будто сверху солнце.

– Это солнце игуан. Оно светит даже сквозь русскую зиму.

– Наверно, надо все с себя снять.

---

[1] Моя прекрасная русская потаскушка.

– Да, так будет лучше... Ты чувствуешь, кто мы теперь?

– Конечно, – прошептала Таня в ответ. – Мы две игуаны. Просто две игуаны под солнцем...

*

Кларисса улетела.

Возвращаясь из «Шереметьево», Таня все еще улыбалась, как будто Кларисса была рядом – и в зените по-прежнему горело древнее солнце игуан. Но когда она вышла из метро на своей станции, на нее сразу навалился такой плотный и серый московский сумрак, такое конкретное обещание долгой безвыходной зимы, что она тихо застонала.

Добравшись до своей квартиры, она почувствовала, что от хорошего настроения не осталось и следа. Она разделась, пошла в спальню и упала на кровать, еще хранившую легкий аромат Клариссы.

Все, что она узнала за последние дни, вдруг показалось ей шуткой. Даже не шуткой – изощренной насмешкой судьбы. Конечно, это было просто бредом, сном. Правдой была московская зима за окном: вот это полумокрое ничто цвета снегурочки, в котором растворилось столько горьких русских судеб.

Таня заснула. Ей приснилось, что она плачет. Проснувшись, она действительно заплакала – и плакала долго, не думая ни о чем конкретном, словно в душе шел ледяной дождь. Потом она уснула опять.

Когда следующим утром она открыла глаза, все уже было по-другому. Пора начинать тренировку, сказал в ее сознании чей-то тихий спокойный голос. И она кивнула в ответ.

Если очень экономить, денег должно было хватить до мая. Может быть, до июня. Нельзя было терять ни минуты.

– Я игуана, – сказала Таня, прислушиваясь к звуку этих слов. – Я игуана.

Серая зимняя пустота за окном не возражала. Пустоте было все равно.

Таня попробовала представить свой крюк. Это получилось сразу, без всяких усилий – якорь немедленно появился перед ее внутренним взором, такой отчетливый, что его, казалось, можно было потрогать. С крюком все было хорошо. Он был, как говорили герои «Звездных войн», fully operational[1].

Таня вспомнила последние инструкции Клариссы в аэропорту.

– Ты можешь делать своим крюком что хочешь, подруга. Ты сильная и злая, и не особо нуждаешься в моих советах. У тебя получится все. Но все-таки запомни – даже при тренировке не трать себя на пакости и сведение мелких счетов с патриархией. Не обливай самцов пивом. Кидай свой крюк в самые главные проблемы и вопросы.

– А разве не надо сперва набить руку? В смысле не руку, а...

– Нет, не надо. Совсем наоборот – некоторые вещи получаются лучше, когда делаешь их в первый раз. Когда еще не знаешь, как правильно. В одной из ваших книг написано: замахивайся сразу на большое, о маленькое только кулак отшибешь. В смысле не кулак, а...

---

[1] Полностью боеготов.

Кларисса так точно изобразила застенчивую интонацию подруги, что Таня засмеялась.

– А если возникнут сложности? – спросила она.

– Будешь их решать. Импровизируй. Игуана может все. Поэтому она всегда начинает с самого важного.

Но что самое важное, спросила себя Таня, что?

Кларисса говорила, крюк можно кидать в непонятное – и оно станет понятным. Таня задумалась.

А что она вообще знает про мир?

Она не знала ничего. Когда она закрывала глаза, это густое плотное неведение превращалось в подобие черного колодца перед ее лицом.

Что есть на самом деле? Откуда все взялось? Научпоп говорит одно, Кларисса другое, Илон Маск третье...

Таня нервно перевела дыхание – и вдруг, неожиданно для себя, кинула крюк в главную тайну всего.

Матка ответила спазмом боли, но Таня увидела.

В центре всего была гигантская черная вагина.

Вернее, ее уже не было – Таня ощутила только ее грозное космическое эхо. Но про эту главную вагину нельзя было сказать, что она была, а теперь ее нет. Истина была сложнее, и Таня стала впитывать ее по частям.

Эта главная вагина была на самом деле не гигантская. Даже не особо большая – скорее, совсем маленькая. Непостижимо маленькая. Но при этом она делала все очень большое, даже невозможно большое – не просто маленьким, а вообще никаким.

Мало того, все без исключения большое, громадное, сверкающее и сияющее, чем был заполнен неизмеримый космос, появилось из нее – незаметной червоточинки, у которой не было никакого внятного размера, а только качества и свойства.

Качества эти казались странными.

Сначала в мире была только эта вагина – и говорить о ее размерах не имело смысла, потому что ее не с чем было сравнивать и некому измерять, а сама она такими глупостями не занималась.

Потом она взрывалась родами – и порожденное летело во все стороны, становясь звездами, галактиками, сгущениями, кластерами, квазарами и всем прочим (Таня когда-то читала об этом, но помнила прочитанное смутно).

А вот дальше начиналось такое, о чем она не читала точно.

Все эти грозные порождения космоса улетали в пустоту все быстрее и быстрее, вроде бы удаляясь друг от друга и разлетаясь бесконечно далеко – но каким-то образом оказывалось, что этот их разлет в никуда был одновременно и сбором в ту самую точку, из которой они появились.

Вселенная разлеталась, потому что она слеталась.

Это было как движение карандаша по ленте Мебиуса – грифель видит, что он все дальше и дальше от линии склейки, и можно не только измерить это расстояние в точнейших миллиметрах, но и вычислить, когда началось путешествие. Но чем дальше грифель уползает от склейки, тем он становится к ней ближе, а потом – совершенно неожиданно – вдруг опять оказывается на ней вместе со всеми своими измерениями и вычислениями. Грифель этого не ожидает, потому что все время глядит назад, в прошлое.

«Ничто не предвещало...»

Точно так же космос был прозрачен только для света из прошлого, и человеческое знание было ограничено его скоростью. Астрономы смотрели в прошлое. Люди видели то, что позади, но не видели того, что впереди – и не могли измерить длину своей ленты. И хорошо, подумала Таня, что не могли. А вот крюк без всяких измерений знал: космическая вагина разлеталась и снова собиралась в себя, не выдавая своих планов и не оставляя никаких улик.

Это был фактически вселенский месячный цикл – или, во всяком случае, очень убедительная его симуляция. Но при этом никакой космический елдак не нарушал достоинства изначальной вагины. Во Вселенной царил матриархат, единоначалие и непрочность. Мужское появлялось на время из женского и исчезало в нем же. Тишина, пустота, тьма – это было женское, вечное. А яркое, суетливое, мельтешащее и мимолетное было мужским.

Таня ощутила гордость и торжество. Эта космическая вагина была одновременно и ее вагиной тоже... Да. Клэр говорила правду. Космос действительно появлялся из нее.

Мало того, даже сейчас он был нашпигован черными изначальными вагинами, ждущими окончательного слияния. Очень серьезная вагина, например, была в центре каждой галактики. Вокруг были вагины поменьше... И все они, как автобус с прогрессивными студентками, ехали по ленте Мебиуса домой, весело разрывая на куски любую приближающуюся хуемразь.

Таня ощутила своей маткой весь космос и успокоилась. Великие вопросы ее больше не волновали. Вернее, она лишний раз поняла то, что и так интуитивно знает любая нормальная женщина: маленькие вопросы – такого же точно размера, как большие.

Теперь ей хотелось просто немного тепла и любви. А вот с этим вокруг были сложности – Клэр уже улетела.

Матка болела после опыта, и Таня легла спать.

Проснувшись среди ночи, она вспомнила про Клариссу. На другой стороне планеты был день. Тане боязно было кидать крюк в сторону подруги, но Кларисса сама сказала, что игуане можно все...

Таня решилась.

Клэр сидела за компьютером – она уже добралась до дома и принялась за работу. На ней было красивое широкое платье с африканскими узорами. На рабочем столе рядом с клавиатурой лежали две книги Аманды Лизард – «Hertory of Feminism»[1] и еще одна с названием, закрытым огромной чашкой кофе.

Кларисса вычитывала какой-то текст.

После встречи с космосом Таня могла уже многое. Она сделала крюк совсем маленьким и нежно кинула его в столбцы букв на экране.

Матка дернулась пульсирующей болью – и Таня поняла, что это отрывки из той самой новой книги под редакцией Аманды.

Сборник назывался «Combat Shelosophy»[2] – в него должны были войти последние достижения боевой женской мысли, зовущие к борьбе. Кларисса готовила к переводу отрывок на русском – и была чем-то сильно

---

[1] Историеё феминизма.

[2] Боевая фемософия.

недовольна. Она почувствовала внимание Тани и пробормотала:

«Привет, игуана... У меня тут проблемы, давай как-нибудь потом...»

Было непонятно, узнала ее Кларисса – или просто ощутила близость другой игуаны. Но мешать ей не стоило.

Таня захотела прочесть отрывок, с которым работала подруга, и легонько сориентировала крюк. Текст сразу же стал виден:

КАПИТАЛИЗМ И ДЕБАТЫ

Мы справедливо ненавидим патриархальную архаику. Она жестока к женщине и безобразна. Но не меньшее презрение в нас должны вызывать и те якобы прогрессивные культурные декорации, под прикрытием которых разворачивается последняя фаллическая атака патриархальных элит.

Проясним этот тезис.

Капитализм, в том числе надзорно-корпоративный, основан на энергиях жадности и зависти. То же относится к его духовной культуре. Поэтому сутью любого происходящего при капитализме культурного процесса является адаптация наемного актора (т. н. «журналиста», «художника» и т. п.) к предложенной повестке дня с целью извлечения из нее максимальной материальной и символической прибыли (вспомним, что одно из значений слова «adaptation» – это «инсценировка»).

С этой целью в ход идут такие культурные жетоны как «ненависть ко злу», «благородное негодова-

ние», «сострадание к жертвам», «поддержка меньшинств», «борьба за женское равноправие» и так далее. Духовная культура надзорного капитализма точно так же основана на имитации добра, как порнография основана на имитации оргазма.

Но сегодня недостаточно просто колебаться вместе с линией партии – надо бежать на полкорпуса впереди. Лицемерие должно быть не пассивным, а активным и высокоинициативным. Это одинаково относится и к «частным» твитам, и к публичным дебатам.

Завистливая жадность культурного актора заставляет его повышать конкурентоспособность. Высокая конкурентоспособность принимает форму агрессивной адаптивности. Адаптивность проявляется как virtue signalling[1] – и, как мог бы выразиться Торстейн Веблен, conspicuous heart-bleeding[2].

Подобный модус поведения мгновенно становится обязательным для всех конкурирующих за символическую прибыль игроков в пространстве современной культуры. Таким образом возникает положительная обратная связь, превращающая любую культурную инициативу элиты в омерзительную пародию, над которой запрещено смеяться.

Публичные дебаты, таким образом, лишаются всякого смысла. В них больше нет элемента собственно «дебатов», то есть выяснения истины – они становятся просто способом предложить себя информационному рынку.

---

[1] *«Сигнализирование о добродетели», практика навязчивой публичной демонстрации своих правильных политических взглядов.*

[2] *Кровоточивость сердца напоказ.*

Современные медийные дебаты – это перманентный кастинг в пространстве обязательной повестки, где каждый из выступающих пытается продлить себя в будущее, демонстрируя возможным нанимателям свой служебный потенциал. Иного содержания в них нет.

И как же одиноко среди этих умных, тонких, красиво говорящих, безукоризненно одетых продавцов души!

Увы, душу в нашем веке уже не купят. Ее в лучшем случае возьмут в почасовую аренду. И здесь раскрывается наш исходный тезис о патриархально-фаллическом гнете: сосать придется всю жизнь.

Духовная культура позднего капитализма – это и есть та рана на голове апокалиптического зверя, которая не может исцелеть на самом деле, потому что язвой является весь зверь целиком. Пока власть остается в руках банков и патриархии, выхода нет и не будет.

Power to the Pussy![1]

Жизель Бунд-Хен

Ну да, вспомнила Таня, Жизель же философка. Непонятно было, чем недовольна Кларисса – вроде бы в отрывке все правильно и по делу: мужики сволочи, постоянно лицемерят и врут. Но Таня могла не понимать каких-то нюансов.

– Клэр, а что здесь не так? – прошептала она.

Из темноты перед ней выплыло хмурое лицо Клариссы.

---

[1] *Вся власть Киске!*

– Чего ты такая злая, Клэр? – испугалась Таня. – Жизель что-то не то написала?

– Жизель, может быть, лучшая из нас, – вздохнула Кларисса. – Она самоотверженная, благородная и прямая. Но в голове у нее полная каша. И у нее беда. Большая беда. Она никогда не научится метать крюк...

Кларисса исчезла, и Таня поняла, что лучше сейчас ее не тревожить.

Сил оставалось максимум на один бросок. Таня подумала, что можно, наверное, увидеть и саму Аманду – и даже заробела от этой мысли. Но потом все же решилась.

Саму Аманду крюк не нашел. Но Таня увидела высокую и длинную каменную лестницу – вроде тех, что строили на древних американских пирамидах. На вершине этой лестницы была развернута черная ширма, и вот за ней, поняла Таня, отдыхала Аманда. Нарушать ее покой не стоило, это было ясно.

Силы Тани иссякли. Матка была выжата, как железнодорожный лимон. Теперь следовало долго отдыхать. Очень долго.

И тщательно выбирать следующую цель.

*

Силы восстановились только через неделю.

Таня поняла, что снова может метать крюк, рано утром – когда продиралась навстречу новому дню сквозь последние сны.

Уже понимая, что просыпается, она вспомнила про свою мангу и попыталась ею стать. Это удалось легко, почти без усилий: она ощутила запах утреннего моря, жар солнца, золотые блики на голубом. Она сидела в лодке. Под ногами лежал ее собственный крюк. Никаких усатых придурков в лодке теперь не было.

Таня открыла глаза и увидела свою темную спальню. За окном лютовала зима. Все было плохо. И все было хорошо. Крюк был готов к бою.

Что дальше?

Перед ее глазами возник Федя – бездушные глаза в модных очках, распахнутый синий халат, полоса белой кожи на скудных чреслах. А потом вспомнилась долгая и страшная дорога по лесу.

Вот это, поняла она. Такая большая боль, такая сильная обида, что они даже не чувствуются, потому что все остальное происходит как бы на их фоне.

Интересно, подумала Таня, а можно узнать, что он сейчас делает? Я ведь могу метать крюк в непонятное, а с Федей непонятно все. Только серая мгла...

Вдохнув так, чтобы воздух надавил на матку, она вызвала к жизни свой якорь – и что было силы метнула его в грязный гипсокартон неведения. Она так и подумала: «гипсокартон», и в этом, наверно, было дело: якорь с хрустом пробил его. Таня потянула веревку на себя, и в завесе незнания появилась прореха. Таня метнула крюк еще несколько раз, разрушая остатки преграды.

После каждого броска поле ее зрения становилось шире. Скоро она увидела свет – и три расплывчатые фигуры, сидящие перед ним. Все трое, не отрываясь, глядели на золотистое сияние, источник которого был неясен.

Одной из фигур был Федя. Других она не узнала, только поняла, что это мужчины.

Неясно было, на чем они сидят – и где они вообще. Под ними мерещились то ли какие-то фонтаны, то ли механизмы, поднимающие их к свету... Нет, скорее это были все-таки механизмы. Потратив некоторое время на их изучение, но так ничего и не поняв, Таня назвала их про себя «домкратами».

Фигуры на домкратах сохраняли неподвижность. Только изредка они делали мелкие движения, устраиваясь поудобнее, и все глядели в свет.

Этот свет походил на размытый ореол вокруг электрической лампы в тумане – вот только самой лампы не было. Еще его можно было сравнить с радужной оболочкой огромного глаза без зрачка. Цвет глаза медленно менялся от желтого с красноватыми прожилками до ослепительно-белого.

В свете были покой, сила и нега – когда Таня начинала всматриваться в него, он быстро занимал все поле зрения, и на душе становилось хорошо и тихо. Можно было понять, почему Федя и двое других так пристально в него глядят.

Таня решила испортить им праздник. Она нацелилась и метнула крюк в источник света – вернее, в то место, где этому источнику полагалось быть.

И сразу же застонала от боли.

Матка содрогнулась от неприятного спазма. Очень неприятного, словно перед месячными. Крюк улетел в никуда, и веревка смерти приняла на себя всю его тяжесть.

Метать крюк в этот свет больше не следовало.

Целый день Таня чувствовала себя так плохо, что больше ни разу не посмотрела в сторону Феди. И еще два дня после этого про него не хотелось даже думать.

На третий, проснувшись с утра, она поняла, что теперь ее сил достаточно.

Когда она пробилась сквозь завесу неведения, Федя и двое его спутников все так же глядели в непостижимый и опасный свет. Теперь он был красноватым, пульсирующим и неспокойным – и Таня сообразила, что они только начали свою странную процедуру.

Вот что надо было сделать: натащить мангу на Федю. Таня легко и безусильно стала мангой, зацепила свой образ крюком и швырнула себя – юную, чистую, со смеющимися солнцем глазами – в смутно мерцающую вдали Федину лысину.

Манга соскочила. Она сорвалась с Фединой головы и рассеялась в радужном тумане. Опять повторился неприятный спазм в матке, но в этот раз Таня была к нему готова, и эффект оказался не таким сильным.

Таня поняла, что все дело в свете – пока Федя в него глядит, манга его не зацепит. От света Федина голова делалась пустой и прозрачной, и мангу некуда было внедрить.

Таня отдыхала еще два дня.

Что это за свет, она не знала и не особо хотела знать. Ясно было главное – крюку с ним не сладить. Федина голова как бы становилась частью света сама, и метать в нее крюк в это время было не просто бесполезно, но и опасно.

Но были еще эти странные домкраты, на которых поднимались к свету все трое. Чем пристальнее Таня всматривалась в них, тем меньше она понимала, что это такое.

Высота этих домкратов постоянно менялась. Когда свет делался бело-голубым, сидящие перед ним фигуры оказывались примерно на одном уровне. А когда свет становился багровым или красно-желтыми, они сильно разъезжались по высоте.

Таня изучала происходящее долго.

Иногда созерцающие свет фигуры исчезали на несколько дней. Иногда они появлялись по отдельности. Но эти движущиеся подставки под ними участвовали в процедуре всегда.

Таня начала догадываться, что дело именно в них. И хоть природа их была непонятна, как работать с непониманием, Таня уже знала. Собравшись, она метнула в него свой крюк.

Боль в матке после этого не отпускала полдня, но дело того стоило. Происходящее сделалось намного яснее.

То, что Таня окрестила домкратом, и правда было чем-то похожим – в метафорическом смысле. Это был сложный причинно-следственный механизм, поднимавший Федю к свету. У каждого из трех созерцателей этот механизм был свой собственный, но одновременно они были связаны между собой. Как работают эти причинно-следственные лифты, отследить было трудно.

В домкратах не было ни зубчатых колес, ни моторов – только мерцающие индикаторами коробки, провода, мониторы с разрезами человеческой головы, обслуга в веселых ярких рубахах и еще почему-то буддийские монахи в коричневых рясах и черных мотоциклетных шлемах.

Таня видела все нечетко и гадательно, как бы сквозь мутное стекло – и больше всего это напоминало бредовый сон или чудную фантастику. Но одно было ясно: пока эти механизмы работают, Федя недостижим.

Таня копила силу пять дней. Потом Федя и другие фигуры куда-то исчезли, и пришлось ждать еще двое суток. А когда они – все трое сразу – наконец появились в ее поле зрения, она безжалостно метнула якорь, целясь в Федин домкрат.

Это получилось. Крюк зацепился за что-то важное в этом механизме – и Таня, как осторожный рыбак, стала медленно тянуть веревку в себя... Кажется, ее заметили жившие внутри домкратов монахи, но Таня их не боялась. Она крюком чувствовала, что сила на ее стороне, и монахи это знают.

Несколько дней Таня каждое утро накидывала крюк и тянула веревку, пока не уставала от напряжения. А потом в домкрате что-то словно бы хрустнуло, и монахи в шлемах пропали. Все вместе и сразу.

Дело, как оказалось, было все-таки в них. Федин домкрат тут же схлопнулся, сложился, и свет над ним погас. Когда крюк вернулся к Тане, она попробовала накинуть его на цель еще раз, но даже не смогла ее найти. Домкрат просто исчез – а вместе с ним и два соседних.

Таня испугалась и затаилась на целую неделю. Когда она опять решилась кинуть крюк в туман неведения, Федя нашелся сразу.

Теперь он был один, и над ним – в точности как над молодым Полом Маккартни в песне «Yesterday» – колыхалась густая темная тень.

Федя страдал.

Так тебе и надо, подумала Таня. Так тебе и надо.

Под Федей тем временем уже начинали строить новый домкрат – этим занимался ее старый знакомый

Дамиан. Когда Таня увидела это, ее даже передернуло от гнева.

Она метнула крюк с такой силой, что новые монахи, которых уже совсем было собрал вокруг себя этот неприятный тип, бросились во все стороны. Дамиан побежал за ними, исчез, и скоро зародыш нового домкрата под Федей потемнел, свернулся и зачах.

В следующие две недели Тане еще несколько раз приходилось тормозить это домкрато-строительство, и каждый раз попадавший в ее поле зрения Дамиан становился чуть грустнее.

То же касалось и Феди – он увядал на глазах. Темная тень больше не колыхалась вокруг его головы, а покрывала его целиком. Ему было очень нехорошо.

Но самое интересное заключалось в том, что Таня снова увидела рядом с ним мерцающий свет: вокруг его головы словно бы летал рой разноцветных светляков. Федя не делал никаких усилий, чтобы пробиться к ним из своего тумана, но такая встреча могла произойти случайно, и тогда его голова опять стала бы прозрачной и пустой. Таня поняла, что крюк может потерять силу – она уже знала, как это бывает.

Такого нельзя было допустить ни за что. Пока Федя был достижим, следовало срочно натащить на него мангу.

Таня представила себе южный пляж, моторную лодку, себя в этой лодке – и, как индеец смазывает грани обсидиана ядом кураре, напитала мангу всем солнечным светом, всем беспричинным счастьем, всей юной надеждой, когда-то жившими в ее сердце.

Это не было обманом. Она и правда была такой,

когда, волнуясь и робея, готовилась выйти на помост женских продаж, на свое безнадежное, гнусное и неизбежное торжище с патриархией.

Крюк лежал в лодке рядом с мангой. Таня осторожно надела на него наживку и нежно послала к Феде. А когда крюк поравнялся с его утонувшей в черном тумане головой, легонько подсекла – и наволокла мангу на Федин затылок.

Манга налипла, и Федя сразу стал виден отчетливо. Таня высвободила крюк и перевела дух. Манга еще некоторое время мерцала во мгле солнечной надеждой, а потом слилась с Фединой загорелой лысиной в одно целое – словно кусок сахара растворился в стакане чая.

«Теперь, – поняла Таня, – я буду для него вот такая. И во сне, и когда он про меня вспоминает. И вообще...»

Метать в Федю крюк после этого стало совсем просто.

Продираться к нему через завесу неведения больше не было нужды. Не обязательно было даже видеть его внутренним зрением – в Фединой голове работал маячок, и крюк находил путь сам. К Феде вела надежная канатная дорога.

Вот только надолго ли?

Таня не знала, сколько времени манга сохраняется в голове у хуемрази – таких тонкостей они с Клариссой не обсуждали. Верь интуиции, сказала Кларисса.

Интуиция подсказывала, что мангу надо иногда обновлять... Но как? Надо было, наверно, заставить Федю видеть ее вновь и вновь... Ага...

Таню осенило.

У него ведь есть школьные фотографии? Наверняка остались. Может быть, есть похожая на мангу? С близкой датой?

Таня достала из шкафа пластиковый пакет, где лежали старые снимки, и погрузилась в поиски. Удача прыгнула ей в руки уже через несколько секунд.

Групповое фото перед десятым классом. Возле школы. Она – с той же прической, с той же улыбкой, с тем же солнцем в глазах. Практически манга. И Федя. Откровенный задрот, видно сразу по виноватому лицу. Вдвоем на одном снимке. И снимок этот почти наверняка сохранился у Феди – если он только не забрызгал ее лицо своей гадостью. Вот пусть он его и повесит на стену.

Таня сформулировала команду и послала крюк в Федину голову. Якорь уехал в черный туман гладко, как трамвайная штанга по проводу. По легкому спазму в матке Таня поняла, что приказ услышан.

Она чувствовала, что выбрала почти всю свою силу – энергии осталось на одну команду, а затем придется восстанавливаться неделю. Что ему приказать? Что?

Ее опять осенило.

«Сиди под этой фоткой, хуемразь, смотри на нее и пиши мне письма. Подробные... О чем? А вот о чем – что это был за домкрат под твоей жопой. И что это был за свет, в который вы глядели. А я потом почитаю... Интересно».

Якорь покачнулся – и снова уехал по проводу в черный туман. Таня поморщилась от боли.

«Теперь неделю на фруктах и йогуртах... Ни на что другое все равно денег нет. Медленно работаю. Слишком медленно...»

*

Через несколько дней Тане приснилась Кларисса.

Все происходило на той же поляне, откуда Таня ходила в гости к игуане – только дело было летом. Кларисса танцевала у костра в чем-то вроде накидки из шкуры огромной ящерицы – большая голова рептилии над ее светлыми волосами походила на космический шлем, а на груди качалось ожерелье из золотых бусин, перемежающихся мелкими, желтыми и не особо красивыми клыками.

Таня сначала удивилась, что Клэр выбрала для украшения такие невзрачные зубы, а потом поняла. Хуемразь никого больше не укусит. И не одна – целый взвод.

Кларисса опустилась в траву у костра, сделала Тане знак сесть рядом и сказала:

– Я объясню тебе, как восстанавливать энергию. Ты слышала про священный индийский слог «Ом»?

– Слышала, – ответила Таня. – Вот только какой у него смысл, точно не знаю.

– Это звук, из которого рождается Вселенная. В нем прошлое, настоящее и будущее – и все прочие звуки мира. Игуаны используют этот звук. Но не целиком. Они используют его женский аспект.

– Женский аспект?

– Конечно, – сказала Кларисса. – Подумай сама – раз из этого звука рождается все сущее, он должен быть соединением двух космических начал. Как инь-ян. Это, собственно, и есть звуковой инь-ян, где вибрация звука проделывает весь путь от одного полюса бытия до другого. «Ом» произносится так – «о-о-м-м». Повтори.

– О-о-м-м, – повторила Таня.

– Хорошо. Скажи, тебе понятно, что «о-о» – это женская часть звука, а «м-м» – мужская? Чисто интуитивно?

Таня кивнула.

– «О» похоже на вход в вагину даже по начертанию, – продолжала Кларисса. – «М», с другой стороны, напоминает мужские гениталии, проще говоря муди... Кстати сказать, христианское «аминь» – просто вариант звука «Ом», к которому ликующая патриархия пришила гипертрофированный гульфик.

Таня опять кивнула. Во сне все было очень даже понятно.

– Игуаны совершают со звуком «Ом» серьезную магическую процедуру. Они символически оскопляют его, превращая в простое «О». «О» – это «ом» игуан.

– О-о-о, – протянула Таня.

– Именно. Игуаны восстанавливаются через звук «О». А еще они используют его при метании крюка. Когда ты произносишь «О-о», нижняя часть твоего живота немного втягивается и напрягается, и отдача от броска не так ощущается маткой.

– Ты мне, кстати, ничего не говорила про отдачу, – пожаловалась Таня.

– Я подумала, что ты и сама ее быстро заметишь, – улыбнулась Кларисса. – Ведь правда?

– Трудно не заметить, – ответила Таня.

– Ничего, отдача даже полезна.

– Почему?

– Потому что она делает тебя разборчивой. Ты не мечешь крюк перед свиньями. Помнишь, ты спрашивала, почему нельзя делать так, как я в ресторане?

Делать-то можно. Но готова ли ты терпеть такую боль, чтобы одна хуемразь облила другую пивом?

Таня даже засмеялась.

– Когда ты произносишь «О-о», метая крюк, боль уменьшается, – продолжала Кларисса. – Это как бы смазка. Но твой бросок не становится от этого сильнее. Если ты хочешь сделать мощнее сам бросок, ты должна найти свой собственный уникальный звук силы.

– Как?

– Ты должна дать тайное имя своему колодцу жизни. Оно может быть любым – но желательно, чтобы это было достаточно редкое сочетание звуков. Совсем особая вибрация, по которой космос сможет тебя опознать...

Сразу после этих слов Кларисса исчезла.

Таня проснулась.

– О-о, – произнесла она нараспев, – о-о...

Этот звук и правда наполнял силой.

Она вылезла из кровати, приняла душ и навела во всей квартире идеальный порядок, иногда останавливаясь, чтобы повторить «О-о-о...» Звук проникал глубоко в матку – и приятно щекотал ее натруженные стенки.

Таню весь день тревожила мысль, что она о чем-то забыла. Только к вечеру она вспомнила ту часть сна, где Кларисса говорила про колодец жизни.

– Имя, – прошептала она. – Надо придумать имя.

Это оказалось непросто.

Она думала несколько дней, исчеркала карандашом множество салфеток – но имя не рождалось. Вернее, ей пришло в голову много вариантов. Часть подошла бы для яхты, часть для кошки, но для колодца жизни не годился ни один.

Таня уже в достаточной степени была игуаной, чтобы избегать мягких сюсюкающих звуков, которые веками навязывает женщине патриархия. С другой стороны, их эстетической противоположностью были грубые, лающие и рычащие созвучия, которыми патриархия подчеркивает мужскую мощь. Воспользоваться любым из подобных слов означало бы расписаться в поражении.

«А что делают лучшие из нас? – подумала она. – У нас же есть свой культурный авангард... Свои героини, свои звезды на небе... Какие слова у них в ходу?»

Таня села за компьютер. Она знала, конечно, что никакого сайта у игуан нет, хотя Кларисса, кажется, говорила что-то про глубокий интернет. Но ей захотелось для начала сделать поиск по слову «pussy» – может быть, подумала она, какая-нибудь картинка, какой-нибудь линк подскажут, приведут...

Таня набрала это слово в окошке гугла и коснулась клавиши ввода. Странно. Результаты пришли на русском языке.

Она поглядела на строку поиска – и прочла:

ЗГЫЫН

Игуана в ней узнала Имя сразу – пока медленный человеческий ум еще только соображал, что она случайно нажала на «Caps Lock» вместо того, чтобы переключить клавиатуру.

– Згыын, – прошептала Таня. – Згыын.

В этом звуке звенела тетива монгольского лука, выл мотор карающей бензопилы, звонкие женские голоса вызывали патриархию на поединок – и было еще много тайного, что она чувствовала, но не смогла бы высказать в словах... В Имени не было кискиного сюсюканья. Но не было и пустой мужской бравады. Это был реальный женский звук – грозный боевой зов трефового гендера, вышедшего на правый бой с оборзевшими пиками.

Теперь Таня не сомневалась, что у нее достаточно сил для главного действия.

Она сосредоточилась и послала крюк в сторону Феди. Крюк уехал в туман по канатной дороге – к манге в его голове.

Таня проверила зацепление. Оно было надежным и прочным. Тогда она представила немного ржавую колодезную ручку из детства – эдакую стилизованную «s» из трех сваренных труб – и воткнула ее в правый бок прямо над бедром. Ручка дошла до матки и соединилась с веревкой. Больно почти не было.

Она положила правую ладонь на рукоять и повернула ее. Веревка напряглась. Таня повернула рукоятку еще раз и почувствовала, как что-то вдалеке сдвигается с места.

Это не был какой-то материальный объект. Это была вся Федина судьба – Таня знала это точно. Словно бы она управляла руслом далекой реки, и от каждого поворота ручки менялось что-то во всей природе... Это было ответственное и рискованное дело, но она знала, что пойдет до конца. Главное, чтобы выдержал крюк.

Новая техника оказалась утомительной и вовсе не такой простой, как представлялось сначала. В первый день она смогла крутить всего час – и вымоталась полностью. Даже под глазами появились синяки. Пришлось долго отдыхать. Она решилась повторить опыт только через два дня.

Сразу же выяснилось, что у мира для нее плохие новости. За время ее отдыха Федя отдрейфовал прочь. Теперь их судьбы были так же далеки друг от друга, как до броска.

В этот раз Таня крутила ручку уже четыре часа. Очень помогло Имя и звук «О». И еще, конечно, то, что она работала ночью. Ночью было больше энергии.

Прошло три дня. Она крутила каждый день, но стоило сделать небольшую паузу – и Федя опять дрейфовал. Терялась примерно половина работы. Федина судьба разворачивалась в ее сторону слишком медленно.

Таню мучили технические сомнения по поводу ее колодезной ручки, но их не с кем было обсудить – Кларисса куда-то пропала. Тогда она полезла в интернет. Сначала было непонятно, что искать: школьную физику она давно забыла. Потом она набрела на выражение «передаточное число» и увидела суть проблемы.

Ручка была слишком маленького диаметра. Веревка наворачивалась на нее мелкими петлями, и поэтому работа шла медленно. И, хоть интернет уверял, что развиваемое ею усилие очень велико, за то время, пока она отдыхала, Федя возвращался туда, где был. Ручка подходила для мелких комнатных дел, но не для глобальных проектов.

Таня вспомнила Клариссу, грациозно крутящуюся вокруг своей оси.

Конечно. Это и было решением вопроса. Тело намного шире ручки. Она к тому же раза в полтора толще Клариссы. Если не в два. Значит...

В следующую ночь она впервые попробовала крутиться на месте, наматывая веревку на себя. Это вполне получалось – только, наверно, не так изящно, как у подруги. Таня много раз спотыкалась и падала на пол. Но в целом голова почти не кружилась. Мало того, она уставала значительно меньше, и долгий отдых больше не требовался.

Федя стал приближаться к ней быстро. Даже слишком – и это немного пугало.

Через неделю в дверь позвонил участковый.

– Жалуются соседи снизу, – сказал он. – По ночам топот, прыжки, стоны. Крики «Сгинь». У вас что, радения какие-то? Сектанты?

– Я одна живу, – ответила Таня с достоинством.

– Может, телевизор смотрите?

– Я сплю. Тут знаете какая слышимость – когда на десятом кашляют, первый просыпается. Я порядка не нарушаю. Пусть спят с затычками...

Участковый оценил готовность Тани к склоке, козырнул и отбыл. Но Таня поняла намек мироздания и решила взять в работе паузу.

Ей было страшно. На такой скорости сближения Федя должен был проявиться в реальной жизни уже совсем скоро, а ее мучили сомнения. Проблема была в том, что...

Надо было наконец признаться в этом самой себе.

Ей было стыдно за свой вид. Она ведь на самом деле не особо походила на свою мангу – и была уверена, что разницу заметит и Федя.

Она понимала, что это тот самый body-shame, про который говорила Кларисса: телесный позор, костлявая рука патриархии, до сих пор держащая ее за горло. Вирусная программа, внедренная в каждую женскую голову на планете. Но понимание не спасало от боли.

Язву этого позора расчесывали в ее голове столько лет, что наивно было ожидать быстрого исцеления. Можно было сколько угодно плевать в мурло патриархии, но в следующую секунду голову заполняли суетливые и полные боли мысли: если бы похудеть килограммов на десять и сделать наконец что-то с бровями... Нет, я не могу. Он же меня увидит голую. Вот эти бамперы над жопой – ну что с ними делать? Что?

Конечно, с таким настроем нельзя было идти в бой. Подобных сомнений у игуаны быть не могло.

Но Таня помнила, что игуане не следует быть излишне строгой к себе. Она такая, как есть, и принимать себя надо именно в этом виде, со всеми душевными шрамами и язвами. Вот инвалиды войны – они же не стыдятся своей колченогости. В некотором смысле она тоже такой инвалид. Она не виновата в том, что ее мозг все еще досматривает гендерный фильм ужасов, снятый по заказу патриархии.

Таня решилась еще раз заглянуть в Федину жизнь.

Теперь Федя уже не плыл по морю на белой яхте. Он обитал где-то в Индии, в довольно скромном и даже несколько совковом санатории с цветочными прудами, вокруг которых гулял в больничном белом халате.

Федя был в депрессии.

И еще... Еще он принимал по вечерам много наркотиков.

Он жил на какой-то совершенно не олигархической вилле – в таком месте вполне могла бы недельку отдохнуть и она сама. Во всяком случае, в лучшие времена.

«А может, – подумала Таня с ужасом, – оттого, что

я его тащу к себе, он нищает? И, когда я его совсем дотащу, у него одни долги останутся?»

Это было неприятно. И, главное, вполне возможно по законам кармической геометрии.

Таня поняла, в чем ее ошибка. Надо было не тащить Федю к себе, а, наоборот, двигаться к якорю самой, накручиваясь на веревку. Все зависело от этой неуловимой детали, нюанса – и, после первого же опыта, когда Таня сделала поправку в своем вращательном усилии, совковый санаторий проявил серьезные черты высокобюджетной эксклюзивности.

Во-первых, Таня заметила, что там мощная охрана. Во-вторых, изысканная кухня. В третьих, на территории находилось большое количество готовых на многое женщин, часть которых к тому же была мужчинами. И все это крутилось вокруг трех – всего лишь трех – клиентов, бродивших по утрам возле гидропонического триколора.

«Наверно, – подумала Таня, успокаиваясь, – особый аюрведический санаторий для богатых. Чтобы пожили немного как бедные и подлечили душу. Индия все-таки. Махатма Ганди...»

Федину комнату убирала полная и не особо юная филиппинка. Таня с удовлетворением отметила, что уж на эту Федя точно не позарится – а потом вдруг поняла, что уборщица такой же точно толщины, как она сама.

Ну то есть практически копия.

В голове у Тани мгновенно созрел хитрый план – и, хоть за него было немного стыдно перед собой, Клариссой и другими игуанами, отказать себе она не сумела.

Можно было раз и навсегда выяснить, имеет ее body-shame реальные основания или нет. Если Федя способен будет отпатриаршить эту бедняжку, то...

Таня из конспирации даже не додумала эту мысль до конца. Но все сомнения насчет себя можно было развеять за один опыт.

Она несколько дней ждала в засаде – и поволокла Федю прямо на филиппинку, как только та оказалась с ним рядом.

Сперва Таня промахнулась. Потом, прикинув, что расстояние между объектами совсем маленькое, перестала крутиться и перешла на колодезную ручку. И как эта ручка помогла!

Уже через пять минут все срослось.

Федя отработал по филиппинке два раза – первый раз по-миссионерски, второй по-собачьи. Это было важно: у девушки над попой выпирали такие же бамперы, как у нее самой. Значит, это не такая серьезная проблема, как кажется.

Таня поняла, что думает уже не как игуана, но решила простить себе и это. Потом она вспомнила Клариссу, и ей все-таки стало стыдно.

Из темноты перед ней появилось лицо Клэр.

– Игуана, все нормально. Ты оцениваешь свои шансы на победу – так и должно быть. Плохо лишь то, что ты по-прежнему причиняешь себе боль, стыдясь своего тела. Вернее, не ты сама, а этот филиал патриархии в твоей голове. Его очень трудно выжечь с корнем, я знаю...

– Ну да, – застонала Таня, – да. Я столько раз это понимала, столько раз...

Но Кларисса уже исчезла.

Стыд за свое тело прошел, и в душу вернулся покой. Таня дала себе слово, что никогда больше не будет так унижаться перед лицом космоса.

«Да разве важно, сколько баллов поставит мне какая-то хуемразь? – холодно думала она. – Важно совсем другое. Важно наклонить эту хуемразь так, чтобы она ставила баллы не мне, а себе... И для этого у меня есть крюк. Вот так думает и чувствует игуана. Но как непривычно быть свободной и сильной, как это странно... Даже страшно».

Теперь она крутилась каждую ночь, раскинув руки в стороны и шелестя по полу мягкими войлочными тапками. Федя становился все ближе – и у нее все же мелькали иногда испуганные мысли, что надо бы сходить в парикмахерскую или хотя бы побрить ноги. Ну подмышки-то точно... И згыын, наверно, тоже.

Но холодная гордость игуаны побеждала.

«Не дождешься, хуемразь. Не дождешься...»

Накручивать на себя веревку с каждым днем становилось все легче, и Таня уже не кричала «О!!! О!!!», как раньше, а пела «О-о-о-о! О-о-о! О-о-о-о? О-о-о-о?? О-о-о-о???», словно сама до конца не верила в приближающуюся победу.

На самом деле она верила. Был уже май, самый победоносный месяц, и московские деревья зеленели серьезной взрослой листвой. Но все равно – когда Федя позвонил, это оказалось полной неожиданностью.

Телефон заиграл румбу ровно в одиннадцать утра.

– Таня, – сказал в трубке его голос. – Это Федор. Привет.

Таня вдохнула воздух так, чтобы он сильно нажал на матку. Потом она закрыла глаза – и визуализировала себя в виде манги с крюком в руках. Понимание пришло сразу.

– Привет, – сказала она сухо.

– Я хочу встретиться. Встретиться и все объяснить.

– Ну хорошо, – ответила она. – Только, пожалуйста, в этот раз без хамства. Я тебя жестко предупреждаю. А то ты больше никогда меня не увидишь, понял?

– Понял, – сказал Федя. – Ты не представляешь, как... Я столько... То есть... Где? Давай в каком-нибудь хорошем ресторане. Действительно хорошем.

Таня отмерила несколько секунд тишины.

– Нет, – сказала она. – Завтра. На том же месте, где в прошлый раз. И опять приходи в синем халатике, хорошо?

Федя делано засмеялся.

– Ну если ты так хочешь... Хорошо. Хочешь, чтобы все точно как в прошлый раз?

– Угу.

– Тебе прислать Дамиана? Чтобы он тебя подвез?

– Можно, – ответила Таня.

– Тогда давай не завтра, а послезавтра, – сказал Федя. – Чтобы я успел организовать.

– Хорошо.

– Дамиан позвонит. Целую...

Таня не ответила на «целую», только хмыкнула. Так, чтобы слышны были боль оскорбленного сердца, обида, но еще – намеком, на самом донышке – надежда и готовность простить. Это получилось само, без крюка.

Федя издал какой-то влажный хлюп и повесил трубку.

На следующий день Тане захотелось проверить Федю крюком, но она знала, что силу надо беречь: неизвестно, как все сложится на стрелке... Наши главные враги, вспоминала она, не снаружи, а внутри. Несколько раз она порывалась пойти в ванную чуть подправить брови – и один раз остановила себя уже над самой раковиной.

«Стоп, – сказала она себе, – стоп. Ты игуана. Даже если эта хуемразь соскочит, даже если... Я все равно не буду больше щипать брови. Никогда. И ноги брить тоже не буду».

Вечером позвонил Дамиан.

– Здравствуйте, Татьяна Осиповна, – сказал он вкрадчиво.

– Здравствуй, любезный, – ответила Таня.

Ей удалось выдержать приветливую интонацию. Но Дамиан, конечно, все понял.

– Завтра буду у вашего дома в тринадцать ноль ноль, – сказал он. – Вам комплект одежды брать? В смысле полотенце, рейтузы, все вот это вот? Или у вас осталось?

– Возьми на всякий случай, – ответила Таня и повесила трубку.

После этого разговора у нее стало очень покойно на сердце. Тревожиться за будущее теперь надо было Дамиану – и Таня не сомневалась, что именно этим занята его суетливая душа. Не надо было даже кидать крюк, чтобы убедиться.

Она хорошо выспалась. В одиннадцать утра, позавтракав, отразила последнюю отчаянную психическую атаку патриархии на свои брови. И, конечно, не стала ничего нигде брить.

В двенадцать тридцать она приняла душ, завернулась в памятное полотенце и надела сверху просторное платье. Немного жарко, но доехать можно было вполне.

В час она спустилась вниз. Дамиан ждал в том же черном ленд крузере, что и в прошлый раз. Вежливо поздоровавшись с ним, она села в машину, закрыла окно и попросила включить кондиционер. Он работал всю дорогу – сидевший за рулем в летней рубашке Дамиан заметно продрог.

Таня не глядела в его сторону. Она думала про Федю и почему-то про Герасима Степановича из детства. Ей даже пришел в голову красивый образ мести: снегурочка с бензопилой. Да, именно так. Дамиан не зря трясется за рулем. Где снегурочка, там ведь холодно. Дрожишь, хуемразь? Дрожи, дрожи... Ща снегурочка расскажет, где была. Вернее, сразу покажет.

Машина затормозила там же, где осенью – впереди уже стоял знакомый микроавтобус с охраной. Но само место выглядело теперь иначе.

В прошлый раз листва была редкой и желтой, и во всем сквозила какая-то элегическая усталость, словно бы пушкинская преддуэльная тоска, из которой и сделана, если разобраться, русская осень. Осень патриархии...

А сейчас была весна. Ее весна.

Вокруг было столько смелой юной листвы, что Таня сперва не могла понять, куда делся заколоченный пустой дом, дохнувший на нее в прошлый раз таким безнадежным унынием. Потом она все-таки увидела его за изумрудной маскировкой – но теперь даже этот дом выглядел весело.

Таня усмехнулась и вышла из машины.

– Вам туда, – сказал один из охранников и махнул рукой вперед.

Таня хотела уже показать ему средний палец и ответить «а вам туда», но игуана внутри остановила ее. Игуаны не ругаются с персоналом. Игуаны иногда дают персоналу на чай.

– Он уже ждет, – сказал другой охранник.

И еще игуаны не стыдятся прислуги. Таня стянула через голову платье – и не глядя протянула его одному из охранников. Тот сразу же принялся бережно его складывать.

Она осталась в одном желтом полотенце с пальмами. Том самом. Это был ее флаг, под которым она всю зиму шла к победе. Как хорошо, что она не поддалась искушению изрезать его ножницами и выкинуть в мусоропровод. Дамиан, конечно, выдал бы такое же, но это было бы уже не то.

Таня пошла по дорожке навстречу своей судьбе.

Банька и фанерные будки никуда не делись – они прятались в молодой зелени и тоже казались свежее и ярче.

Федя стоял на прежнем месте, недалеко от рукомойников, снова спиной к ней. Даже со спины было видно, до чего он похудел и осунулся – как бы превратился из наглого восклицательного знака в смиренный вопросительный. И лысина его тоже казалась теперь бледнее. В ней даже появилось что-то восковое.

На нем был синий халат и красные шлепанцы – все как в тот раз. Он принял игру. Оставалось эту игру сделать.

Услышав ее шаги, он обернулся.

Другие очки. Проще, без оправы. И другое, совсем другое лицо. Растерянное. Бледное. Лицо человека, которому хорошо знакомы страдание и ужас.

Он робко улыбнулся – и тогда она, не сбавляя шага, расслабила полотенце и позволила ему развернуться и упасть в траву. Федя протянул к ней бледную худую руку, попытался обнять, но Таня завела ему ногу за икру и легонько толкнула в грудь.

И когда он, смеясь, упал в траву, она – то ли показывая ему крюк, то ли показывая его крюку, то ли просто зеркальным и суровым мидовским жестом – встала прямо над его обращенным к небу лицом и закричала на весь Космос:

– Згыын!

ЭПИЛОГ

Саядо Ан сидел в полутемной прохладной келье.

Келья была совсем новой, аккуратной и чистой – и пахла свежей краской. Под потолком работал вентилятор, посылая вниз поток воздуха, но саядо Ан не чувствовал ни запаха краски, ни электрического ветра, ни своего тела. Он медленно вышел из четвертой джаны и направил внимание к глазу мудрости.

Было интересно, что сейчас происходит с его русскими учениками. Впрочем, не учениками – они ведь не учились, а просто катались у него на спине, как малые дети, пока не столкнулись с кармической преградой. Преграда была не такой уж и серьезной: если бы они захотели, то смогли бы двигаться дальше сами. Но на уме у них было что-то другое...

Очень поучительный опыт, очень. Вот почему даже сам Будда не может никого отнести в просветление на своих плечах. Если человек не готов, его можно поставить на самую грань победы, и он все равно повернет назад... Sad, как говорят в Америке.

Богатого человека по имени «господин Федор» саядо Ан нашел сразу. Тот был в Европе – и почему-то сидел на крыше дома.

Садяо Ан догадался, что это ресторан. Город назывался «Барселона», и вся высоко вознесенная над ним терраса была снята господином Федором всего для двух посетителей – его самого и спутницы, полной женщины такого же возраста.

Они сидели в самом центре крыши за столом, накрытом для двоих. Остальные столы и диваны были сдвинуты к окружающей крышу проволочной ограде.

Пара уже закончила ужин. Перед ними остались только бокалы с вином и защищенные от ветра свечи.

Спутница господина Федора была одета в неброское темно-синее платье, а из украшений носила только черно-белое ожерелье, похожее на тонкий гибкий шлагбаум, и золотое обручальное кольцо на левом безымянном пальце. Волосы ее были острижены коротко и просто. На лице не было никакой косметики.

Такая простота располагала. Но от этой женщины исходили тревожные и сильные эманации древней магии. Саядо Ан нахмурился и вгляделся в нее пристально.

Нельзя было сказать, что она идет по пути зла. Во всяком случае, в большей степени, чем остальные люди. Но она была непреклонна и холодна – и, когда саядо Ан захотел понять, кому или чему она поклоняется, он на несколько мгновений увидел сидящую у нее на голове красно-желтую ящерицу.

Он вздохнул. Таких ящериц он уже видел. С каждым годом их становилось все больше. К чему, интересно, это приведет?

Женщина что-то объясняла господину Федору. Тот, слушая ее, вдумчиво кивал. Саядо Ан стал следить за их разговором – языка он не понимал, но общее смысловое облако беседы было ему ясно. Они говорили о меблировке семейной спальни в том самом плавучем доме, где саядо Ан гостил когда-то у господина Федора.

– Кресло с задранными ногами точно выкинуть надо. Я об эти каблуки каждый раз цепляюсь, когда в туалет иду. Вообще все это сраное барахло из спальни хорошо бы убрать.

– Ты про искусство? – спросил господин Федор. – Да ты что... В нем же вся изюминка.

– Давай куда-нибудь эту изюминку спрячем. Ну где это видано – в спальне на яхте такую гадость держать.

– Голливудских евреев жалко, – сказал господин Федор. – Они по утрам на деловой лад настраивают. Бодрят. Сразу вспоминаю, куда проснулся... Знаешь, сколько за них Юра предлагал? Он их у меня уже год выпрашивает. А я держусь.

– Тогда это гинекологическое кресло хотя бы выкинь. Такая патриархальная пошлость. А самое главное – актрисулек со стены убери. Которые с сатиром трахаются.

– Знаешь, сколько они стоили?

– Ну так перенеси их в бильярдную, где ты с мужиками эту дрянь нюхаешь. Будете на них смотреть и хуемразно ржать.

– Если перенесу, ты подмышки побреешь?

– Может, еще ноги побрить? А паранджу не хочешь?

Господин Федор покачал головой и вздохнул. У его губ мелькнула горькая складка, но сразу же и пропала. Он вынул из кармана сигару и принялся ее раскуривать.

Женщина встала из-за стола.

– Пока ты дымишь, я на диване посижу, – сказала она.

– Вино возьми.

– Я потом допью.

Женщина пошла к краю крыши – туда, где стояли диваны – и села на один из них. У нее был недовольный вид. Господин Федор отхлебнул вина из бокала, втянул густой дым, и возле его рта опять нарисовалась горькая складка. Он, казалось, о чем-то задумался.

И тут с женщиной на диване стало происходить что-то странное.

Она откинула голову назад и уставилась на господина Федора. В ее глазах появилось что-то сладко-надменное – и вдруг саядо Ану показалось, что по ее лицу забегали десятки мелких ящериц, полностью скрыв его своими желтыми и красными шкурками.

Он перевел внимание на господина Федора. Тот еще несколько раз пыхнул сигарой, положил ее на край стола и в хмурой задумчивости уставился на спутницу. Прошла минута, еще одна – и его мрачная гримаса разгладилась.

Саядо Ан захотел узнать, что видит господин Федор.

Ему почудилась лодка, солнечное морское утро, золотая рябь на воде – и юная девушка, улыбающаяся рассвету. Эта девушка была так невозможно хороша, что Саядо Ан даже поморщился. Ничего доброго эта красота никому не сулила.

И точно. Рядом с девушкой в лодке лежал острый стальной якорь. Он подозрительно ярко блеснул на солнце – и исчез.

Саядо Ан прикрыл глаза. Никакой лодки, конечно, нигде не было. Была только немолодая женщина на диване. Она сидела, все так же запрокинув улыбающееся лицо (ящерицы уже не бегали по ее коже), и делала мелкие движения правой рукой, лежащей на подлокотнике дивана – словно поглаживала невидимую киску.

Саядо Ан снова посмотрел на господина Федора.

Тот уже не сидел за столом. Он медленно шел к своей спутнице с двумя бокалами вина в руках. Выражение его лица было мечтательным и одновременно виноватым.

Не дойдя до нее пары шагов, он опустился на колени.

– Таня, – сказал он, – Таня... Я так перед тобой виноват. И так тебе благодарен...

– За что? – одними губами спросила Таня, старательно выдерживая угол, под которым было наклонено ее лицо.

– За то, что ты тогда... Ну... Когда мы опять встретились, как бы отплатила той же монетой. Иначе мне было бы трудно, очень трудно искупить... Я так нехорошо тогда поступил.

– У тебя всегда юмор такой был, – проговорила Таня. – И в школе тоже. Ты просто не помнишь.

– Может быть, может быть... Ты знаешь, я стоял на краю бездны. Огромной страшной бездны, о какой обычный человек даже не помышляет. Даже не представляет, что такое возможно...

– Да, – вздохнула Таня, – ты какой-то весь помятый был, когда я тебя нашла. Правда.

Она опять стала поглаживать невидимую киску правой ладонью, и господин Федор медленно пополз к ней на коленях.

– Я давал тебе читать свои записки, – продолжал он, – но ты не стала. И я понимаю почему – в них одиночество и ужас. Бесконечная космическая ночь...

Мне было больно, холодно и страшно. Совсем холодно и страшно. Зато теперь...

Таня начала гладить киску чуть энергичнее. Господин Федор поставил бокалы на пол, быстро преодолел последний метр, отделявший его от спутницы, и уткнулся лицом в ее колени – с такой силой, словно его прихватила за затылок невидимая металлическая скоба.

– Теперь я вернулся домой...

С господином Федором все было примерно понятно.

Саядо Ан захотел увидеть другого русского ученика – молодого и бойкого, организовавшего когда-то всю эту карусель.

Он нашел его сразу на корме большой океанской яхты. Очень большой, гораздо крупнее той, на которой плавал господин Федор. У Дамиана были проблемы. Это делалось ясно с первого взгляда.

Он стоял возле лесенки на самом краю кормы – от него до моря оставалась всего пара ступенек. Над ним грозно нависали два человека в широких белых халатах из дешевого хлопка. Прислуга держала над каждым из них по большому белому зонту.

Саядо Ан узнал их. Это были товарищи господина Федора по путешествию в джаны. Но дело было даже не в них.

За их спинами стояло несколько мускулистых мужчин в пестрых рубахах и черных очках, с самыми настоящими помповыми ружьями в руках. Это была охрана – и вид у охранников был такой, словно они на полном серьезе готовились расстрелять бедного Дамиана.

Это казалось вполне возможным. В конце концов, как эти опасные и необузданные полярные демоны заработали денег на свои морские дома? Ведь никто из них, кажется, не придумал ни интернета, ни ракеты, способной полететь на Марс.

Насколько сумел понять саядо Ан, главный механизм их фантастического обогащения был как-то связан с ночной мистерией приготовления сырого мяса над углями костра. У них у всех в прошлом было много горелого мяса. Так что ожидать можно было чего угодно.

Саядо Ан попытался хотя бы примерно понять, что происходит на корме.

Нет, охрана, похоже, не собиралась стрелять. Программа вечера была немного другой: у низкой белой кормы на воде качалась шлюпка. Обычная лодка с двумя веслами. В ней валялся красный спасательный жилет, десяток больших бутылок воды и пакет с едой.

– Юрий Соломонович! – протянул Дамиан умоляюще. – Ринат Мусаевич! Ну куда же я отсюда один?

– В путешествие, – ласково ответили из-под белого зонта. – В самое замечательное путешествие всей своей сраной жизни. Ты нас так, кажется, разводил, когда на пантограф подписывал?

– И сколько денег взял, – добавил другой белый зонт. – А мы тебе бесплатно делаем. Выгребешь – живи. А нет, извини. Твоя карма.

– Какие у меня шансы? – спросил Дамиан.

– А у нас какие? – усмехнулся первый белый зонт. – Мы теперь все время на краю. Я недавно на ютубе песни старые слушал, детство вспоминал. И вдруг слышу этого... Как его... Артиста уже не вспомню, такой дрожащий советский голос – «лишь о том, что все пройдет, вспоминать не надо...» У меня сразу припадок. Пришлось три дня пить и нюхать. В моем возрасте разве такое можно? Какая нагрузка на печень. На сердце, на легкие, на носоглотку... И все из-за тебя, подлеца.

– Вон Федор Семенович вроде на поправку пошел, – ответил Дамиан. – Уже почти совсем выздоровел.

– Федя бабу нашел, которая ему каждый день мозги насквозь компостирует, – сказал второй белый зонт. – Он просто соскользнуть назад не успевает. Повезло парню. А у нас другой расклад. Ты потому только живой, Дамиан, что мы заранее договорились никого не грохать. Так что...

Зонт показал пальцем на шлюпку.

Дамиан понял, что не убедит своих суровых собеседников – и его лицо внезапно стало злым.

– Я старался, – сказал он, – всю жизнь выкладывался. Честно боролся. Как мог... А вы... Вы же сами себе все это и устроили. Ну ладно... Вам тоже ответка от судьбы прилетит. Сейчас вот на мегаяхтах катаетесь, а придет день – будете в тюремном вагоне трястись. Попомните мои слова!

Первый белый зонт засмеялся.

– А вот то что злой ты, это плохо. Вокруг монахов крутился, а в буддизме так ничего и не понял. Не проник в глубину его. Не увидел нравственной его высоты, сострадания. Любви ко всему живому...

– Так что плыви по-хорошему, – добавил второй зонт. – А хамить будешь, рацион сократим. Или весла отнимем. С веслами, может, и выгребешь куда.

Дамиан вздохнул – и перебрался в шлюпку.

– На тебе еще вот... С приветом из Варанаси.

В лодку полетел один из белых зонтов. Потом на яхте отвязали канат и бросили конец в воду.

Яхта стала быстро удаляться.

Дамиан вынул из заднего кармана джинсов белую бейсболку с надписью «SKOLKOVO SAILING TEAM» и надел на голову. Бейсболка есть, а парусов опять не выдали...

Несколько минут он смотрел на уплывающую яхту, а когда она превратилась в белое пятнышко, повернулся в другую сторону и уставился на горизонт жизни.

«Грести, – подумал он. – Надо опять грести. Все куда-то гребут... Зачем? Ни один ведь пока не доплыл. Ни один...»

Он наклонил голову вправо, и горизонт послушно превратился в косую линию, похожую на склон огромной и древней синей горы.

Гора была рядом – и очень-очень далеко. Она была отчетливо видна – и полностью от всех скрыта.

– Катацумури, – прошептал Дамиан, и по его щеке проползла крохотная улитка слезы. – Соро-соро нобоpe Фуджи-но ямá...

ОГЛАВЛЕНИЕ

Литературно-художественное издание

ЕДИНСТВЕННЫЙ И НЕПОВТОРИМЫЙ. ВИКТОР ПЕЛЕВИН

Пелевин Виктор Олегович

ТАЙНЫЕ ВИДЫ НА ГОРУ ФУДЗИ

Ответственный редактор *О. Аминова*
Младший редактор *М. Мамонтова*
Художественный редактор *А. Сауков*
Компьютерная верстка *О. Шувалова*
Корректор *Н. Сикачева*

ООО «Издательство «Эксмо»
123308, Москва, ул. Зорге, д. 1. Тел.: 8 (495) 411-68-86.
Home page: www.eksmo.ru E-mail: info@eksmo.ru
Өндіруші: «ЭКСМО» АҚБ Баспасы, 123308, Мәскеу, Ресей, Зорге көшесі, 1 үй.
Тел.: 8 (495) 411-68-86.
Home page: www.eksmo.ru E-mail: info@eksmo.ru.
Тауар белгісі: «Эксмо»
Интернет-магазин : www.book24.ru
Интернет-дүкен : www.book24.kz
Импортёр в Республику Казахстан ТОО «РДЦ-Алматы».
Қазақстан Республикасындағы импорттаушы «РДЦ-Алматы» ЖШС.
Дистрибьютор и представитель по приему претензий на продукцию,
в Республике Казахстан: ТОО «РДЦ-Алматы»
Қазақстан Республикасында дистрибьютор және өнім бойынша арыз-талаптарды
қабылдаушының өкілі «РДЦ-Алматы» ЖШС,
Алматы қ., Домбровский көш., 3«а», литер Б, офис 1.
Тел.: 8 (727) 251-59-90/91/92; E-mail: RDC-Almaty@eksmo.kz
Өнімнің жарамдылық мерзімі шектелмеген.
Сертификация туралы ақпарат сайтта: www.eksmo.ru/certification

Сведения о подтверждении соответствия издания согласно законодательству РФ
о техническом регулировании можно получить на сайте Издательства «Эксмо»
www.eksmo.ru/certification
Өндірген мемлекет: Ресей. Сертификация қарастырылмаған

Подписано в печать 15.10.2018. Формат 84x108$^{1}/_{32}$.
Гарнитура «Newton». Печать офсетная. Усл. печ. л. 21,84.
Доп. тираж 7000 экз. Заказ 8157/18.

Отпечатано в соответствии с предоставленными материалами
в ООО «ИПК Парето-Принт», 170546, Тверская область,
Промышленная зона Боровлево-1, комплекс №3А, www.pareto-print.ru

EKSMO.RU
новинки издательства

Оптовая торговля книгами «Эксмо»:
ООО «ТД «Эксмо». 123308, г. Москва, ул.Зорге, д.1, многоканальный тел.: 411-50-74.
E-mail: **reception@eksmo-sale.ru**

По вопросам приобретения книг «Эксмо» зарубежными оптовыми покупателями *обращаться в отдел зарубежных продаж ТД «Эксмо»*
E-mail: **international@eksmo-sale.ru**

International Sales: International wholesale customers should contact Foreign Sales Department of Trading House «Eksmo» for their orders.
international@eksmo-sale.ru

По вопросам заказа книг корпоративным клиентам, в том числе в специальном оформлении, *обращаться по тел.: +7 (495) 411-68-59, доб. 2261.*
E-mail: **ivanova.ey@eksmo.ru**

Оптовая торговля бумажно-беловыми
и канцелярскими товарами для школы и офиса «Канц-Эксмо»:
Компания «Канц-Эксмо»: 142702, Московская обл., Ленинский р-н, г. Видное-2,
Белокаменное ш., д. 1, а/я 5. Тел.:/факс +7 (495) 745-28-87 (многоканальный).
e-mail: **kanc@eksmo-sale.ru**, сайт: www.**kanc-eksmo.ru**

В Санкт-Петербурге: в магазине «Парк Культуры и Чтения БУКВОЕД», Невский пр-т, д. 46.
Тел.: +7(812)601-0-601, **www.bookvoed.ru**

Полный ассортимент книг издательства «Эксмо» для оптовых покупателей:
Москва. ООО «Торговый Дом «Эксмо». Адрес: 123308, г. Москва, ул.Зорге, д.1.
Телефон: +7 (495) 411-50-74. **E-mail:** reception@eksmo-sale.ru
Нижний Новгород. Филиал «Торгового Дома «Эксмо» в Нижнем Новгороде. Адрес: 603094,
г. Нижний Новгород, ул. Карпинского, д. 29, бизнес-парк «Грин Плаза».
Телефон: +7 (831) 216-15-91 (92, 93, 94). **E-mail:** reception@eksmonn.ru
Санкт-Петербург. ООО «СЗКО». Адрес: 192029, г. Санкт-Петербург, пр. Обуховской Обороны,
д. 84, лит. «Е». Телефон: +7 (812) 365-46-03 / 04. **E-mail:** server@szko.ru
Екатеринбург. Филиал ООО «Издательство Эксмо» в г. Екатеринбурге. Адрес: 620024,
г. Екатеринбург, ул. Новинская, д. 2щ. Телефон: +7 (343) 272-72-01 (02/03/04/05/06/08).
E-mail: petrova.ea@ekat.eksmo.ru
Самара. Филиал ООО «Издательство «Эксмо» в г. Самаре.
Адрес: 443052, г. Самара, пр-т Кирова, д. 75/1, лит. «Е».
Телефон: +7(846)207-55-50. **E-mail:** RDC-samara@mail.ru
Ростов-на-Дону. Филиал ООО «Издательство «Эксмо» в г. Ростове-на-Дону. Адрес: 344023,
г. Ростов-на-Дону, ул. Страны Советов, д. 44 А. Телефон: +7(863) 303-62-10. **E-mail:** info@rnd.eksmo.ru
Центр оптово-розничных продаж Cash&Carry в г. Ростове-на-Дону. Адрес: 344023,
г. Ростов-на-Дону, ул. Страны Советов, д. 44 В. Телефон: (863) 303-62-10.
Режим работы: с 9-00 до 19-00. **E-mail:** rostov.mag@rnd.eksmo.ru
Новосибирск. Филиал ООО «Издательство «Эксмо» в г. Новосибирске. Адрес: 630015,
г. Новосибирск, Комбинатский пер., д. 3. Телефон: +7(383) 289-91-42. **E-mail:** eksmo-nsk@yandex.ru
Хабаровск. Обособленное подразделение в г. Хабаровске. Адрес: 680000, г. Хабаровск,
пер. Дзержинского, д. 24, литера Б, офис 1. Телефон: +7(4212) 910-120. **E-mail:** eksmo-khv@mail.ru
Тюмень. Филиал ООО «Издательство «Эксмо» в г. Тюмени.
Центр оптово-розничных продаж Cash&Carry в г. Тюмени.
Адрес: 625022, г. Тюмень, ул. Алебашевская, д. 9А (ТЦ Перестройка+).
Телефон: +7 (3452) 21-53-96/ 97/ 98. **E-mail:** eksmo-tumen@mail.ru
Краснодар. ООО «Издательство «Эксмо» Обособленное подразделение в г. Краснодаре

ISBN 978-5-04-098435-0

9 785040 984350 >

冨嶽三十六景 駿州江尻
前北斎為一筆